Dictionnaire des contrariétés

Dictionnaire des contrariétés

Laura Lee

traduction de Yves Bourque

illustrations de Linda O'Leary

Catalogage avant publication
de la Bibliothèque nationale du Canada

Lee, Laura, 1969-

Dictionnaire des contrariétés : 97 petits inconvénients
de la vie moderne

Traduction de : The pocket encyclopedia of aggravation.

ISBN 2-7604-0947-3

1. Frustration – Miscellanées. I. Titre.

BF575.F7L4314 2004 152.4'7 C2004-940020-7

Maquette de la couverture : Danielle Péret
Infographie et mise en pages : Luc Jacques
Illustrations : Linda O'Leary

Les Éditions Alain Stanké remercient le ministère du Patrimoine canadien, le Conseil des Arts du Canada, la Société de développement des entreprises culturelles du Québec (SODEC) et le Programme de crédit d'impôt du Gouvernement du Québec du soutien accordé à son programme de publication.

Dépôt légal : Bibliothèque nationale du Québec, 1er trimestre 2004

Les Éditions internationales
Alain Stanké
7, chemin Bates
Outremont (Québec) H2V 4V7
Tél. : (514) 396-5151
Téléc. : (514) 396-0440
editions@stanke.com

Stanké international, Paris
Tél. : 01.40.26.33.60
Téléc. : 01.40.26.33.60

ISBN 2-7604-0947-3

Diffusion au Canada : Québec-Livres
Diffusion en Europe : Inter-Forum

Table des matières

Introduction

« Savez-vous ce qui est vraiment agaçant? » Ces derniers mois, alors que je travaillais sur ce livre, je ne crois pas avoir eu une seule conversation où mon interlocuteur n'ait glissé cette phrase. Maintenant que le livre est paru, je doute que les contrariétés soient moins nombreuses qu'avant. Les gens sont frustrés par des milliers de petites choses insignifiantes, allant des ongles incarnés aux petites coupures que l'on s'inflige parfois sur le tranchant d'une feuille de papier, jusqu'au summum des contrariétés : les agents de télémarketing.

Personne n'est à l'abri des contrariétés. À plusieurs occasions, les experts que j'ai rencontrés – des savants aux longs titres suivis de sigles obscurs – terminaient la conversation en se plaignant des bouts de fil qui dépassent des pulls, des gens qui grignotent le bout des crayons et des draps-housses qui ne s'ajustent pas au matelas.

Par exemple, j'ai rencontré le docteur Ron Grassi, D.C., M.S., DABDA, FACFE, membre de la Commission américaine des médecins légistes et des analystes en matière d'Invalidités physiques, et je lui demandai pourquoi les torticolis étaient si souffrants (ce sujet, malheureusement, ne s'est pas retrouvé parmi ceux que j'ai retenus pour ce livre). Après sa réponse, il me posa cette question : « Pourquoi les gens se sentent-ils obligés de gueuler quand ils utilisent leur téléphone cellulaire, comme s'ils se parlaient d'une montagne à une autre? Ils ne le font pourtant pas lorsqu'ils se servent d'un téléphone ordinaire. Et que dire de ces personnes qui grattent avec leur cuillère le fond de leur bol de crème glacée (quand il n'y en a presque plus de toute façon) alors que vous êtes confortablement installé au lit pour regarder un bon film? Et ces satanés CLAQUEURS DE PORTES !!!! Vous rendez-vous compte combien cela peut insulter un propriétaire de Corvette décapotable? »

Par contre, d'autres experts ne furent pas trop impressionnés par l'idée que je proposais. Un représentant de l'Institut polytechnique Resselaer sembla quelque peu ennuyé lorsque je lui demandai s'il y avait sur place un ingénieur en mécanique qui pourrait m'expliquer pourquoi les ouvre-boîtes manuels laissent toujours une toute petite partie du couvercle attaché à la boîte, et que celle-ci semble impossible à couper même si on repassait cent fois dessus avec l'ouvre-boîte (soit dit en passant, je n'ai jamais pu obtenir de réponse à cette question). Une bibliothécaire de ma localité parut confuse quand je lui annonçai que je cherchais des livres de psychologie qui m'expliqueraient pourquoi deux piétons s'apprêtant à se croiser sur le trottoir et voulant faire place l'un à l'autre semblent toujours se ranger vers la droite, ou vers la gauche, en même temps, jusqu'à ce qu'une quasi-collision embarrassante les force à exécuter une petite danse malaisée pour s'éviter l'un l'autre. « Vous ne trouverez aucun livre sur ce sujet », dit-elle, avec une grimace qui trahissait sa certitude que j'étais folle ou que je me payais sa tête, ou les deux.

L'idée d'écrire un livre traitant de toutes ces petites contrariétés que la vie nous apporte me vint un après-midi d'été, au mois d'août. J'étais assise près d'un étang, contemplant paresseusement les reflets du soleil sur les vaguelettes, quand mes rêveries furent soudainement interrompues par un moustique qui forait de sa petite paille mon bras gauche. Mon esprit se remplit alors de questions. Pourquoi les moustiques s'acharnent-ils plus sur moi que sur d'autres personnes ? Qu'est-ce qui fait apparaître ce petit bouton sur la peau ? Qu'est-ce qui cause la démangeaison ? Et pourquoi de telles bestioles existent-elles sur la planète de toute façon ? Aussi, il m'apparut que d'autres personnes devaient se poser les mêmes questions. Comment se fait-il que je perde toujours un bas lors de la lessive ? Pourquoi est-ce que je me retrouve toujours dans la ligne la plus lente au supermarché ? Comment répondre correctement à un policier lorsqu'il nous demande : « Savez-vous à quelle vitesse vous rouliez ? »

« Ce sont les petites choses qui surviennent dans notre vie de tous les jours qui nous causent le plus grand stress », de dire Allen Elkin, directeur des programmes au Centre de consultation et de gestion du stress de New York. « Les petites insultes nous atteignent plus rapidement que les gros problèmes, elles nous agressent plus fréquemment, sont plus tenaces et s'accumulent avec rapidité. » Mais ce n'est pas tout : nous adorons aussi en parler. Autrefois, beaucoup de psychologues croyaient que de parler des frustrations permettait d'en faire une certaine ventilation. Plusieurs pensent maintenant le contraire ; ce qui veut dire

que d'écrire ce livre est probablement mauvais pour ma santé. Ça, ça m'agace vraiment!

Je dois admettre que le fait de m'être concentrée pendant des mois sur les contrariétés de la vie m'a fait parfois voir la vie du mauvais côté, mais dans l'ensemble, ce fut une expérience positive. En tant qu'auteure d'un livre sur les contrariétés, j'ai pu transformer le négatif en positif. «Va! Je me suis coupé avec cette feuille de papier! Ah ha! Ça, c'est contrariant!» Et une autre rubrique s'ajoutait à mon livre.

Sur un plan plus général, le fait que les Américains soient obsédés par la poussière qui s'accumule sur l'écran de l'ordinateur ou par l'espace restreint pour les jambes entre les sièges d'avion est un bon signe. Vous n'avez d'énergie pour ces futilités que quand tout le reste de votre vie est relativement paisible, tranquille et prospère. Même si je n'ai pas de statistiques précises pour appuyer mes dires, je crois tout de même que les scientifiques mettent beaucoup moins de temps et d'énergie à rechercher, disons, la composition chimique exacte des gaz intestinaux ou à déterminer le temps qu'il faut pour qu'un biscuit se retrouve en bouillie au fond de votre tasse de café, quand le pays est en guerre, en dépression économique, au milieu d'une famine ou affligé par la peste. En l'absence d'une quelconque crise nationale, nous avons le loisir de réfléchir sur l'anodin. Dans cet esprit, donc, cet ouvrage est bigrement stimulant.

On ne peut échapper aux contrariétés. Les gens qui vivent et travaillent à la ville doivent composer avec la pollution, les lignes d'attente, les embouteillages, le bruit, les foules et un style de vie très fébrile et rempli de tensions. Les gens qui vivent à la campagne ont aussi leurs propres désagréments: les insectes, les animaux écrasés sur la route, les bouses de vache sur lesquelles on met le pied et la nécessité de conduire pendant 20 minutes juste pour se rendre au bureau de poste le plus près. Certaines personnes choisissent de travailler dans des immeubles à bureaux, où elles doivent composer avec des collègues de travail et des patrons énervants, des espaces de travail déprimants et le besoin de planifier leurs jours de congé des mois à l'avance. D'autres personnes évitent ce genre d'ennui en travaillant à leur compte. Mais elles doivent s'occuper de payer elles-mêmes l'impôt des travailleurs autonomes, se procurer leur propre assurance maladie, et elles ne peuvent compter sur un chèque de paye régulier. Les gens qui vivent seuls n'ont personne avec qui partager le loyer et, si leur voiture tombe en panne, personne à la maison ne vient les chercher. Pour leur part, les

gens qui ne vivent pas seuls doivent accepter beaucoup de compromis. J'en suis venue à la conclusion que le secret d'une vie saine repose sur un choix judicieux des contrariétés auxquelles on accepte de faire face ; il s'agit d'ajuster notre style de vie en conséquence.

Je m'attends évidemment à recevoir de furieuses lettres de la part d'agents de télémarketing, de préparateurs de nourriture pour compagnies aériennes ainsi que des concepteurs de Barney, le dinosaure mauve. Croyez-moi, j'ai de l'empathie pour eux, j'ai déjà été mime. Les contrariétés sont subjectives. Ce qui pour une personne n'est que du bruit peut sembler, pour une autre, une symphonie. J'ai composé ma liste personnelle de choses énervantes et désagréables à partir d'observations subjectives et de suggestions d'amis et de connaissances. Si j'avais écrit une rubrique pour chacun des éléments qui s'y trouvaient, mon livre aurait occupé autant d'espace que les plus gros dictionnaires sur le marché. « Un livre aussi gros serait *contrariant*, me dit mon éditeur, personne ne l'achèterait. » J'ai donc réduit la liste originale en choisissant les contrariétés les plus venimeuses, ainsi que celles dont l'explication est la plus intéressante. La mousse dans le nombril, l'orteil cogné sur une patte de lit et la fiente d'oiseau sur le capot de l'auto sont toutes des choses agaçantes et contrariantes, mais ne recèlent aucun mystère. Pour ma part, la chose qui me soit la plus contrariante est le fait que je n'aurai probablement jamais le sentiment que ce livre est finalement achevé. Le nombre de pages et le temps dont je dispose pour les écrire sont des limites réelles, et il y aura toujours des choses agaçantes dignes de mention que je ne pourrai tout simplement pas aborder. De plus, nous inventons sans cesse de nouvelles contrariétés (voir *Améliorations qui rendent les choses pires qu'elles étaient*).

DE

ACNÉ

À

AMÉLIORATIONS QUI RENDENT LES CHOSES PIRES QU'ELLES ÉTAIENT

Acné

Lorsque vous arrivez finalement à cet âge où vous désirez un petit ami ou une petite amie, vous devenez préoccupé par votre apparence physique. C'est à ce même moment que vous découvrez que Dame Nature est méchante et qu'elle a un sens de l'humour plutôt particulier. Votre peau se met à changer, une couche huileuse se répand sur votre visage et des boutons d'acné surgissent un peu partout. Qui plus est, le stress que cause en vous votre acné provoque lui-même plus d'acné !

La prédisposition à l'acné est d'origine génétique et se transmet donc de génération en génération. Durant l'adolescence, les garçons sont plus sujets à en faire que les filles. Mais, puisque l'acné est provoquée par un changement hormonal, les femmes en sont souvent atteintes lors des menstruations. Les scientifiques pensent que cet aspect indésirable de la puberté avait jadis sa raison d'être. À l'époque où les gens devaient chasser et fourrager dans les grands espaces sauvages pour trouver leur nourriture, une couche d'huile supplémentaire sur la peau constituait une bonne protection contre les éléments. De nos jours, les glandes sébacées ne produisent que des boutons.

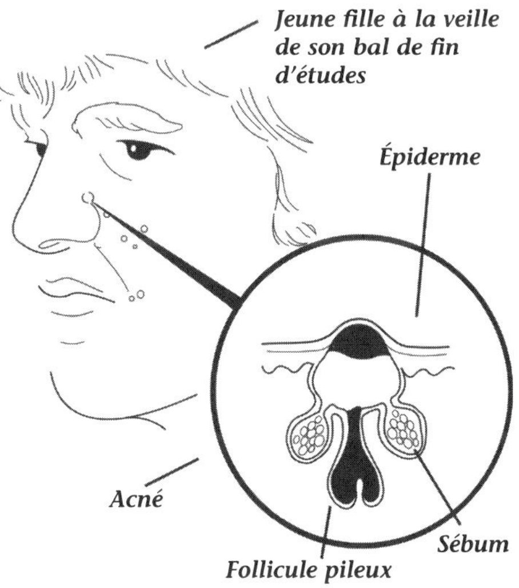

Les androgènes, ces hormones sexuelles sécrétées à la puberté, sont la cause de la production de sébum, un gras qui permet à la peau et aux cheveux de demeurer doux de façon naturelle. Par contre, il arrive que ce sébum soit piégé sous des cellules de peau morte. Le follicule pilosébacé s'étire donc vers l'extérieur et une bosse apparaît au-dessus. Contrairement à la croyance populaire, les comédons (ou points noirs) ne sont pas causés par de la saleté qui se serait infiltrée dans un pore de peau. Les comédons sont de petits bouchons d'huile qui, s'étant rendus à la surface de la peau, s'oxydent au contact de l'air et deviennent noirs. S'ils ne parviennent pas à percer la surface de la peau, ces bouchons d'huile demeurent blancs, sous le derme.

Lorsque le sébum d'une glande obstruée se transforme en acide gras, celui-ci devient un aliment pour les bactéries. Le corps réagit donc en envoyant des globules blancs (leucocytes) pour détruire les envahisseurs. Le résultat: du pus et un gros bouton.

Les poussées d'acné observées à l'adolescence ne pourraient pas arriver à un pire moment de la vie. David Elkind, qui a étudié le phénomène d'égocentrisme adolescent, a démontré qu'à l'adolescence l'individu devient très préoccupé par l'image qu'il a de lui-même. L'adolescent a l'impression qu'un auditoire invisible épie chacun de ses gestes – un auditoire de critiques acerbes. Le stress – celui qui est ressenti avant un examen important, une entrevue pour un emploi, un rendez-vous galant ou causé par une éruption soudaine de boutons – provoque une production accrue d'androgènes par le corps, laquelle peut provoquer une nouvelle éruption de boutons, laquelle peut causer encore plus de stress, lequel engendre une production supplémentaire d'androgènes...

Et il s'avère que, comme si un visage plein de boutons n'était pas déjà assez décourageant juste avant cet important rendez-vous, certains produits contre l'acné ont comme effet secondaire de causer la dépression. La Food and Drug Administration des États-Unis a mis en garde contre les propriétés déprimantes d'Accutane, un médicament contre l'acné. Le manufacturier de ce médicament nie cependant ces allégations, clamant que c'est l'acné qui déprime les adolescents, plutôt que le médicament.

A

Améliorations qui rendent les choses pires qu'elles étaient

(Voir Ordinateurs, « @#%$ machine », Pointeurs laser, PowerPoint l'omniprésent, Rage au clavier, Téléphones cellulaires)

« Pour connaître toutes les occasions où la technologie n'a pas amélioré la qualité de votre vie, faites le un. » Les appareils et les machines sont conçus pour rendre votre vie plus simple, pour rendre les entreprises plus efficaces, et pour mettre fin aux travaux les plus ardus. Néanmoins, la plupart d'entre nous ont fait l'expérience d'un de ces nouveaux appareils qui provoquent au bureau l'arrêt de toute activité

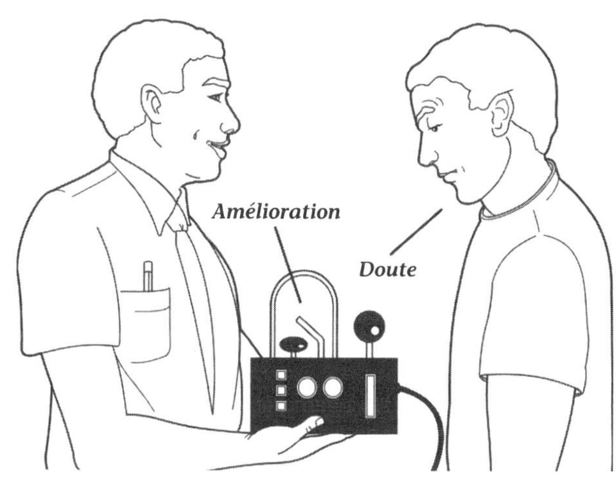

pendant des semaines et qui la ralentissent durant des mois avant que les employés apprennent à l'utiliser correctement.

Edward Tenner, rédacteur en chef des Sciences et de l'Histoire pour les Presses universitaires Princeton, appelle ces incidences l'« effet revanche ». Dans son livre *Why Things Bite Back: Technology and the Revenge of Unintended Consequences* (Pourquoi les choses se retournent-elles contre vous: la technologie et la revanche des conséquences imprévues), il souligne le fait que notre inhabileté à comprendre la façon dont les choses fonctionnent au sein d'un système nous amène souvent à essuyer des résultats négatifs.

L'augmentation de la vitesse de nos moyens de transport a eu pour effet revanche d'augmenter l'infestation du monde par des parasites, des virus et des microbes de toutes sortes. Nos duveteuses moquettes ont eu l'effet revanche de loger dans nos maisons une quantité infinie d'insectes microscopiques et de particules allergènes. Les appareils censés nous faciliter la tâche, comme un aspirateur, peuvent en fait nous occasionner plus de travail. Il est certes plus facile de passer l'aspirateur que d'aller battre le tapis à l'extérieur. Mais parce que nous possédons un aspirateur, nous croyons devoir nettoyer plus souvent.

Les médecins portent des gants chirurgicaux pour nous protéger des microbes mais, selon le *Journal européen de chirurgie*, la poudre dont ces gants sont enduits peut causer de l'inflammation, ce qui augmente le risque d'infection, sans compter que cette même poudre occasionne parfois des diagnostics erronés de cancer et de SIDA. Plusieurs produits domestiques conçus pour rendre notre environnement plus propre et plus sain remplissent l'air que nous respirons de substances chimiques potentiellement toxiques. De nouveaux logiciels peuvent avoir comme effet revanche de semer la confusion chez l'utilisateur et même la perte de documents.

« Un appareil ne peut apparaître comme ayant un esprit indépendant, à moins qu'il s'agisse d'un système, et non d'un simple appareil, a écrit Tenner. L'appareil se doit d'avoir plusieurs parties qui interagissent les unes avec les autres, de façon parfois insolite et inattendue. »

Les Allemands, toujours très économes quand il est question de vocabulaire, ont concocté un mot unique pour désigner l'effet revanche – *Schlimmbesserung*, littéralement, « pire amélioration ». Le sens du mot yiddish *farpotshket* s'en rapproche. S'il vous est déjà arrivé de commencer avec un problème de logiciel relativement mineur et de vous

retrouver en fin de compte avec un ordinateur complètement bloqué, eh bien, votre ordinateur est *farpotshket*. L'adjectif en question fait référence à une chose qui est complètement bousillée, surtout quand c'est dû aux maints efforts que nous avons faits pour la réparer.

DE BAGAGES PERDUS À BUREAU À CLOISONS

Bagages perdus

(Voir Bouffe dans les avions, Espace pour les jambes en avion, Guerre d'accoudoirs, Vols retardés)

Un beau voyage à Paris. Voilà ce que vos bagages ont gagné. Vous, cependant, étiez à bord d'un vol vers l'Idaho. À votre arrivée, vous êtes resté là, debout, à regarder le carrousel à bagages, jusqu'à ce qu'il n'y reste qu'une seule valise, mauve, qui n'est pas la vôtre.

Pour être juste envers les compagnies aériennes, disons que presque tous les bagages arrivent à destination. Selon le Département des Transports américain, entre 10,5 et 1 pour cent des bagages est détourné ou égaré. Mais si vous considérez le nombre de passagers sur chacun des vols de tous les jours, ce un pour cent devient vite énorme. En fait, entre 10 000 et 20 000 valises sont égarées chaque jour. Les dossiers du Département des Transports démontrent que la United Airlines possède la pire feuille de route de tous les transporteurs aériens pour ce qui est des bagages perdus.

Voici ce qu'a répondu un porte-parole de la United Airlines à ce propos : « Les bagages ne sont pas perdus, au sens strict du mot ; ils ne font que manquer le vol. »

Plusieurs facteurs peuvent expliquer qu'on égare votre valise et qu'elle se retrouve à une destination autre que la vôtre. Il arrive que vos bagages ne vous suivent pas tout simplement parce que vous êtes arrivé à la dernière minute, que vous avez attrapé votre avion de justesse et que vos valises n'ont pas eu la même veine. La mauvaise température peut aussi provoquer une congestion dans les aéroports et semer la confusion chez les employés du centre de triage. Il arrive également qu'une valise soit endommagée et que seule sa poignée détachée se rende à destination, grâce au ticket d'identification qu'elle portait toujours. Mais l'erreur humaine est parfois en cause. Un employé du comptoir de réception peut taper une mauvaise lettre à l'intérieur d'un

code de destination et provoquer la perte de votre valise. C'est sans parler du célèbre cas du couple texan qui avait pris l'habitude de se rendre à l'aéroport de Dallas Fort Worth et d'y subtiliser des valises dont il revendait le contenu.

Grâce à un suivi informatisé, la plupart des gens retrouvent leurs bagages au cours des 24 heures qui suivent leur perte. Il arrive souvent que la compagnie aérienne sache que vos valises ont été déroutées avant même que vous vous en soyez aperçu. Les agents aux portes de départ, les préposés aux bagages et les employés du service à la clientèle peuvent retracer une valise à l'aide d'un petit appareil qui tient dans la main et vous dire si elle a bel et bien été mise sur votre vol ou si elle est ailleurs et qu'on s'occupe de vous la faire parvenir. Si votre valise égarée est effectivement en route pour vous revenir, vous n'aurez peut-être pas vos affaires à temps, mais vous saurez au moins où elles sont.

Si, par contre, une valise est vraiment égarée, il faudra recourir au système de recherche international auquel participent 275 transporteurs aériens. Si cette valise n'est pas retracée dans les 5 jours qui suivent, elle est alors considérée comme introuvable, mais elle ne reçoit pas la mention « perdue » avant que 30 jours se soient écoulés. À ce moment-là (ou lorsque votre valise démolie refait surface), la compagnie négocie avec vous un dédommagement. En 2000, les compagnies aériennes ont fait passer de 1 250 à 2 500 dollars le montant maximal qui pouvait être réclamé pour des bagages perdus ou endommagés. Aucune loi ne garantit un dédommagement pour des bagages temporairement perdus.

Quand une valise se retrouve sans aucune étiquette identificatrice, les employés de la compagnie aérienne peuvent l'ouvrir et voir si elle ne contiendrait pas un indice quelconque – une lettre, une ordonnance médicale, des papiers personnels – qui pourrait les aider à retracer le propriétaire. Si cela ne réussit pas, les bagages seront tout de même gardés pendant un certain temps. Le Bureau central de récupération des bagages de la compagnie Air Canada garde les valises perdues pendant six mois. Et où vont-elles après? Elles sont vendues. Aux États-Unis, elles prendront la route vers Scottsboro, en Alabama. Au Canada, le butin se retrouvera au Magasin des bagages et articles non réclamés d'Ottawa. Le prix des bagages demandé à ces détaillants par les compagnies aériennes peut varier: il s'agit parfois d'un montant fixe par valise, mais les bagages peuvent tout aussi bien être vendus à la

livre. Le détaillant américain offre près de 7 000 nouveaux articles chaque jour, dont 200 se retrouvent sur son site Internet à l'adresse www.unclaimedbaggage.com.

Si vous voulez préserver vos vêtements et accessoires de ces chasseurs de rabais, voici quelques conseils. Prenez la peine de vous payer des valises qui ont une petite fenêtre recouverte de plastique transparent dans laquelle vous pouvez glisser une étiquette. Ainsi, si jamais la poignée se brise, emportant avec elle l'étiquette, votre valise pourra néanmoins vous être rapportée aisément. Assurez-vous que l'information sur la carte n'est pas désuète, et pensez à inclure, à l'intérieur de la valise, une autre carte portant votre adresse et votre numéro de téléphone.

B

Bandes annonces dévoilant le dénouement des films

Aux trois quarts du film à grand succès *Titanic*, Rose, le personnage féminin de premier plan joué par l'actrice Kate Winslet, dit au revoir à son nouvel amour Jack Dawson, joué par Leonardo DiCaprio. Alors que l'on descend son embarcation de sauvetage à la mer, elle le regarde, les yeux remplis d'un désir ardent d'être avec lui. Seront-ils séparés à jamais? Non, bien sûr que non! Vous le savez parce que vous avez vu les bandes annonces où l'on pouvait voir Rose et Jack s'accrochant ensemble à la balustrade du navire alors qu'il s'enfonçait dans la mer. Tout un suspense!

De nos jours, les studios n'ont pas à attendre très longtemps pour savoir si un de leurs films est un succès ou non. S'il ne rapporte pas de gros montants d'argent dès le premier week-end, il est immédiatement transformé en cassette vidéo. Les studios se mettent donc à faire la promotion de leurs nouveaux films de plus en plus tôt à l'aide

Bande annonce, qui précède le film au programme

de bandes annonces captivantes. Jadis, on faisait jouer ces bandes annonces après le spectacle. Aujourd'hui, c'est avant même que le film soit disponible dans les cinémas, de façon à attirer le plus grand nombre de spectateurs possibles dès les premières représentations. Si vous êtes allé voir le film, mais que vous vous plaignez maintenant que la bande annonce en avait dévoilé le dénouement, vous avez tout de même acheté un billet, et c'est tout ce qui compte pour le studio.

Certains critiques affirment que ce nouveau genre de bandes annonces qui dévoilent presque tout le film fait partie d'une nouvelle mode hollywoodienne qui cherche à s'éloigner de la subtilité. Les dirigeants de studios croient que vous n'irez pas voir le film au cinéma à moins qu'ils ne vous expliquent à l'avance le déroulement de celui-ci. On pourrait appeler cela une sorte de mentalité McDonald's: Si vous ne savez pas exactement à l'avance à quoi vous attendre, vous risquez de vous tourner vers quelque chose de plus habituel avec lequel vous vous sentirez plus à l'aise, et qui pourrait très bien être un autre film.

D'autres accusent l'émission pour enfant *Sesame Street* ou la chaîne musicale MTV d'avoir donné lieu à une génération habituée au tout cuit. Dans le passé, une bande annonce comprenait environ 75 scènes. Elle en comporte maintenant près de 125, ce qui veut dire qu'une plus grande partie du film est dévoilée. Une bande annonce doit être accrochante pour l'œil, cadencée et renversante pour qu'on prenne la peine de la regarder. Elle coûte en moyenne environ 300 000 dollars à produire. Pour chaque bande annonce qu'un propriétaire de cinéma décide de projeter pour un film donné, il en existe 7 ou 8 autres que vous ne voyez jamais.

Et même si la bande annonce ne dévoile pas toute l'histoire, elle peut parfois porter à confusion. Il est possible que vous alliez au cinéma dans l'espoir de voir un thriller à cause de la bande annonce que vous aviez vue, mais que vous vous rendiez compte qu'il s'agit finalement d'un film d'amour. Ceux qui font les bandes annonces en font différentes versions afin qu'elles puissent être diffusées lors d'émissions télévisées différentes. La version qu'on diffuse durant un talk-show d'après-midi met l'accent sur le caractère romantique de l'œuvre, tandis que la version diffusée lors du match de foot présentera plutôt plusieurs scènes d'action. Évidemment, si vous regardez toutes sortes d'émissions de télé, vous verrez plusieurs versions de bandes annonces du même film, et vous connaîtrez donc une plus grande partie du scénario.

Quelle déception que de s'attendre à visionner un film rempli d'humour ou un thriller sans pareil à cause de ce que laissait entrevoir la bande annonce, et de se rendre compte finalement, après avoir payé 8 ou 10 dollars, que les 2 minutes épatantes de la bande annonce étaient en fait les seuls moments du film qui en valaient la peine.

« Il est difficile de trouver un film de deux heures qui n'ait pas le matériel nécessaire pour confectionner deux minutes de bande annonce à tout casser », croit le réalisateur de bandes annonces Phil Daccord. « Mais est-ce que je me sens coupable parfois ? Oui, tout à fait. »

Barney, le dinosaure mauve

(Voir Télévision toujours allumée)

« Barney s'est fait écraser par un tracteur. Mieux encore, nous avons vu ça à la télé. Tous les petits enfants sont très malheureux. En ce qui me concerne, je suis si contente que j'en suis hors de moi. » (Traduction d'une chanson satirique circulant sur Internet.)

Peu de personnages créés pour les enfants ont provoqué plus de dégoût que Barney, le dinosaure mauve de la chaîne américaine PBS. Cette vedette des 2 à 3 ans a fait ses débuts en 1992. En 1993, les détaillants vendaient déjà plus de 500 millions de dollars de marchandises à son effigie. Cette année-là, la revue *Forbes* avait classé Barney parmi les trois vedettes ayant accumulé les plus faramineuses rémunérations: 84 millions de dollars, si l'on compte les droits d'auteur et les revenus bruts. Cette même année marqua également l'apogée d'un nouveau divertissement américain, soit « Maltraitons Barney ». Les sites Internet intitulés « Je déteste Barney » ont à l'époque proliféré autant que les lettres circulaires du même genre. Dans les centres commerciaux, des personnes en costume de Barney se firent littéralement attaquer par les gens. Bien que la popularité de Barney ait manifestement diminué depuis ses heures de gloire de 1993, son émission de télé est toujours hautement cotée: les enfants l'adorent. Les adultes, eux, le détestent toujours, certains avec passion. Qu'y a-t-il chez Barney qui fasse grincer les dents d'un si grand nombre de grandes personnes?

Ce sont peut-être les coûts de production qui, si on en croit le magazine *People*, « font paraître d'autres émissions pour enfants comme des productions à grand déploiement ». À moins que ce ne soit les paroles insipides de ces petites chansonnettes que l'on refait sur des airs connus du genre « Au clair de la lune ». Ou bien, c'est le ton de

l'émission, exagérément optimiste au point d'en être assommant, ainsi que l'absence totale de quelque conflit que ce soit qui finissent par miner le moral des adultes qui, eux, doivent composer chaque jour avec les défis de la vraie vie. Alors que des émissions tel *Sesame Street* ont été conçues pour intéresser les parents aussi bien que les enfants, *Barney* n'a été créée que pour plaire aux enfants.

Sheryl Leach, la créatrice de Barney, a affirmé au magazine *People* en 1993: « Nous créons ces émissions strictement pour les enfants, à leur niveau seulement. Nous croyons qu'il est important que les parents approuvent l'émission *Barney*, mais nous ne croyons pas que nous ayons à les divertir. » Les parents qui doivent regarder, avec leurs bambins amusés, l'émission de Barney pendant des heures et des heures chaque semaine souffrent finalement d'une exposition soutenue à cette vedette enfantine qui n'a été aucunement conçue pour eux.

Adam Cadre, de l'Université de Californie à Berkeley, a mis de l'avant une théorie à propos de Barney lors de ses recherches sur la polémique entre les générations. Cadre croit qu'il s'agit simplement

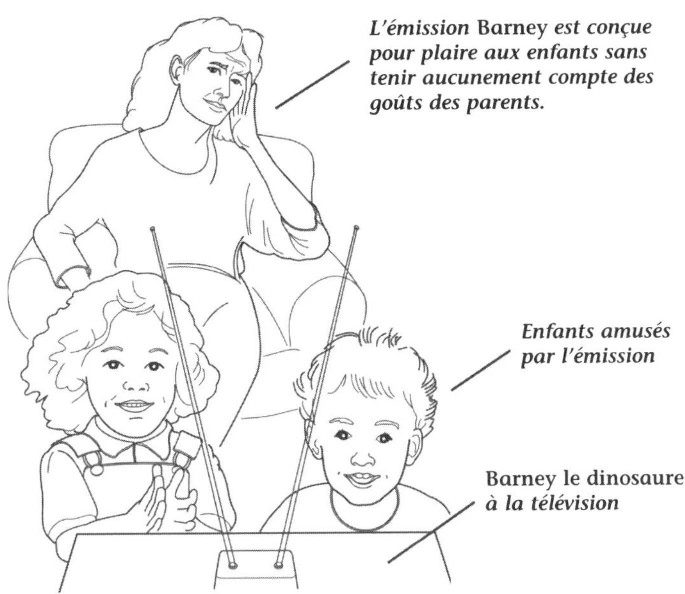

L'émission Barney est conçue pour plaire aux enfants sans tenir aucunement compte des goûts des parents.
Enfants amusés par l'émission
Barney le dinosaure à la télévision

d'un cas typique de contrecoup dû à l'écart entre les générations. Les parents d'aujourd'hui sont issus en majorité de la génération X, soit une génération cynique, aliénée et contestataire. Barney, quant à lui, encourage plutôt l'esprit d'équipe, la communauté et le conformisme. « Ce sont là des valeurs, sous leurs formes positive et négative, que l'on associe à la personnalité de type civique, écrit-il. Le fait que les enfants des années 90 grandissent sous l'influence de Barney et choisissent eux-mêmes de le regarder indique clairement que le cycle des générations est finalement passé de la phase des individus contestant leur milieu à celle des individus ayant l'esprit civique. »

B

Bière éventée

Cette première gorgée de bière froide et mousseuse était si rafraîchissante en cet après-midi d'été bien chaude. Maintenant, la bière aussi est chaude, et de plus amère, sans compter qu'un petit cercle blanchâtre flotte à la surface là où se trouvait le collet de mousse.

La bière est pétillante grâce au dioxyde de carbone qu'elle contient. Celui-ci est formé par la fermentation de la levure et du sucre ou est tout simplement ajouté à la brasserie. Que la bière soit en canettes, en bouteilles ou dans des barils, le CO^2 y est retenu par la pression du contenant. Lorsqu'on ouvre le contenant, la pression baisse et le gaz s'en échappe.

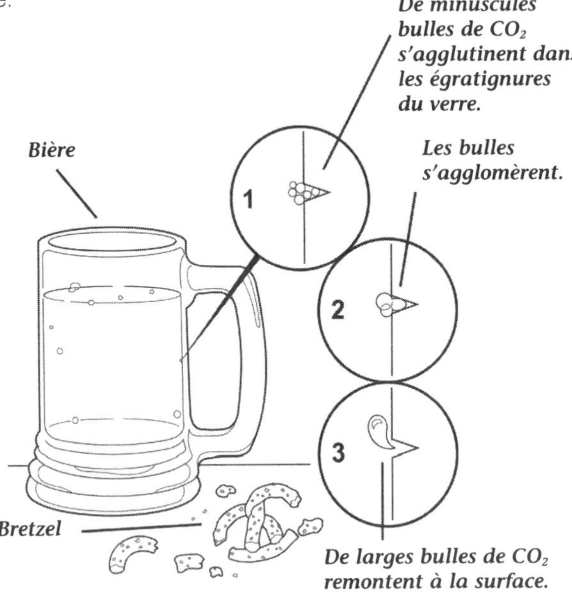
De minuscules bulles de CO_2 s'agglutinent dans les égratignures du verre.
Bière
Les bulles s'agglomèrent.
1
2
3
Bretzel
De larges bulles de CO_2 remontent à la surface.

Si vous versez votre bière dans un verre ou si elle est contenue dans du verre translucide, vous serez en mesure d'observer de petites bulles qui s'élèvent en chapelets jusqu'à la surface le long des parois de verre. Les bulles semblent sortir de points invisibles. Même si le verre nous paraît être parfaitement lisse, sa surface contient de toutes petites crevasses. Celles-ci emprisonnent de minuscules poches d'air, lesquelles attirent les molécules de dioxyde de carbone. En fait, le CO^2 est attiré autant par les poches d'air que par le liquide, il se retrouve donc en suspension pendant un certain temps. Finalement, c'est la poche d'air qui l'emporte et les molécules de CO^2 s'accrochent les unes aux autres le long de la crevasse. En s'agglomérant aux autres, certaines bulles acquièrent un niveau de flottabilité trop élevé pour rester accrochées et finissent par s'élever jusqu'à la surface, alors que de nouvelles bulles commencent à se former en bas.

Sur la surface du liquide, les bulles forment de la mousse, le collet d'une chope de bière. Avec le temps, les bulles éclatent et le collet s'estompe graduellement. Les bulles éclateront plus rapidement si elles viennent en contact avec du gras. Le rouge à lèvres et l'huile naturelle de votre peau peuvent accélérer le processus.

Les liquides froids peuvent être davantage saturés en gaz carboniques que les liquides chauds. Donc, plus votre bière se réchauffe, plus son taux de CO^2 diminue. À la longue, il ne reste aucune bulle. Une équipe de chercheurs britanniques de l'Institut pour la recherche alimentaire (IRA) à Norwich et du Centre international pour la recherche en brassage à Surrey ont endossé une importante responsabilité scientifique : tenter de sauvegarder les collets de bière. Ces savants étudient certaines protéines se retrouvant dans l'orge (un ingrédient de la bière) et qui protègent la plante contre les attaques de pathogènes. On put entendre ceci lors d'un communiqué de presse présenté par l'IRA : « Il fut très surprenant de découvrir que ces protéines pouvaient également servir à contrer l'effet d'amenuisement du collet sur la bière. »

Ils découvrirent que certaines de ces protéines recelaient une sorte de pochette qui pouvait accumuler les molécules de gras et, ainsi, les empêcher de faire éclater les bulles formant la mousse sur la bière. Lorsqu'ils auront bien compris le fonctionnement de ce processus, ils espèrent être en mesure de faire des recommandations aux brasseurs et de leur permettre de produire une bière qui garde son collet plus longtemps.

B

Biscuits désagrégés au fond de la tasse

Un biscuit a très bon goût lorsqu'on le trempe dans une tasse de café bien chaude; mais si vous le laissez là trop longtemps... il se désintègre en laissant au fond de la tasse une bouillie insipide. Et voilà votre petite sucrerie du matin envolée. McVites, une société britannique qui fabrique des biscuits, s'est penchée sur le phénomène et a constaté qu'environ un quart du biscuit que nous trempons dans un liquide chaud se retrouve en bouillie au fond de la tasse. Si un gros morceau se détache, il vous éclabousse et votre belle chemise blanche est tachée. Si vous tentez de récupérer le morceau, vous vous brûlez les doigts,

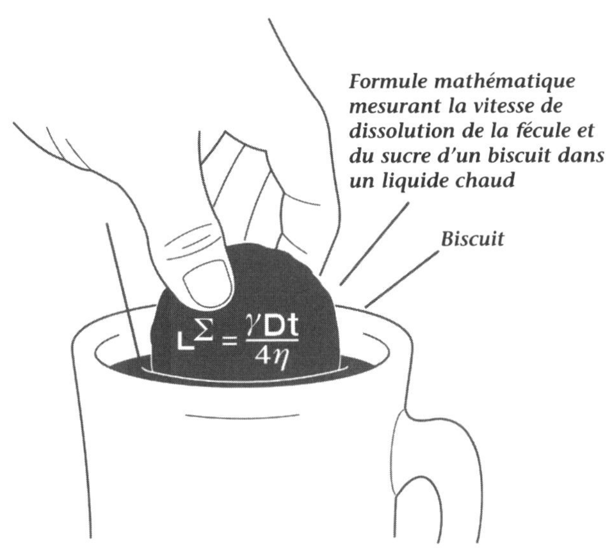

vous en renversez sur votre pantalon et passez le reste de la journée à recevoir des clients comme si vous n'aviez pas changé de vêtements depuis trois jours.

Si vous êtes un amateur de biscuits trempés, vous serez heureux d'apprendre que l'Université de Bristol, en Angleterre, a réussi, après une étude de deux mois et en utilisant des instruments scientifiques à la fine pointe de la technologie, à découvrir la formule mathématique qui peut déterminer le temps idéal de trempage qu'un biscuit doit subir afin de maximiser votre plaisir.

Comme Len Fisher et son équipe sont «british», ils ont utilisé un biscuit de type «digestif» et l'ont trempé dans du thé. Mais on pourrait appliquer les résultats de leur recherche à un biscuit aux brisures de chocolat, plus poreux, trempé dans du café, comme on le fait en Amérique, puisque les principes scientifiques restent les mêmes.

Quel que soit le type de biscuit dont il est question, il contient de la fécule, liée par du sucre. Lorsqu'un liquide chaud pénètre les pores du biscuit, le sucre fond et la structure du biscuit devient instable. À ce moment-là, la quantité de saveur libérée est 10 fois plus grande qu'un biscuit à l'état sec. Voilà pourquoi nous aimons tant tremper nos biscuits. Par contre, comme l'a fait remarqué Fisher à la BBC, «une course s'amorce alors entre le temps requis pour faire fondre le sucre de façon que le biscuit se retrouve au fond de la tasse, et celui qu'il faut pour faire seulement enfler les grains de fécule de façon qu'ils s'amalgament, ce qui vous donne un biscuit avec peu de sucre mais plus mou que d'ordinaire.»

Pour déterminer le temps de trempage idéal, Fisher dut recouvrir un côté du biscuit d'une mince couche d'or 24 carats afin qu'il puisse observer sa structure interne à l'aide d'un microscope électronique. Il mouilla un côté du biscuit et filma le processus du thé qui s'imprègne dans sa structure. Finalement, il utilisa une machine Instron pour évaluer de quelle façon le biscuit avait été affecté par le liquide.

Utilisant une formule mathématique complexe – la moyenne du diamètre d'un pore de biscuit est égale à quatre fois la viscosité du liquide chaud, multipliée par la hauteur de l'ascension du liquide au carré, divisée par la tension de surface de la boisson, multiplié par le temps de trempage du biscuit –, Fisher a calculé que la plupart des biscuits de type anglais devraient reposer dans le liquide chaud pas plus de 3,5 secondes. Il révéla aussi la technique de trempage par excellence:

utiliser une tasse à large rebord et tremper le biscuit suivant un léger angle. Après le temps de trempage requis, le biscuit doit être retourné à 180 degrés de façon que le bout sec soutienne le bout mouillé.

Évidemment, le rythme auquel tout cela est accompli varie légèrement en fonction de type de biscuit que nous utilisons. Heureusement, Fisher compte publier une table méthodique indiquant les temps de trempage idéaux pour différentes sortes de biscuits.

B

Blattes

(Voir Fourmis, Moucherons, Mouches, Moustiques, Puces)

C'est la nuit, et vous êtes prisonnier de votre lit. Vous ne pouvez même pas en descendre pour aller à la salle de bain, parce que là-bas, dans le noir, se déroule votre film d'horreur bien personnel, dans lequel jouent des centaines de petites créatures grouillantes de vie, faisant de petits bruits avec leurs petites pattes. Vous savez que, si vous osez allumer la lumière, elles s'enfuiront à toute vitesse pour se réfugier dans les coins et sous les meubles. Vous savez aussi que, même si vous ne les voyez pas, elles sont là, quelque part, qui attendent.

Les blattes sont apparues il y a environ 350 millions d'années. Elles se sont divisées en 3 500 espèces différentes. Elles sont résistantes et peuvent facilement s'adapter. Elles ont développé une résistance à plusieurs insecticides domestiques. Elles mangent de tout, de petites gouttes de graisse, de la moisissure et même d'autres blattes. Elles peuvent survivre sans nourriture pendant des semaines. La femelle d'une espèce commune, du genre dont vous êtes justement susceptible de retrouver un individu dans votre cuisine, n'a besoin de s'accoupler qu'une seule fois. Elle est en mesure d'emmagasiner suffisamment de sperme pour fertiliser tous les œufs qu'elle produira pendant sa courte vie de 9 mois

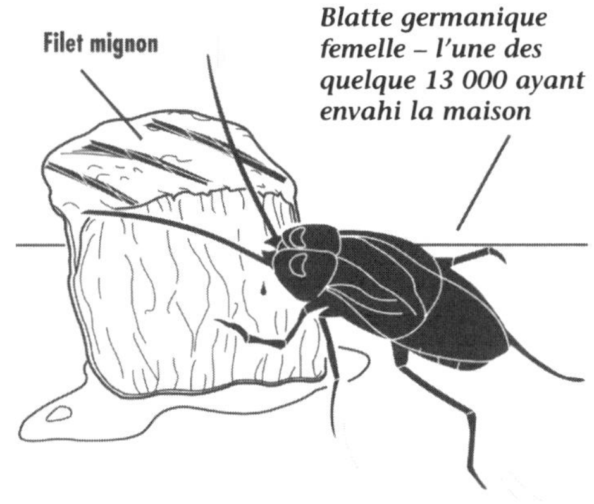

et enfanter environ 200 descendants. Certaines espèces peuvent se reproduire sans s'accoupler, grâce à la parthénogenèse. Elles peuvent donc produire des rejetons à partir d'œufs non fertilisés.

Philip G. Koehler, un professeur d'entomologie à l'Université de la Floride, mena une enquête sur 1 000 logements urbains pour personnes à faible revenu. Il découvrit que la moitié contenait plus de 13 000 blattes par logement. Des habitations plus infestées peuvent en contenir plus de 30 000. Et les humains s'accrochent toujours à l'espoir improbable que nous finirons par les exterminer. Les Américains, à eux seuls, dépensent 1,5 milliard de dollars par année en frais d'exterminateur pour se débarrasser des blattes.

Si vous avez besoin d'être encore plus écœuré par les blattes, sachez donc que les nouveau-nés de la blatte commune survivent les premiers jours de leur vie en se nourrissant des excréments des adultes. Et elles ne semblent jamais perdre ce goût pour les excréments, puis que les blattes adultes mangent ceux de leurs voisins. Des chercheurs à l'Université de la Floride à Gainsville ont découvert que les blattes trouvent leur chemin en suivant les petits amas d'excréments laissés par les autres qui défèquent en marchant.

Vous n'avez certainement pas l'intention de partager votre demeure avec les blattes... Sachez donc qu'il existe des produits chimiques peu toxiques pour les tuer, l'acide borique, par exemple, pour lequel elles n'ont pas encore développé de résistance. Vous pouvez en saupoudrer dans les fentes, sous l'évier et sous les appareils ménagers afin de tenir ces bestioles à distance. Si vous préférez éviter les pesticides, essayez ceci : enduisez de gelée de pétrole la partie intérieure du haut d'un bocal de verre et déposez des miettes de pain comme appât au fond du bocal. Les blattes tomberont à l'intérieur et ne pourront plus en ressortir grâce aux parois visqueuses.

Lorsque les blattes meurent, leurs pattes se raidissent et elles tombent sur le côté. Comme leur corps est plat et que leur centre de gravité est haut, vous les retrouverez habituellement sur le dos.

Bouchons de circulation

« Je veux me rendre tout près d'ici ! Je ne veux qu'y arriver bientôt ! Laissez-moi quitter cette route ! »

Lorsque nous arrivons au travail, notre tension artérielle est souvent à la hausse, nous sommes parfois trop fatigués et énervés pour pouvoir fonctionner adéquatement et nous réagissons à la moindre contrariété. Raymond Novaco, un professeur de psychologie à l'Université de Californie à Irvine, a étudié pendant 15 ans les effets négatifs, sur les travailleurs, des déplacements quotidiens entre leur domicile et leur lieu de travail.

Les personnes qui font régulièrement de longs trajets entre leur lieu de travail et la maison ont une pression artérielle et un taux d'absentéisme au travail plus élevés que la moyenne.
Mains cramponnées au volant
Front plissé

« Quels que soient notre âge, notre revenu et notre position sociale, les feux rouges et les embouteillages nous énervent royalement », a

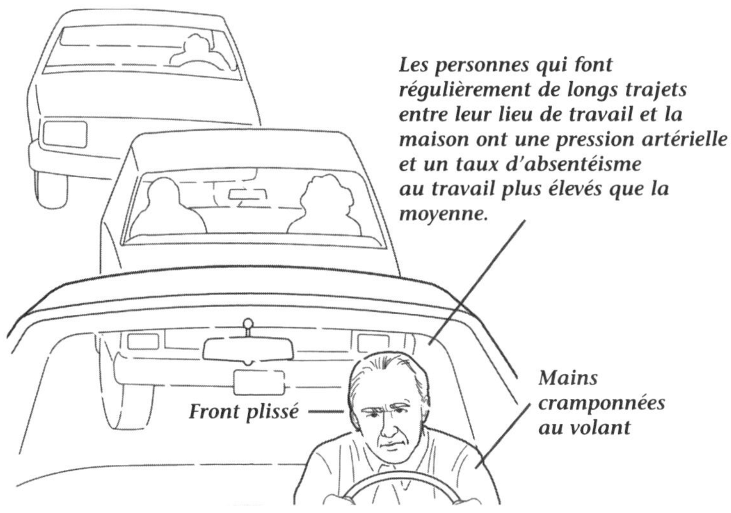

confié Novaco au magazine *Prevention*. « Nous avons constaté que plus le trajet est long, plus la pression artérielle est haute à l'arrivée. »

L'équipe de chercheurs de Novaco a aussi découvert que les travailleurs qui doivent faire de longs trajets entre le travail et la maison ont un taux plus élevé d'absentéisme dû au rhume ou à la grippe. Qui plus est, les longs trajets en automobile causent plus de pollution que le transport en commun, et les voies respiratoires des gens en sont affectées. Environ 40 pour cent du smog est causé par les émissions des voitures.

L'extension constante des centres urbains et l'augmentation de la congestion sur les routes qui en résulte font que les conducteurs doivent passer de plus en plus de temps derrière le volant. Chaque jour, environ 100 millions d'Américains passent plus de 20 minutes à faire la navette entre leur lieu de travail et la maison. De plus, environ 13 pour cent des gens doivent conduire plus de 45 minutes pour se rendre au travail.

Évidemment, la situation des embouteillages est pire près des villes. Aux États-Unis, presque la moitié de la population totale vit dans 39 grands centres urbains. Entre 80 et 90 pour cent de ces personnes conduisent un véhicule personnel pour se rendre au travail. Pour les habitants de la banlieue de Los Angeles, les embouteillages sont devenus un mode de vie. Cette région remporta en 1994 la palme du plus haut niveau de congestion routière, suivie de Washington D.C., de San Francisco-Oakland, de Miami, de Chicago, de Seattle, puis de Detroit.

New York ne figure pas dans ce palmarès de la congestion routière, mais l'expression américaine « *gridlock* », signifiant embouteillage et impasse, a pourtant vu le jour dans cette ville, au terme d'une grève des employés du transport en commun en 1980. Cette grève força un si grand nombre de personnes à utiliser leur voiture personnelle que les rues de Manhattan devinrent paralysées. Une auto ne pouvait avancer d'une seule longueur de voiture que si une autre automobile avait quitté la route.

Les embouteillages ne sont pas près de cesser dans un avenir rapproché. Les Américains ne sont pas tant préoccupés à chercher des solutions aux bouchons de circulation qu'à trouver de nouveaux moyens de se divertir pendant ces heures passées à faire la navette. Les manufacturiers de téléphones cellulaires, de jeux électroniques et de téléviseurs entendent exploiter cette nouvelle demande pour des « divertissements au volant ». Monsieur J.T. Battenberg, président de

la firme Delphi, croit que le marché du divertissement automobile, qui affichait des ventes de 300 millions de dollars en 1999, verra son chiffre d'affaires atteindre les 5 milliards de dollars en 2003.

Mais attendez, il y a pire encore. Bientôt, nous serons les victimes frustrées des longues heures de navette passées à écouter malgré nous les voix fausses de nos compagnons d'infortune. En effet, le magazine *Men's Health* rapporte qu'un constructeur de voiture japonais offrira sous peu un karaoké en option. La conduite automobile ne se sera jamais aussi bien portée, n'est-ce pas?

B

Bouffe dans les avions

(Voir Espace pour les jambes en avion, Guerre d'accoudoirs, Vols retardés)

« Une punition pour les petits enfants. » Voilà comment Ed Stewart décrivit la nourriture servie sur les vols de la Southwest Airlines à la revue *U.S. News and World Report* – et il en est pourtant le porte-parole ! Southwest dépense environ 25 cents américains par voyageur pour les repas.

Depuis 1992, le coût des repas servis par les compagnies aériennes (quand elles en offrent) est en baisse continuelle. En 1992, si vous preniez un billet pour un vol local ou international, le repas qu'on vous servait coûtait à la compagnie aérienne en moyenne 6,11 $. En 1998, le coût de ce repas avait chuté à 4,49 $.

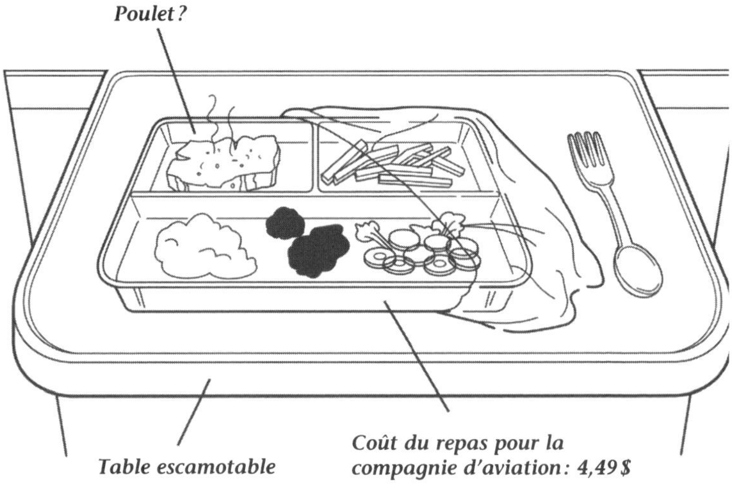

En 1999, la compagnie Delta a diminué les portions des repas sur 140 vols. On a remplacé les sandwiches par de simples petits goûters : du fromage accompagné de craquelins. Pour ce qui est des 160 vols sur lesquels on n'offrait déjà que ce petit goûter, Delta n'offrit plus qu'une boisson. Mais pourquoi donc ce choix? Peut-être Delta essait-elle de nous rendre plus minces afin que nous puissions nous glisser avec plus d'aisance dans cet espace restreint que les employés de la compagnie appellent notre « place » ? À moins que ce ne soit une tentative pour économiser de l'argent – disons, 14 milliards de petits dollars chaque année?

Le plus grand traiteur au monde, LSG – Sky Chefs, effectua un sondage pour savoir à quel point les repas étaient importants pour le voyageur moyen. Pour ce qui est des vols internationaux, 31 pour cent des gens questionnés dirent que, s'ils choisissaient une compagnie aérienne en particulier, c'était en raison des repas qu'elle servait. Quant aux vols, plus courts, effectués à l'intérieur du pays, seulement 12 pour cent des gens affirmèrent qu'ils choisissent un transporteur en raison de son menu.

La plupart des gens choisissent une compagnie aérienne en fonction du prix du billet. Si Delta vous offre un repas quatre étoiles mais qu'elle doit, de ce fait, hausser le prix du billet, tandis que American ne vous offre qu'un sac de cacahouètes mais qu'elle vous transporte en Floride à un coût moindre que Delta, vous choisirez probablement American. En fait, les compagnies aériennes affirment qu'elles s'efforcent de vous donner le meilleur repas possible... à condition qu'il ne leur coûte que 4 dollars.

Alors, que dire de cet argent que nous croyons économiser sur les billets d'avion? Ce n'est qu'une illusion puisque nous le dépensons de toute façon. Et ce sont les cafétérias dans les aéroports qui en bénéficient. Le *Wall Street Journal* a rapporté que les cafétérias affichaient des ventes de nourriture et de boissons diverses de l'ordre de un milliard de dollars, et ce, grâce aux clients qui, de plus en plus, choisissent d'apporter leur propre repas dans l'avion.

Si vous désirez de plus amples informations sur la nourriture qu'on vous sert dans les avions, vous pourriez vous inscrire à l'Université d'Angleterre à Surrey, la première à avoir donné des cours sur le sujet. Cette université, qui se situe à quelque 30 kilomètres de l'aéroport de Gatwick, offre en effet des cours de traiteur spécifiquement conçus pour les compagnies aériennes.

B

Bureau à cloisons

(Voir Télémarketing, Vacarme)

Il fut un temps où les gens possédaient de véritables bureaux. Et des murs. Vous vous rappelez? Si vous avez moins de 45 ans, probablement pas.

Depuis 1968, les travailleurs sont entourés de cloisons. Celles-ci empêchent de voir, mais pas d'entendre, la personne qui travaille à côté. Si votre lieu de travail est très occupé, il se peut qu'un important client vous raccroche au nez, croyant que vous êtes un agent de télémarketing à cause de la cacophonie de voix qui se mélange à la vôtre.

Non seulement n'avez-vous pas de murs ni de porte, mais vous avez aussi probablement moins d'espace que jadis. Jusqu'à tout récemment,

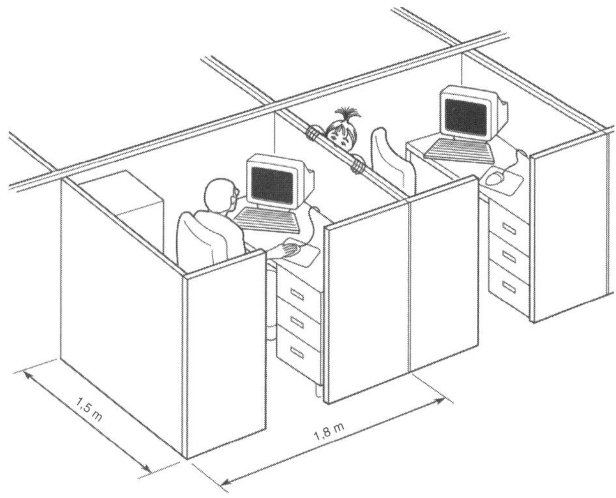

un espace de bureau standard mesurait 2,50 sur 2,50 mètres. Les fournisseurs de meubles rapportent que de nos jours ils vendent des cloisons de bureau de très petites dimensions, soit 1,50 sur 1,80 mètre, ce qui ne laisse à l'employé qu'une surface totale de 2,70 mètres carrés pour travailler. C'est environ deux fois plus que l'espace dans un cercueil, et deux fois moins que l'espace dans une cellule de prison.

Travailler dans un bureau qui a une porte est un signe de réussite sociale de nos jours. Le *Washington Post* rapportait que cette mode des bureaux à cloisons continue, même quand il est illogique de l'appliquer. « Par exemple, les travailleurs sociaux et les infirmières de réception qui travaillent dans les hôpitaux auraient parfois réellement besoin d'un bureau clos pour interviewer les personnes qu'ils rencontrent », a écrit le journaliste Curt Suplee. « Mais il arrive souvent que la seule personne possédant un bureau privé soit le surveillant, qui n'a pourtant pas à faire d'entrevues. »

Lorsque vous n'avez pas de porte que vous puissiez fermer, il est alors difficile d'exercer quelque contrôle que ce soit sur votre espace personnel. Seule une table de travail d'allure impressionnante peut garder les gens à une distance raisonnable. Tout comme d'autres aspects de l'espace vital, l'aménagement d'un bureau varie selon les cultures. En Angleterre, l'on prête moins d'importance aux dimensions d'un bureau puisque le statut social se détermine de façon beaucoup plus évidente par l'accent d'une personne. En Allemagne et en Suisse, les gens ont tendance à garder fermée la porte de leur bureau, tandis qu'en Amérique ils la laisseront ouverte jusqu'à ce qu'un besoin d'intimité surgisse – comme dans le cas d'une « réunions à porte close ».

Mais tout cela ne veut pas dire que nous puissions entrer et sortir de l'espace des cloisons de travail à volonté seulement parce qu'il n'a pas de porte. En fait, nous nous conduisons habituellement tout comme s'il y avait une porte, comme si une barrière invisible existait là où il devrait y avoir une porte. Nous manifestons notre présence avec un petit bruit de la gorge ou bien en frappant sur le cadre de la cloison. Parfois nous nous inclinerons un peu vers l'avant à l'entrée de la cellule, en faisant bien attention de garder les pieds à l'extérieur jusqu'à ce que nous soyons invité à pénétrer.

Si vous n'avez pas encore atteint le rang nécessaire pour posséder une porte de bureau, il y a de fortes chances que vous soyez présentement bombardé par du bruit qui vient de tous côtés et qui augmente

votre niveau de stress. Une étude menée en 2001 par le psychologue environnemental Gary Evans, de l'Université Cornell, a porté sur 40 secrétaires dont la moitié travaillaient dans un endroit silencieux et l'autre dans un bureau bruyant. Celles qui travaillaient dans un milieu bruyant affichaient un niveau plus élevé de stress (niveau qu'on détermine par la présence de l'hormone de stress épinéphrine dans l'urine) et elles firent 40 pour cent moins d'efforts pour résoudre un problème sans solution. Elles effectuèrent moins d'ajustements à leur chaise également, ce qui les mit à plus haut risque de subir une blessure causée par un stress physique répétitif.

DE
CARTES ROUTIÈRES : LA DESTINATION EST TOUJOURS DANS LE PLI
À
CUTICULES DOULOUREUSES

Cartes routières : la destination est toujours dans le pli

(Voir Rage au volant)

Vous êtes au Vermont. C'est très bien, sauf que... vous devriez être au Connecticut. Vous êtes arrêté sur le bord de la route et avez posé sur le capot de la voiture une carte dépliée. Évidemment, la ville où vous vouliez vous rendre se trouve précisément dans un pli de la carte, et les routes tout autour semblent aller dans de drôles de directions à cause de la courbure du papier. Le village de Deux-Vaches, au Vermont, où vous vous trouvez présentement, était partiellement voilé par la légende près du rebord de la carte.

Comment se fait-il que l'endroit que vous cherchez se trouve toujours caché dans un repli de la carte? C'est en raison de la géométrie, de répondre Robert Matthews, un savant qui travaille à prouver la validité de la loi de Murphy (cette loi dit que tout ce qui peut clocher le fera, et dans le pire moment possible). Dans son article intitulé « La Loi des cartes, de Murphy », paru dans *Teaching Statistics*, Matthews définit une « zone de Murphy » autour de la bordure de la carte ainsi que de chaque côté du pli principal de celle-ci. Parce que cette zone correspond aux parties extérieures de la carte, elle est volumineuse. Bien que d'une largeur minime, elle s'étend sur tout le pourtour de la carte et représente tout de même un espace important si l'on considère sa totalité en centimètres carrés. Mais bien que la zone de Murphy n'occupe finalement qu'un dixième de la largeur totale d'une page déployée, les probabilités que l'endroit que vous cherchez s'y trouve sont de 50 pour cent.

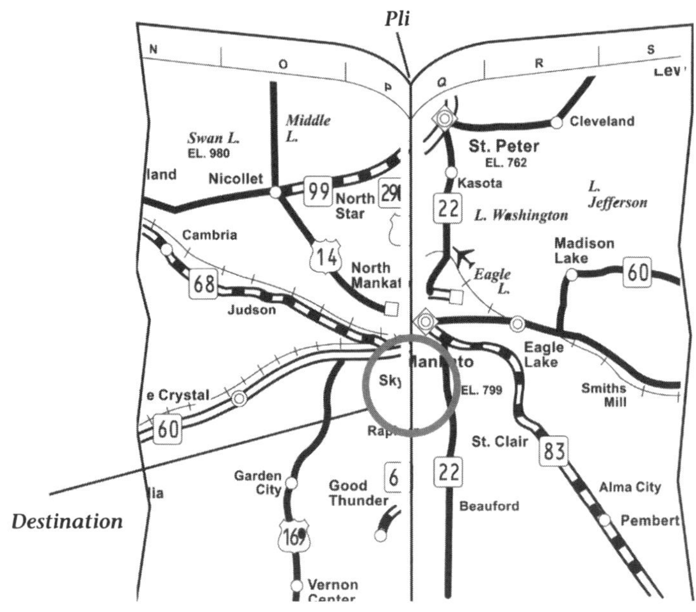

Si les mathématiques des probabilités vous laissent gaga, essayez plutôt ceci : choisissez cent localités au hasard parmi celles qui sont inscrites dans l'index de la carte. Ensuite, voyez combien d'entre elles se retrouvent en fait dans la zone de Murphy. Plus souvent qu'autrement, la localité recherchée se trouvera dans un endroit peu pratique de la carte. En poussant ses calculs encore plus loin, Matthews fut en mesure de déterminer qu'en moyenne un voyage sur quatre commence dans une zone de Murphy et s'y termine. Et même s'il n'y commence pas, ni ne s'y termine, il y a de bonnes chances pour qu'une importante jonction de routes se trouve dissimulée dans un pli. Autrement dit, si l'itinéraire de votre voyage a des chances de correspondre avec la zone de Murphy sur la carte, il y correspondra à coup sûr. Si vous aimeriez examiner par vous-même les équations de Matthews, l'article original est disponible sur sa page web à l'adresse http ://ourworld.compuserve.com/homepages/rajm/mapfull.htm.

Chaînes stéréo pour automobiles de puissance extrême

(Voir Musique redondante, Publicités tonitruantes, Systèmes d'alarme antivol de voitures, Vacarme)

Boom, boom, boom, boom... Hé là! J'essaie de dormir, moi! Boom, boom, BOOM, BOOM, boom... Votre adolescent vient tout juste de faire installer des haut-parleurs de basse méga-mundo-platine-maximus dans sa voiture. Quand la musique est forte, ce qui est *toujours* le cas, bien sûr, la voiture en entier vibre, des vitres éclatent, les chiens hurlent et les petits animaux du quartier courent se réfugier là où ils le peuvent. Quant à votre fils, il est confortablement installé dans sa voiture et balance sa tête, hérissée de nombreux piercings, en signe d'appréciation.

Ces « voitures boum boum » sont une expression typique de la gent masculine. Les amateurs les plus enthousiastes de ce type d'équipement stéréophonique dépensent des milliers de dollars pour parfaire le système audio de leur voiture. Ils participent même à des compétitions. À ce jour, le gagnant incontesté de ces compétitions est parvenu à produire 155,5 décibels avec la radio de sa voiture, ce qui équivaut à plus de deux fois le bruit d'un avion de ligne au décollage. C'est certainement assez fort pour causer des dommages permanents au système auditif puisque des dommages peuvent apparaître dès qu'on atteint les 115 décibels. Les sirènes d'urgence, à 120 décibels, ne font pas le poids contre les plus puissantes de ces chaînes stéréo.

Robert Franner, rédacteur en chef de *Market News*, un magazine de Toronto spécialisé en audio, a déjà comparé ces compétitions de décibels à celles « des gamins à propos de leur pénis. C'est de la

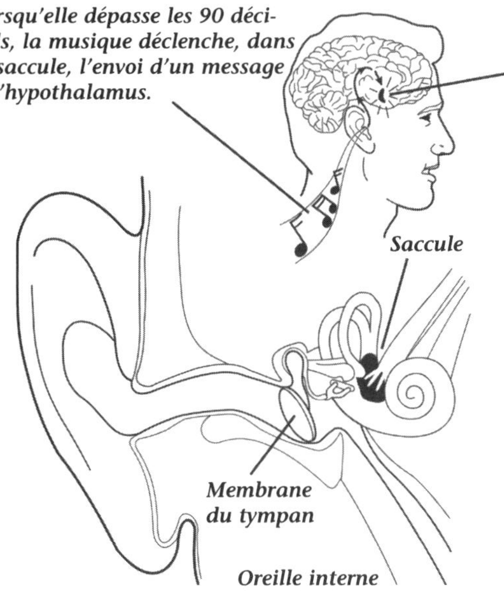

surenchère, surtout pour des personnes qui possèdent un taux naturellement élevé de testostérone. »

Monsieur Franner ne se trompe peut-être pas, après tout. Les jeunes mâles se servent de leur « radio-boom » pour marquer leur territoire et pour attirer l'attention en général, mais surtout des femelles. Selon des recherches récentes, ces voitures boum boum sont en fait des stimulants sexuels sur roues. L'une de ces études, réalisée en 2000 par l'Université d'Angleterre à Manchester, a démontré que la musique forte stimule une section de l'oreille interne qui est connectée au centre du plaisir dans le cerveau.

Le saccule, un petit organe de l'oreille interne, fait partie du système qui gère l'équilibre. Il ne semble pas participer au phénomène de l'audition, mais il envoie tout de même des messages à l'hypothalamus, lequel contrôle la faim et l'appétit sexuel chez l'humain. Le saccule réagit aux sons qui excèdent les 90 décibels, et il se peut bien qu'il envoie au cerveau, à ce moment-là, une sorte d'impulsion liée au plaisir.

Neil Todd, le directeur de l'équipe de cette recherche, déclara au *News Scientist* que « le type de distribution des fréquences que l'on retrouve habituellement lors d'un concert de rock et dans les boîtes de nuit semble spécifiquement conçu pour stimuler le saccule. Ces fréquences concordent parfaitement avec celles du registre de la stimulation sexuelle. »

Ce plaisir pourrait même mener à la dépendance. Des chercheurs à l'Université Northeastern de Boston ont décrit un phénomène qu'ils appellent le syndrome de l'écoute musicale maladive. Les personnes qui souffrent de SEMM ne semblent pas pouvoir s'empêcher d'écouter de la musique à très haut volume, même quand cela devient tout simplement assourdissant. Si on les prive de leur boom boom musical journalier, ils éprouvent des effets de sevrage allant de l'humeur changeante et de la léthargie jusqu'à la dépression.

Chanson-poison, ou Si j'entends cet air-là encore une seule fois...

Vous allumez la radio. C'est cette chanson de Ricky Martin encore une fois. Elle n'était pas mal les 50 premières fois, mais vous en avez ras le bol maintenant. Vous changez donc de station. Encore Ricky Martin. Vous en avez marre. Vous allumez la télé et syntonisez la chaîne musicale MTV... pour voir Ricky Martin chanter son tube. Vous montez dans votre auto pour aller au centre commercial... l'on joue Ricky Martin chez Wal-Mart. Vous souhaitez que Ricky Martin n'eût jamais vu le jour.

C'est la même chose qui se produit avec les « bonnes vieilles chansons ». Certes, on enregistra des milliers de merveilleuses chansons jadis, mais ce sont toujours les mêmes qui refont surface à la radio, encore et encore. N'importe quel jour de la semaine, selon un livre sur le sujet écrit par Tom Heymann, on peut entendre *Satisfaction* des Rolling Stones 302 fois. L'on joue *Love Me Tender* de Elvis 433 fois et *Yesterday* des Beatles 589 fois – c'est donc près de 24 heures de *Yesterday.*

Qu'est-il advenu de la variété? Pourquoi les stations de radio font-elles toutes jouer les mêmes chansons? La réponse: marketing. Les stations de radio ne gagnent pas d'argent en faisant jouer de la musique, elles le gagnent en diffusant des annonces publicitaires. Du point de vue des affaires, une pièce musicale quelconque n'est qu'un outil servant à éliminer les auditeurs d'une certaine catégorie. Si vous faites jouer de la musique qui plaît aux personnes de 18 à 35 ans, vous pourrez donc vendre du temps publicitaire adapté à cette clientèle. Si vous désirez atteindre les sujets masculins de cette catégorie, vous pourrez insister sur le rock et en faire jouer des albums complets. Si ce sont les sujets féminins que vous visez, vous aurez peut-être plus de chance avec les Top 40. Vous désirez vendre de la publicité aux femmes d'âge moyen?

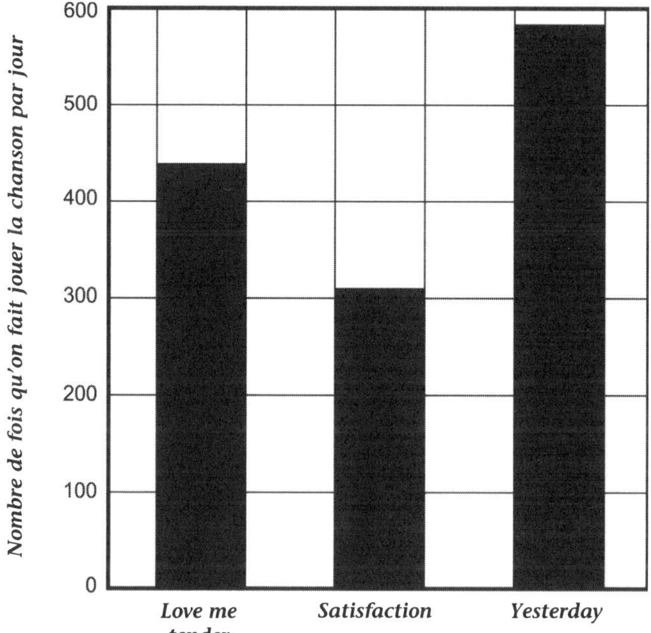

Les grands succès de la chanson et le country sont vos meilleurs atouts. En d'autres mots, les cibles démographiques viennent en premier, les choix musicaux en deuxième.

La radio est en fait une entreprise à risques. La majorité des stations, surtout les petites, ont de la difficulté à faire des profits. Elles ne laissent donc pas leur sélection musicale au hasard. S'il s'agit d'un vaste marché, où un très grand nombre de personnes sont susceptibles d'écouter vos émissions, les stations investiront dans des études de marché visant à reconnaître l'attirance qu'ont les chansons sur le bassin de population visé. Certaines chansons sont sélectionnées selon le bon jugement du directeur de la programmation, mais cette façon de procéder est de moins en moins utilisée. Le choix le plus judicieux est de se fier aux études de marché.

Là où les marchés sont plus petits, les stations n'ont pas les moyens de se payer des études, elles établissent donc leur programmation

musicale en fonction de ce que les grandes stations font jouer sur leurs ondes – si, toutefois, elles font elles-mêmes leur programmation. De plus en plus, les petites stations locales achètent des programmations élaborées par des compagnies spécialisées. Souvent, la programmation est constituée d'un disque ou de plusieurs disques laser que la station reçoit et insère tout simplement dans son système automatisé. D'autres reçoivent leur programmation par satellite.

En 1996, la loi américaine sur les Télécommunications permit d'augmenter le nombre de stations de radio qu'une seule compagnie pouvait posséder. Entre mars 1996 et février 1998, le nombre de propriétaires de stations chuta de 14 pour cent, tandis que le nombre de stations augmenta de 3 pour cent. Il est plus facile et plus économiquement viable pour ces nouveaux géants de la radio de remplacer les nouvelles locales par des bulletins régionaux et nationaux, et d'utiliser le même genre de programmation musicale pour tous les marchés. Leur approche est prudente, voire conservatrice, sur le plan musical.

Selon le journal *USA Today*, une station typique de musique populaire pour adultes aurait fait jouer, il y a 15 ans, de 18 à 24 chansons récentes sur sa liste de programmation ; de nos jours, elle en ferait jouer seulement entre 9 et 12. Certaines stations spécialisées dans les Top 40 font jouer les mêmes succès jusqu'à 8 fois par jour. Elles ne le font pas pour nous ennuyer. Autant nous nous plaignons d'entendre toujours la même musique, autant les études démontrent que nous aimons entendre des chansons qui nous sont familières. Si nous entendons une chanson qui ne nous est pas familière, nous risquons de changer de station pour en choisir une où joue une chanson qui l'est. Et la chose que les directeurs de programmation redoutent le plus, c'est bien que vous changiez de station ; vous risquez ainsi de ne pas revenir à la leur.

Le conseiller en communications radio Lee Abrams a défendu la pratique d'études de marché dans un article du *Dallas Morning News*. « Nous prenons la peine de nous rendre dans la rue pour demander aux gens ce qu'ils veulent entendre à la radio, écrit-il. Je crois qu'il y beaucoup d'orgueil mal placé chez les DJ dits *underground* qui, en fait, ne font jouer que la musique qu'eux et leurs amis désirent écouter. »

Nos habitudes de consommateurs font aussi que la musique radiodiffusée semble devenir davantage homogène. Les grandes chaînes comme Wal-Mart sont en compétition avec les détaillants de disques plus modestes. Elles offrent des CD à prix réduit, offrant même les

disques les plus populaires en deçà du prix de détail juste pour attirer les clients qui, peut-être, achèteront aussi d'autres articles plus chers. Ces grandes chaînes ont nécessairement une quantité d'espace limitée sur les rayons. Un magasin comme Wal-Mart offrira un choix d'environ 4 000 disques à ses clients – une toute petite fraction du quart de million de CD et de cassettes disponibles sur le marché. Les acheteurs qui sont au service de ces grandes chaînes se fient également aux études de marché, aux listes du Top 40 et à la programmation des stations de radio.

Cependant, plusieurs analystes des médias croient qu'Internet est sur le point de tout transformer. De nos jours, même les plus petites stations peuvent être écoutées de par le monde entier grâce à Internet. Les artistes ont la possibilité de créer leur propre site Web où un échantillonnage de leur musique est présenté au public, ce qui donne accès à des chansons qui, souvent, étaient boudées par les stations de radio. Cette technologie a tout de même du chemin à faire avant qu'elle devienne une véritable menace pour la hiérarchie radiodiffusée qui existe présentement. Entre-temps, vous devrez apprendre à apprécier NSYNC.

C

Charabia médical

(Voir Examens des hernies)

Lorsque votre médecin prend le temps de vous expliquer quelque chose et qu'il le met même par écrit, le comprenez-vous? Probablement pas. Le journal médical universitaire *Surgery* a récemment examiné 600 formulaires de consentement dans des hôpitaux à travers le pays. Il s'agit des formulaires qui donnent à votre chirurgien la permission de taillader telle ou telle partie de votre anatomie. Les chercheurs ont constaté que plusieurs de ces documents négligeaient d'inclure des informations aussi importantes que l'existence d'une solution de rechange à la chirurgie.

Qui plus est, l'information y est illisible pour la plupart des gens. Les médecins qui rédigent ces documents ont probablement beaucoup plus d'éducation que vous. Ceux qui ont mené la recherche ont trouvé que, pour comprendre le quart de ce qui est écrit dans ces documents, une personne a besoin, au moins, d'un diplôme d'études collégiales.

Outre ces formulaires, essayez donc de lire une ordonnance écrite par votre médecin. Vous aurez probablement de la difficulté à reconnaître les lettres. Un rapport publié par le *British Medical Journal* a révélé qu'il ne s'agissait pas d'un mythe: les médecins, en tant que groupe social, ont une écriture illisible. Une équipe de chercheurs a demandé a 92 médecins, infirmières et administrateurs d'écrire leur nom lisiblement, d'écrire l'alphabet ainsi que les chiffres de zéro à neuf. Ensuite, les listes ont été soumises à l'analyse d'un scanneur optique afin qu'il en déduise les lettres méconnaissables. Voici les résultats.

Les infirmières possédaient la meilleure écriture de tout le groupe, suivies par les administrateurs. Les médecins, eux, affichèrent deux fois plus d'erreurs que les autres groupes. Le *Journal* arriva donc à cette conclusion: «Les médecins, même quand on leur demande de bien écrire, produisent une écriture pire que celles de toutes les autres professions. » Et comme si ce n'était pas déjà assez, quand des chercheurs ont examiné les stylos de 42 médecins dans le cadre d'une étude en 1999, ils y trouvèrent 15 variétés de bactéries différentes. Alors, si le stylo lui-même ne vous tue pas, prenez garde à ce que la prescription ne soit pas mal interprétée par le pharmacien!

En 1996, le *Journal de l'Association médicale américaine* rapporta que le nombre total des décès dus à des erreurs survenues dans les hôpitaux des États-Unis était quatre fois supérieur au nombre de décès causés par les accidents de la circulation automobile et excédait celui de tous les accidents, quels qu'ils soient, réunis.

C

Chats destructeurs de mobilier

Il y a des gens qui possèdent de très beaux meubles ; ce sont des gens qui n'ont pas de chat, évidemment. Quant à vous, vous possédez des canapés agrémentés de petites déchirures verticales qui laissent échapper la bourre. Bien sûr, Boule de neige est très attachant quand il ronronne mais, lorsqu'il met vos meubles en pièces, vous lui enlèveriez bien huit de ses neuf vies !

Une des raisons pour lesquelles un chat se fait les griffes est qu'il cherche à se débarrasser de la vieille cuticule qui recouvre ses ongles. Il semble que ce soit aussi une forme d'exercice. Mais la raison principale est que Boule de neige marque ainsi son territoire.

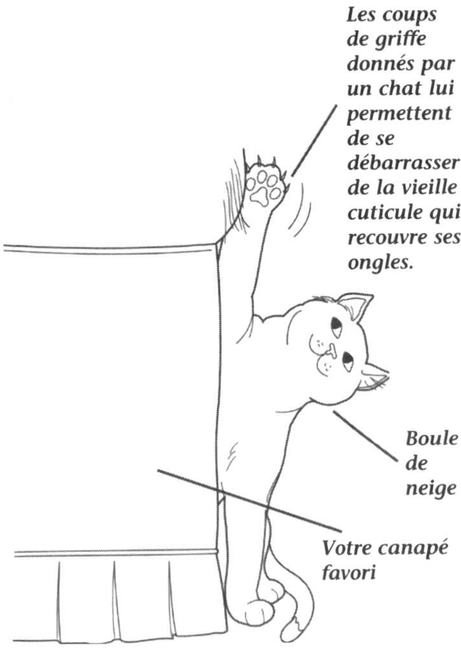
Les coups de griffe donnés par un chat lui permettent de se débarrasser de la vieille cuticule qui recouvre ses ongles.
Boule de neige
Votre canapé favori

Le chat domestique est resté assez proche de ses origines sauvages. Il peut sembler n'être qu'une adorable petite bête de compagnie mais, dans son esprit, il se voit comme un redoutable

prédateur. À l'état sauvage, un chat règne sur un territoire assez vaste, dont la dimension varie selon le sexe de l'animal. Le chat patrouille environ 60 hectares; la femelle, elle, 6 hectares. Le chat parcourt son territoire principalement à la recherche de nourriture et d'un partenaire sexuel; il s'efforce aussi d'écarter les autres chats de son territoire. Étant donné que vous nourrissez votre chat et qu'il a été châtré, il ne devrait pas avoir conservé le réflexe de marquer son espace personnel et de le garder, mais il le fait quand même...

T.S. Eliot a visé juste lorsqu'il écrivit un poème au sujet d'un chat qui était « toujours du mauvais côté de la porte ». Vous laissez Boule de neige sortir, deux minutes plus tard il gratte à la porte pour rentrer. Deux minutes après cela, il miaule devant la porte pour ressortir.

« Les chats sont des animaux très territoriaux », de dire Betsy Lipscomb, présidente de Cats International. « Ils doivent explorer chaque centimètre carré de leur territoire. Ils doivent le patrouiller régulièrement. L'endroit où leurs petites pattes se posent, quel qu'il soit, est annexé à leur territoire. Si la porte d'une pièce est fermée et qu'ils ont été dans cette pièce auparavant, ils voudront y entrer pour tout vérifier. C'est une des raisons pour lesquelles ils détestent les portes closes. Elles nuisent à leur travail, et Dieu sait qu'ils ont d'importantes tâches à accomplir. »

Votre chat a besoin de votre aide, en particulier de votre capacité d'ouvrir une porte. Et Boule de neige préfère de beaucoup recevoir votre aide impatiente plutôt que de continuer à s'imaginer qu'une bête terrible est en train d'empiéter sur son territoire.

Petra Drake, une vétérinaire de la Californie, dit que « les félins sont généralement des bêtes dominantes. Les grands chats, tels les tigres et les lions, se trouvent à la tête de la chaîne alimentaire et ne redoutent que très peu les attaques d'un prédateur quelconque. Jouissant d'un niveau de domination très élevé, les grands chats peuvent exercer un contrôle presque total sur leur environnement. Leur liberté de mouvement à l'intérieur de leur territoire n'est régie et limitée que par leur bonne volonté. Prenez maintenant ces caractères génétiques, transposez-les dans un félin de cinq kilos et laissez-le aller dans un environnement domestique. Vous obtiendrez une créature plus grande que nature, qui ne se laissera pas arrêter par la mécanique d'une simple poignée de porte. »

Le réflexe de gratter leur vient aussi de ce patrimoine génétique. Cette activité ne laisse pas que des marques visibles mais aussi une odeur qui peut être reconnue par d'autres chats. Cette odeur est sécrétée

par une glande située sous le pied du chat. Si les chats dégriffés persistent à gratter les objets, c'est qu'ils cherchent encore à répandre leur odeur.

Afin de changer les habitudes de Boule de neige, vous devrez protéger vos meubles pour un certain temps. Vous pouvez recouvrir les coins du sofa avec du ruban adhésif ou le couvrir tout entier avec un drap. L'endroit où vous placez le pieu à gratter est d'une grande importance également. Placez-le près des objets qu'il a l'habitude de tenter de détruire.

C

Chauffeur lent dans la voie rapide

(Voir Bouchons de circulation, Guerre de stationnement, Rage au volant)

Le trajet du matin pour se rendre au travail est le contexte par excellence pour subir toutes sortes de désagréments – les embouteillages, les voitures qui vous coupent le chemin juste pour ensuite s'arrêter devant vous et attendre que la voie se libère pour tourner, les camions qui éclaboussent de boue votre pare-brise... Mais, dites-moi, qu'est-ce que les conducteurs automobiles détestent le plus?

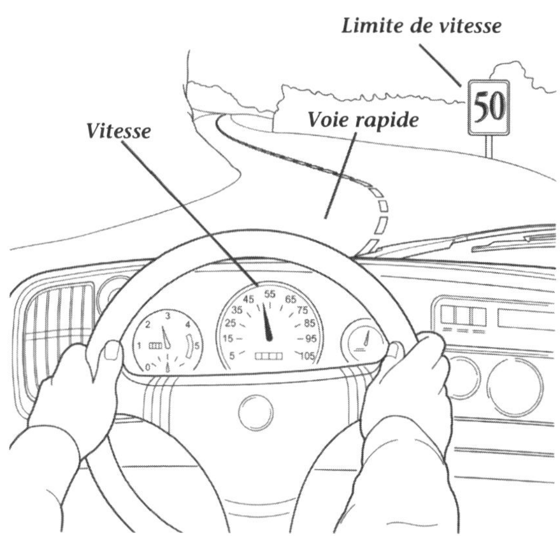

Selon Diane Nahl, une psychologue spécialisée dans l'étude du comportement au volant, deux décennies de recherches ont révélé qu'il s'agit du type de conducteur « passif-agressif qui observe la limite de vitesse alors qu'il roule dans la voie rapide ».

« Lorsqu'une personne fait cela, vous avez l'impression d'avoir été déjoué, triché, dit-elle. L'on vous contraint de rouler à une vitesse qui ne vous va pas, et il vous est impossible de dépasser puisqu'on vous bloque le chemin. Vous avez le sentiment qu'on veut vous apprendre à bien vous comporter ou qu'on veut vous donner ainsi une leçon. Et, parfois, c'est bien ce que l'autre chauffeur a en tête. L'important pour lui est d'obtenir ce dont il a besoin. Si les autres n'obtiennent pas ce qu'ils veulent, ça, c'est leur problème. »

« Nuire au libre cours de la circulation » en roulant à basse vitesse dans la voie de dépassement constitue une infraction au code de la route dans la plupart des États américains, sauf que ce règlement n'est que rarement appliqué par les patrouilleurs.

Si vous voulez vous débarrasser du lambin qui roule dans la voie rapide devant vous, disait l'ex-patrouilleur de New York James M. Eagan, faites clignoter vos phares.

« Faites-le lorsque vous vous trouvez à environ quatre longueurs de camion derrière lui », a-t-il écrit dans son livre *Guide pour l'homme pressé qui veut éviter les contraventions : le manuel essentiel pour la vie dans la voie rapide*. Si vous attendez trop, dit-il, le lambin considérera que vous le collez et vous « punira » en ralentissant davantage et en refusant de s'ôter de cette voie.

« Les conducteurs agressifs voudraient qu'il y ait des limites de vitesse minimales, et non maximales », avancent Leon James et Diane Nahl, chercheurs en psychologie de la circulation, dans leur livre *Rage au volant et Conduite agressive*. « Se sentir pressé est l'obsession la plus commune chez les conducteurs de voitures. Cette obsession comprend deux éléments complémentaires. Le premier est ce besoin irrésistible d'éviter de ralentir ; le deuxième, la colère conséquente dirigée vers quiconque peut causer un ralentissement. »

Monsieur James croit que l'action de coller quelqu'un sur la route n'est qu'un symptôme d'un problème plus vaste – soit une tendance sociale à réagir avec colère envers tout désagrément. « Les gens croient avoir tous les droits lorsqu'ils se retrouvent dans un endroit public », dit-il. « Si quelqu'un est dans mon chemin, j'ai le droit d'être en colère, et peut-être même de me venger. Jetez un coup d'œil au bureau de poste, par exemple: les gens se tiennent debout dans des lignes d'attente, mais que pensent-ils? Nous avons demandé à des étudiants d'écrire les pensées et les sentiments qu'ils avaient dans de telles situations. À partir de ce que ces étudiants ont répondu, nous pouvons conclure que bien des gens entretiennent un dialogue intérieur qui critique les autres et les attaque. »

Quoi qu'il en soit, coller la voiture qui se trouve devant vous ne vous fera pas arriver où vous allez plus rapidement. Ceux qui conduisent à haute vitesse et qui collent les autres se retrouvent plus souvent bloqués que les autres conducteurs, parce qu'ils ne peuvent anticiper les problèmes et choisir la meilleure voie.

Chaussettes dépareillées

C

Au commencement, vous aviez un tiroir rempli de belles paires de chaussettes assorties. Avec le temps, l'ordre s'est tellement dégradé que vous êtes forcé d'aller au travail avec une chaussette beige et une autre bleue. Que s'est-il passé ? L'endroit où les chaussettes perdues aboutissent est l'un des grands mystères de l'Univers. Robert Matthews, un chercheur associé de l'Université de Birmingham en Angleterre, a décidé de faire une enquête sur le sujet. Sa conclusion, publiée dans la revue *Mathematics Today*, est que, effectivement, si vous perdez des chaussettes, vous avez plus de chances de vous retrouver avec des chaussettes dépareillées qu'avec des paires assorties.

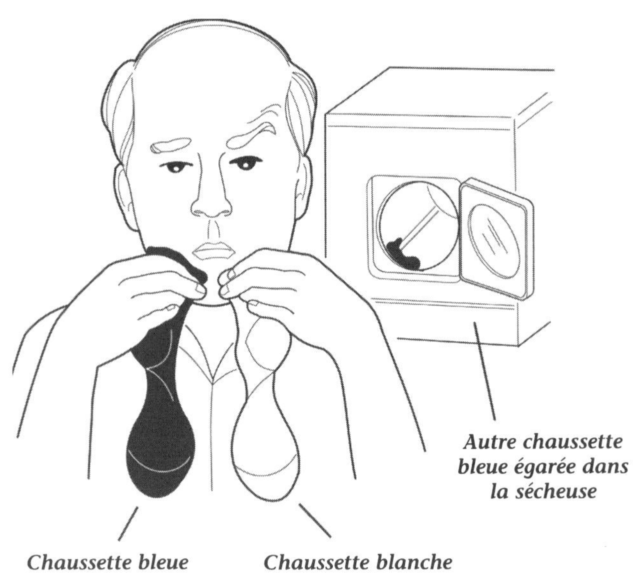

Voici comment ça marche. Lorsque vous perdez une chaussette, il ne vous reste désormais que sa jumelle. Si vous perdez une autre chaussette, il est peu probable que ce soit celle qui demeurait seule et dépareillée. Puisque la plupart de vos chaussettes sont encore en paires, il est presque certain que la prochaine que vous perdrez ne soit pas celle qui est dépareillée. Et puisque vous ne porterez pas cette chaussette ni ne la laverez, et qu'elle demeurera bien en sécurité dans le tiroir, là où il y a peu de chances que vous la perdiez, les probabilités que ce soit une chaussette assortie qu'on perde augmentent considérablement. En utilisant un grand nombre d'équations vestimentaires complexes, Matthews détermina que si des chaussettes sont perdues au hasard, à partir d'un tiroir qui en contenait jadis 10 paires complètes, mais distinctes, il y 100 fois plus de chances que le pire résultat final survienne, c'est-à-dire que vous vous retrouviez, après un certain temps, avec 4 paires complètes et 6 chaussettes dépareillées, au lieu du meilleur résultat possible qui serait 7 paires complètes.

« Si vous retirez au hasard deux chaussettes d'un tiroir rempli de paires de chaussettes assorties mais non attachées en paires, il y a de bonnes chances que vous retirerez deux chaussettes dépareillées, a-t-il écrit. Donc, même si nous nous sommes judicieusement débarrassé de toutes nos chaussettes dépareillées, nous aurons probablement à fouiller considérablement avant de trouver dans le tiroir des chaussettes qui s'assortissent parfaitement. » Bien sûr, on augmente ses chances si on n'achète qu'un seul type de chaussettes et qu'elles sont toutes de la même couleur. Mais Matthews trouvait cette mesure trop draconienne pour son étude. Il décida de se limiter à deux sortes de chaussettes et d'en avoir huit paires de chacune des sortes. Il apprit cependant que la loi de Murphy ne peut être enfreinte. Aussitôt après que le démon des chaussettes eut frappé, il retourna au magasin, mais se rendit compte qu'on ne vendait plus un des types de chaussettes qu'il possédait.

Choc électrique au coude

Nous en avons tous fait l'expérience, et ça fait mal, n'est-ce pas? Certains croient qu'il s'agit d'un os, mais c'est en fait un nerf, qui se trouve dans une position qui le rend très vulnérable. Il s'agit du nerf ulnaire, qui passe derrière l'humérus par un passage osseux qui l'on nomme le « tunnel cubital ». Ce nerf contrôle les muscles qui nous permettent d'agripper, de pincer et d'effectuer de fins mouvements avec les doigts. Ce nerf se charge également de toutes les impulsions nerveuses émises aux fins des muscles de la main, à l'exception des deux muscles qui actionnent la levée du pouce.

Une grande quantité d'information sensorielle transige par le nerf ulnaire, entre ces muscles et le cerveau. Si vous vous cognez précisément à cet endroit où le nerf est particulièrement vulnérable, votre cerveau se retrouve surchargé de signaux frénétiques provenant du nerf ulnaire. Vous ressentez ces picotements familiers sur toute la longueur du nerf jusque sur le côté de la main. Ensuite vient l'engourdissement.

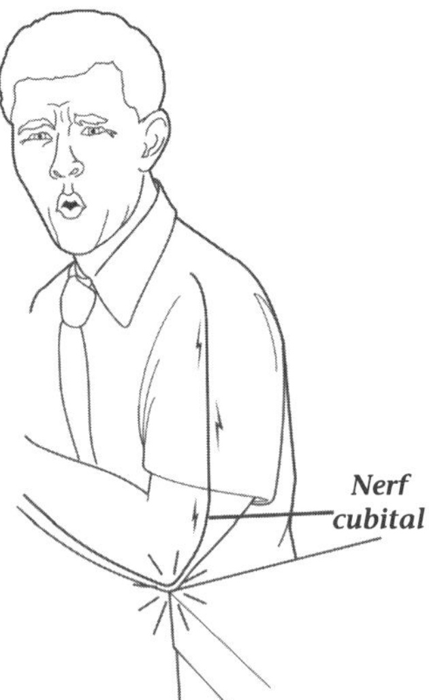

L'anecdote suivante est surprenante. Des médecins de langue anglaise du XIXe siècle, à l'imagination débordante, virent une certaine correspondance entre la sensation étrange ressentie lorsqu'on se cognait le nerf ulnaire et l'os adjacent au nerf qui se nomme humérus. La prononciation anglaise du nom de cet os ressemble au mot anglais « *humorous* », qui signifie « humoristique ». Ils décidèrent donc que ces incidents étaient comiques, ou

« *funny* », et désignèrent cet endroit du coude si souvent heurté par le nom de « *funny bone* » (littéralement : « os comique »). Il y a très longtemps, les Américains l'appelaient « *crazy bone* » (« os fou »).

Contes pour enfants, lus, relus, et relus...

Combien de fois, votre enfant vous demande de lire Le *Petit Poucet.* Au moins 57 fois de plus que vous n'auriez aimé la lire... Quant à votre petite fille, elle voudrait réécouter sa cassette vidéo préférée pour la 96e fois. Il s'agit de *La Petite Sirène.* Il arrive fréquemment aux parents placés dans de telles situations de « perdre » des livres, de soudainement « oublier » comment lire ou parler le français et de reculer « accidentellement » sur la cassette vidéo avec la voiture... cinq fois d'affilée.

Entendre la même histoire à répétition fait partie d'un processus qui permet, dans le cerveau, que se développent les réseaux de neurones qui forment la mémoire. Peter Ornstein, professeur de psychologie à l'Université de Caroline du Nord à Chapel Hill, l'explique ainsi : « La forme narrative constitue l'échafaudage et le soutien idéal pour constituer la mémoire. »

Dès la première fois qu'un enfant entend une histoire, il commence à faire des connexions entre les éléments de l'histoire et d'autres expériences. Il crée ainsi de nouvelles connexions neuronales, mais ces

connexions sont fragiles. Pour construire des connexions plus solides, il doit les renforcer en répétant l'expérience. Selon Mary Mindess, directrice du Centre pour l'enfance, la famille et les politiques publiques de l'Université de Lesley à Cambridge au Massachusetts, « l'enfant joint ces expériences à d'autres expériences en répétant l'accomplissement d'un processus, comme visionner un film à nouveau. Cela rend les connexions neuronales plus solides et leur permet de construire des ramifications qui produiront elles aussi de nouvelles connexions. L'histoire devient donc pour l'enfant plus palpitante chaque nouvelle fois qu'il l'entend ».

Une autre raison explique cet engouement. Les histoires préférées suscitent de fortes émotions. Les enfants cherchent à refaire l'expérience de ces émotions, et ils savent qu'ils peuvent le faire en écoutant l'histoire à nouveau.

« Les enfants aiment également posséder un sentiment de pouvoir », selon Mindess. « Plus ils entendent la même histoire, mieux ils sont nantis pour jouer le rôle d'une partie de l'histoire qui les rapproche de ce qu'ils aimeraient eux-mêmes accomplir. Les adultes ont un choix beaucoup plus grand que celui des enfants lorsqu'ils désirent vivre à nouveau une certaine expérience émotionnelle. Ayant un choix plus restreint, les enfants optent pour la répétition de choses connues, sachant assez bien ce qui risque d'arriver. »

Malheureusement, il est impossible d'accélérer cette phase du développement chez vos enfants. Alors, armez-vous de patience et relisez-leur le *Petit Poucet*, encore une fois. Un de ces jours, vos enfants auront grandi et n'attacheront plus aucune importance à ces histoires. Quant à vous, vous retrouverez ces livres, que vous ne pouviez plus sentir, avec nostalgie.

Contraventions pour excès de vitesse

(Voir Chauffeur lent dans la voie rapide, Rage au volant)

Rien de mieux pour gâcher votre bonne humeur que de voir la voiture de police que vous venez tout juste de passer à toute vitesse sortir de sa cachette et allumer ses gyrophares. Et puis il y la fameuse question : « Savez-vous à quelle vitesse vous rouliez ? »

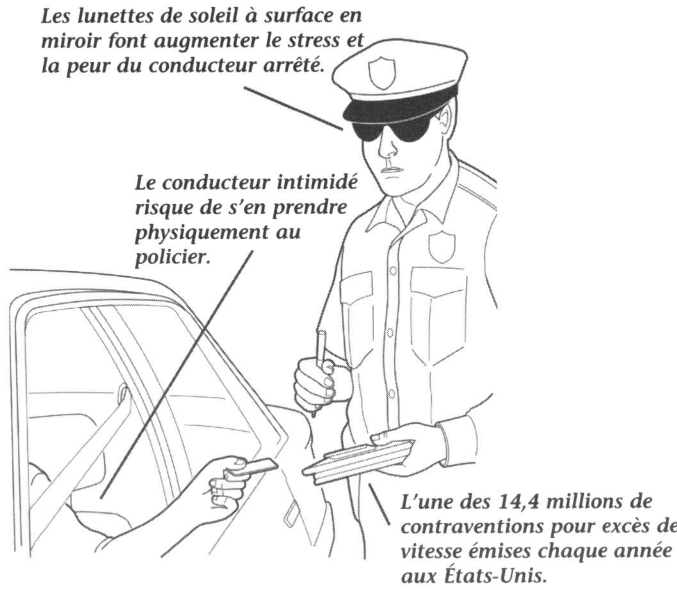

Les lunettes de soleil à surface en miroir font augmenter le stress et la peur du conducteur arrêté.
Le conducteur intimidé risque de s'en prendre physiquement au policier.
L'une des 14,4 millions de contraventions pour excès de vitesse émises chaque année aux États-Unis.

Y a-t-il une bonne façon de répondre à cette question? Si vous dites: « Oui, je roulais à 130 km/h », vous admettez avoir été en excès de vitesse. Si vous dites: « Je roulais à la vitesse permise », vous insultez l'agent de police, parce que vous savez tous les deux que c'est faux.

Si vous voulez éviter une contravention, James M. Eagan, un patrouilleur de New York à sa retraite et auteur d'un livre intitulé *A Speeder's Guide to Avoiding Tickets* (Guide pour l'homme pressé qui veut éviter les contraventions), suggère de répondre ceci: « J'avoue que je n'étais pas aussi attentif que j'aurais dû l'être, Monsieur l'agent, à quelle vitesse roulais-je? »

La plupart des gens ont plus de risques de recevoir une contravention que de s'en exempter lorsqu'ils répondent à l'agent de police. Pour augmenter vos chances de vous en sortir avec un simple avertissement, Eagan recommande de faire en sorte que l'agent ne se sente pas menacé et que son ego soit nourri favorablement. Donnez-vous la peine de faire un peu de conversation avec lui, de sorte qu'il vous perçoive comme un être humain, et ne dites rien qui puisse remettre en cause son autorité.

Le fait que tous les aspects d'une arrestation pour excès de vitesse soient délibérément conçus pour vous intimider et dégonfler votre ego devient toutefois problématique pour le conducteur. Une étude menée par la Gendarmerie royale du Canada a démontré que votre niveau de stress et de crainte augmente si l'agent porte des lunettes miroir. Vous serez porté à considérer que le policier est plus agressif et moins courtois que si vous pouviez lui voir les yeux. S'il porte un revolver visible à sa ceinture, votre mécontentement et votre crainte augmentent encore plus. Un conducteur fâché et craintif est plus susceptible d'être effronté envers l'agent ou de sortir lui-même une arme à feu. Donc, si vous voulez éviter cette contravention, il est de votre ressort d'apaiser la situation.

Ne vous excusez pas et ne promettez surtout pas de ne plus faire d'excès de vitesse, nous conseille Eagan, puisque l'agent de police demeure sur la même planète que vous et qu'il sait très bien que la plupart des gens excèdent la vitesse permise. Il ne croit aucunement que vous regrettiez votre geste ou que vous ne le ferez plus.

« Les membres de cette hiérarchie de pouvoir ne veulent pas vraiment que vous ralentissiez, écrit-il. En dépit de leurs affirmations contraires, ils désirent que vous dépassiez la vitesse permise afin de vous donner une contravention. »

En 1999, les policiers ont émis 14,4 millions de contraventions pour excès de vitesse aux États-Unis. Certaines villes obtiennent plus de 75 pour cent de leurs revenus de ces contraventions. La Caroline du Sud arrive en tête des États avec 279 000 contraventions, suivie de la Caroline du Nord avec 265 000 et de la Virginie avec 246 000.

Quant à savoir quelle est la véritable limite de vitesse, Eagan nous dit que la majorité des policiers n'arrêteront pas quelqu'un qui roule de 15 à 25 kilomètres au-dessus de la limite affichée.

Coupures dues au papier

Vous remettez un mémo à votre patron, puisqu'il désire tout avoir par écrit. Au moment où il saisit la feuille, le rebord glisse le long de votre doigt et... Aïe ! Une coupure. Pourtant, quand vous vous êtes coupé en vous rasant ce matin, vous n'avez pratiquement rien senti. Maintenant, vous grimacez en vous suçant le bout du doigt comme un bébé. Comment cela se fait-il ?

La coupure du rasoir est nette et très superficielle, tandis que la feuille de papier, elle, pénètre la peau en coupant. Ces coupures sont très petites mais plutôt profondes. Comme l'expliquait au journal *Toronto Star* le docteur Ted Broadway de l'Association médicale de l'Ontario, la coupure « se rend jusque dans une couche de terminaisons nerveuses et produit de l'irritation. La friction provoque un affolement de ces bouts

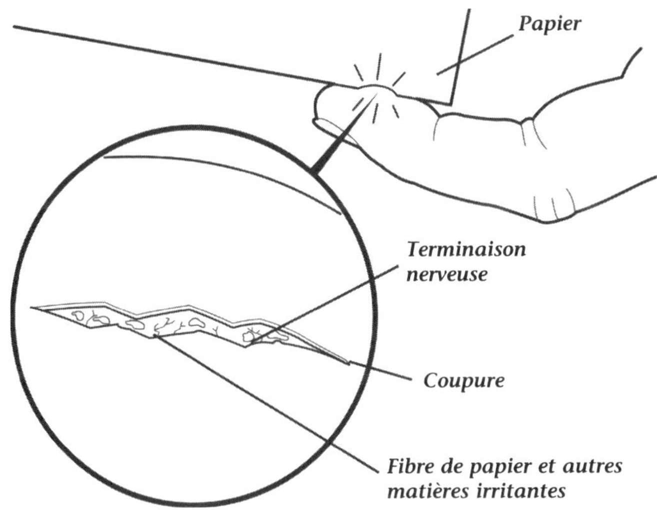

de nerf. Chacun d'eux se met à envoyer des messages étranges au cerveau. » Le papier contient aussi plus de matières irritantes qu'une lame de rasoir. Il laisse dans la plaie des fibres de papier et des produits chimiques.

Certaines personnes utilisent de la colle très puissante pour sceller ce genre de coupure. Les médecins, aussi, utilisent parfois une version médicale de cette colle pour réparer temporairement certaines lacérations de la peau. Ce type de colle, que vous retrouvez au magasin du coin, n'a pas été conçu pour ce genre d'utilisation. Vous ne devriez donc pas en étendre généreusement sur une grande coupure profonde, même si les dermatologues affirment qu'il y a peu de chances qu'elle ait un effet toxique quand on l'applique sur une plaie aussi minuscule qu'une coupure due au papier. Si vous essayez cette méthode, assurez-vous que la colle a bien séché avant que vous saisissiez quoi que ce soit avec vos doigts. Vous ne voudriez sûrement pas vous retrouver avec un doigt qui élance et vous fait mal... collé à une tasse à café !

Courrier électronique indésirable ou pourriel

(Voir Courrier indésirable, Rage au clavier)

« Une occasion d'affaires incroyable ! Mais croyez-le, et ouvrez ce courrier ! » De nos jours, ceux qui nous envoient leurs offres trompeuses croient que s'ils inscrivent sur le message qu'il ne s'agit pas de pourriel… nous le croirons. Hey, dis donc, regarde-moi ça, c'est Bambi qui m'invite à ouvrir le message et à regarder des adolescentes aux gros seins. Heureusement qu'il ne s'agit pas de pourriel, sinon, je serais vraiment ennuyé.

Le courrier électronique indésirable en vrac porte aussi le nom de « pourriel », mot provenant de « pourri » auquel on a ajouté le suffixe « -iel » (comme dans « logiciel », « courriel »). En français, on utilise aussi parfois le mot anglais « *spam* ». Ce mot provient de l'émission de

Boîte de réception

!	🖇	▽	De	Objet	Date
			Nosehair.com	FREE gift for sign-on	7:56 AM
			DeLeon.com	Fountain of Youth!	9:29 AM
			STF of America	Save the Funguses	11:28 AM
			Chad and Tina	Dating Secrets Revealed	12:59 PM
	🖇		Insider Traders	$AVE BIG MONEY!	1:51 PM
			American Hair,Inc	Hair gel that works	2:03 PM
			Sally	Fwd:Fwd:Answer this chain letter or die	2:31 PM
	🖇		S.O.S.	Sea Slugs Protection	3:29 PM
			Chicken Little	Fwd: WARNING: End of World virus	8:25 PM
	🖇		Crapper Products	Bulk Toilet Paper Now!	10:32 PM
			SWAK Dating Svc.	I Want You (find out why)	1:55 AM

télévision *Monthy Python's Flying Circus* dans laquelle tous les choix au menu étaient accompagnés de Spam, cette simili-viande en pain qui se vend en conserve. La boîte d'accès à votre logiciel de courrier électronique ressemble à ces menus : spam, spam, message de maman, spam, courrier du bureau, spam, spam...

Il suffit de dépenser 50 dollars d'équipement informatique pour transformer son ordinateur en machine à pourriel. Il existe en effet un logiciel qui recueille automatiquement des adresses électroniques à partir de sites Internet et de babillards divers. Mais pourquoi donc voudrait-on faire ça ? Ces annonces publicitaires par courrier électronique sont plus susceptibles de faire l'objet d'une réponse désobligeante que d'une proposition d'affaires. Le sondage des Utilisateurs WWW 2000 effectué par le Centre de convivialité, de visualisation et de traitement graphique de l'institut Georgia Tech révèle que 91 pour cent des utilisateurs du courrier électronique reçoivent des pourriels. Plus de la moitié des utilisateurs, soit 64 pour cent, les suppriment avant même de les ouvrir. Seulement 12 pour cent demandent que leur nom soit supprimé des listes d'envois, ce qui ne s'avère pas être une si bonne idée après tout. Les experts d'Internet nous disent que d'agir ainsi ne fera que confirmer aux pourrielleurs que votre adresse électronique est bel et bien active et en fonction, et, en conséquence, ils vous enverront encore plus de pourriels.

Et puisque la plupart des compagnies ayant une excellente réputation savent qu'elles vous offenseront probablement plus qu'elles n'augmenteront leur chiffre d'affaires en vous envoyant un pourriel, celui-ci provient donc presque toujours de compagnies moins réputées. Les objets les plus courants des pourriels sont les ventes de type pyramidal, les combines du genre « Devenez riche rapidement », les offres de télésexe et d'abonnement à des sites pornographiques, les offres de logiciels servant à disséminer des pourriels, des produits pour la santé douteux et des logiciels piratés illégaux. On compte parfois parmi eux des messages bien intentionnés de vos amis : les pétitions électroniques et les canulars au sujet de virus informatiques.

Les gens tentent de combattre le problème des pourriels de plusieurs façons. Les fournisseurs de services Internet vont même jusqu'à fermer les comptes de ceux qui envoient des pourriels et contre lesquels il y a eu des plaintes. Plusieurs lois ont été proposées à différents niveaux de gouvernement. Il existe aussi des filtres et des logiciels capables de bloquer ce genre de courrier électronique. Pour obtenir

plus d'informations à ce sujet, rendez-vous sur le site de The Coalition Against Unsolicited Commercial Email à http ://www.cauce.org ou visitez n'importe quel site anti-pourriel sur le Web.

Quant aux dirigeants de la compagnie Hormel, celle qui fabrique la viande en conserve SPAM, ils ne se réjouissent pas tellement que l'on associe le nom de leur produit avec le courrier électronique indésirable. Mais ils ne peuvent que baisser les bras devant la persistance de ce sobriquet. Leurs avocats s'efforcent plutôt de s'assurer que personne n'utilise de lettres majuscules en se servant du nom « spam » pour décrire le courrier électronique indésirable. Ils s'assurent également que des photos de la viande elle-même ne sont pas utilisées sur des pages Web traitant du spam.

C

Courrier indésirable

L'Américain moyen reçoit 22 lettres de toutes sortes chaque semaine. Combien sont des lettres personnelles ? Une seule, en moyenne. Si vous allez faire un tour à votre bureau de poste, vous y verrez probablement une grosse corbeille où les gens qui possèdent une boîte postale jettent la moitié de ce qu'ils reçoivent. Il est probable que vous épluchiez vous-même votre courrier au-dessus de la corbeille.

Depuis 1998, selon *USA Today*, les résidences privées des Américains ont reçu chaque année environ 70 000 000 000 de réclames publicitaires. Tout cela accapare un peu de notre temps et de notre attention, mais ne fait pas bouillir notre sang de colère comme le font les agents de télémaketing et le courrier électronique indésirable.

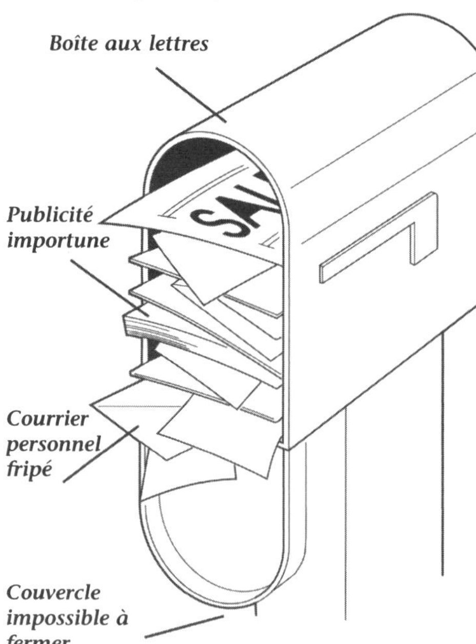

« Ce type de publicité personnalisée se range à peu près au milieu sur l'échelle des choses les plus agaçantes », a écrit Cheryl Russel dans la revue *American Demographics*. « La bienséance traditionnelle nous dit qu'il est impoli d'interrompre

pour s'ingérer dans une conversation. Une publicité qui attend d'être invitée à l'intérieur au lieu de se précipiter sur vos sens est donc plus polie. »

En fait, s'il n'y a que peu d'Américains qui demandent que tout courrier de troisième classe leur étant adressé soit stoppé par le bureau de poste, c'est que plusieurs d'entre eux doivent apprécier ce genre d'annonces. En vertu d'une loi de 1950 qui demeure toujours en vigueur, n'importe qui peut se rendre au bureau de poste et y remplir un formulaire destiné à être joint à toute correspondance commerciale que vous ne voulez plus recevoir. Si l'expéditeur vous garde sur sa liste et continue de vous poster ses missives, il peut être poursuivi au criminel. Vous pouvez également faire appel au Service de préférence postale des associations de publicité personnalisée. Lorsque les compagnies membres de SPPAPP sauront que vous ne désirez plus recevoir leurs envois, votre boîte aux lettres sera de beaucoup soulagée.

Malgré cela, 33 pour cent des personnes qui se prémunissent du service susmentionné ont admis, lors d'un sondage fait en 1992, qu'elles aimeraient recevoir un peu de publicité, mais qu'elles préféreraient pouvoir choisir les catégories d'annonces qui se rendraient à leur porte. Les Services postaux ont eux-mêmes fait une recherche sur le sujet et ont découvert que les Américains lisent 88 pour cent des publicités qu'ils reçoivent par la poste. Entre 14 et 18 pour cent ont avoué qu'ils répondaient favorablement aux offres qui leur étaient faites. Les spécialistes en marketing ont conclu que nous détestions ce genre de courrier, sauf que si nous sommes intéressés par un certain catalogue, nous ne le considérerons pas comme du courrier indésirable. Mais soyez assuré que tant et aussi longtemps que ces annonces seront profitables pour les compagnies, votre boîte aux lettres continuera de se remplir chaque semaine.

C

Crampes et engourdissements du pied

Vous êtes assis depuis un bon moment quand, soudainement... vous ressentez un picotement et une sensation familière. Vous vous rendez compte que votre pied s'est engourdi. Contrairement à ce que bien des gens pensent, ce phénomène n'est pas causé par un manque de circulation sanguine. Si c'était le cas, c'est d'une crampe que vous feriez l'expérience. Un pied engourdi peut être quelque peu déplaisant ; une crampe, par contre, fait carrément mal. Ce qui se passe lors d'une crampe, c'est que la circulation se trouve interrompue à cause de spasmes dans les muscles du pied ou du mollet, ce qui, en retour, prive ces muscles de l'oxygène dont ils ont besoin pour fonctionner.

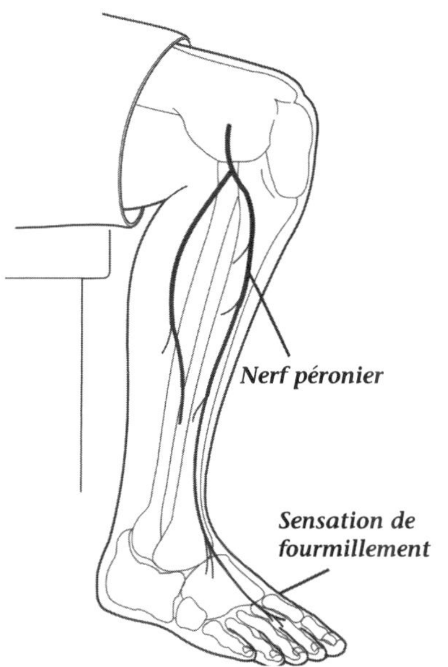

Un pied engourdi n'a donc rien à voir avec le fonctionnement de vos veines. Le pied s'engourdit habituellement lorsque vous avez les jambes croisées en position assise. Le nerf péronier, lequel passe par le genou pour faire parvenir les impulsions nerveuses jusqu'au cerveau, se retrouve ainsi comprimé. Il se met donc à envoyer toutes

sortes de messages erronés au cerveau concernant votre pied, lequel, en réalité, se porte parfaitement bien.

Les gens ont l'habitude de se mettre debout et de taper légèrement du pied pour « rétablir la circulation ». Ça marche, mais pas pour les raisons que l'on croit. En se mettant debout, le nerf péronier reprend sa position normale et met un terme aux signaux frénétiques qu'il envoyait.

C

Crasse de clavier

(Voir Lait suri)

En premier lieu, c'est le « f » qui a cessé de fonctionner. Ensuite, ce fut au tour de la lettre « d ». Elles sont collées là, dans une sorte de plâtre constitué de miettes de craquelins, d'huile épidermique, de poils et de cheveux. Il s'y trouve peut-être de nouvelles formes de vie en pleine évolution. Plus vous passez de temps à votre ordinateur, plus le clavier risque de devenir davantage collant. Et puisque plusieurs d'entre nous essayent de passer le plus de temps possible au travail en cassant la croûte devant l'écran, les claviers encrassés deviennent un phénomène de plus en plus répandu.

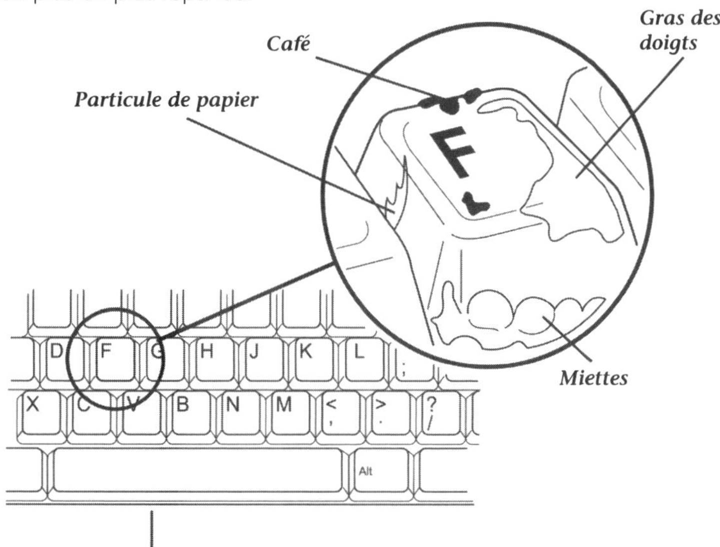

La crasse de clavier rend votre travail moins agréable, mais on peut y remédier assez facilement. Il n'est pas nécessaire pour cela de vous procurer un de ces petits aspirateurs conçus spécifiquement pour nettoyer les claviers d'ordinateurs (quoique vous puissiez le faire si vous aimez les gadgets). Plusieurs désagréments peuvent être évités tout simplement en recouvrant le clavier lorsqu'il n'est pas utilisé, surtout si votre ordinateur est à la maison et que vous avez des enfants.

Il est possible de tout simplement secouer le clavier pour en extraire les miettes qui s'y sont retrouvées. Une fois par semaine, déconnectez le clavier, retournez-le et secouez-le vigoureusement. Pour ce qui est du nettoyage du plastique, utilisez un linge doux légèrement humecté de nettoyeur domestique. Vaporisez le nettoyeur sur le linge, et non sur le clavier lui-même.

Une tasse de café renversée sur le clavier? Déconnectez-le immédiatement, retournez-le et laissez tout simplement le café s'en écouler. Ensuite, laissez-le sécher ainsi. Vous ne buvez pas votre café noir? Vous y ajoutez du sucre et du lait? Dans ce cas, il est probablement temps de vous acheter un nouveau clavier, à moins que vous n'aimiez l'odeur du lait suri.

Cuticules douloureuses

(Voir Coupures dues au papier)

Ce que nous considérons parfois, à tort, comme une partie de l'ongle qui se détache est en fait un mince éclat de cuticule durcie. Ce petit lambeau de peau peut parfois se détacher complètement du doigt et laisser derrière lui une petite plaie de chair vive. Cela peut faire très mal.

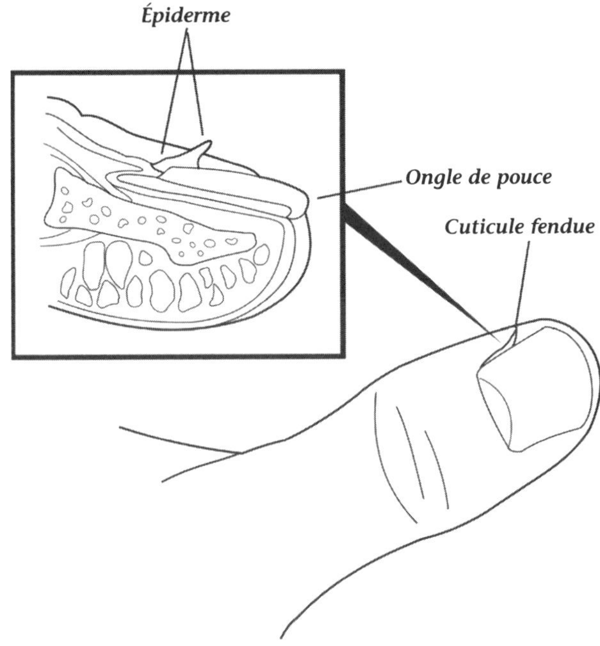

La cuticule se fragmente parce qu'elle est devenue trop sèche. Une mauvaise manucure peut aussi provoquer cette condition. Les gens se moqueront parfois d'une personne qui a les larmes aux yeux sous la douleur de cette petite blessure. Mais sachez qu'elle peut faire mal au-delà de ce que l'on peut imaginer. Le bout de vos doigts, entre autres choses, fait office d'organe sensitif ; c'est la partie de votre corps la plus souvent utilisée pour toucher les choses. Les doigts comptent donc un très grand nombre de terminaisons nerveuses et de fins vaisseaux sanguins. Lorsque vous vous blessez sur le bout d'un doigt, ces terminaisons nerveuses envoient une nuée de messages frénétiques au cerveau. Qui plus est, ces cuticules fendues peuvent dégénérer en quelque chose de plus grave encore, un panaris, soit une infection sérieuse mais commune qui affecte les doigts ou les orteils. Si la bactérie *Staphylocoque aureus* réussit à s'introduire dans la plaie ouverte, une infection surgit, accompagnée d'enflure et d'une douleur accrue. Plusieurs sont tentés d'arracher ce petit lambeau de cuticule qui dépasse près de l'ongle ; mais ne le faites surtout pas ! Vous risquez d'emmener avec lui un morceau de peau et d'ouvrir ainsi une plaie, permettant à toutes sortes de microbes d'avoir un accès à votre système.

Faites plutôt tremper votre doigt dans de l'eau tiède pendant 10 minutes 2 fois par jour. En utilisant de petits ciseaux à manucure, taillez les bouts de cuticule et de peau durcie autour de l'ongle. Ensuite, frottez doucement le bout du doigt et tout autour de l'ongle avec de la gelée de pétrole. Laissez-le ainsi toute la nuit. La Vaseline emprisonnera l'humidité et favorisera l'adoucissement de la peau sous-jacente.

DE

DANSE D'ÉVITEMENT SUR LE TROTTOIR

À

DISTRIBUTEURS AUTOMATIQUES REJETANT VOTRE BILLET DE BANQUE

Danse d'évitement sur le trottoir

(Voir Bureau à cloisons, Guerre d'accoudoir, Invasion de l'espace vital personnel)

Vous marchez tout bonnement sur le trottoir d'une rue de votre quartier. Un inconnu s'en vient vers vous, en sens contraire. Vous bifurquez sur la gauche pour lui permettre de passer, mais il bifurque aussi du même côté. Vous corrigez donc en allant vers la droite... au même moment qu'il le fait, lui aussi. Vous tanguez subitement vers la gauche, et lui également. Vous continuez cette petite danse ridicule jusqu'à ce que vous plantiez tous les deux les pieds par terre pour négocier par la parole la stratégie de passage.

Ce petit épisode se joue plus souvent dans la vie des hommes que dans celle des femmes, mais nous avons tous, à un moment ou un autre, exécuté cette danse d'évitement. Rares sont les discussions à ce sujet, mais rencontrer quelqu'un sur le trottoir demeure néanmoins une interaction sociale très complexe, comportant son lot de lois et de règlements. Vous n'écoperez jamais d'une contravention pour avoir négocié un passage illégal sur le trottoir, mais si vous dérogez aux us et coutumes en vigueur, vous risquez de vivre des moments embarrassants, sinon une collision.

Au Canada et aux États-Unis, l'on doit démontrer sa reconnaissance du fait qu'une personne s'en vient vers soi en prenant contact par le regard à 2,5 mètres de distance. Si vous connaissez la personne qui se dirige vers vous mais qu'elle se trouve encore à une certaine distance, il est préférable de regarder par terre et de feindre que vous ne l'avez pas encore aperçue. Sinon, vous aurez à démontrer le fait que vous la reconnaissez pendant tout le trajet qui reste à parcourir avant que vous vous croisiez. Vous seriez ainsi obligé de faire toutes sortes de grimaces,

de sourires, de gestes et d'expressions ridicules jusqu'à ce que vous puissiez lui dire « bonjour ». Cela durerait suffisamment longtemps pour que vous vous sentiez tellement niais tous les deux que vous préféreriez ne pas être reconnus.

Lorsque vous vous apprêtez à croiser un étranger, vous devez communiquer vos intentions de façon non verbale à environ 2,5 mètres. Vous prenez contact par le regard et vous regardez de suite l'endroit où vous désirez passer. L'autre personne devrait avoir saisi vos intentions et se ranger légèrement de l'autre côté. Si vous ratez le regard de l'autre, ou si vous ne communiquez pas vos intentions en temps voulu, vous risquez d'avoir à corriger votre trajectoire. Les hommes entrent en collision plus souvent que les femmes. Des études ont démontré que les hommes passent plus près l'un de l'autre que le font deux femmes ou un homme et une femme. Selon certains experts, si les hommes entrent en collision plus souvent c'est qu'ils s'entêtent à ne pas céder le passage à l'autre.

« Il y a des gens qui en ont fait toute une montagne et qui prétendent qu'il s'agit d'une sorte de démonstration de domination, comme un jeu de "qui cédera le premier" », de dire le professeur T. McAndrew du Département de psychologie au Collège Knox. « Je me suis laissé dire que dans certains pays, comme le Mexique, il s'agit vraiment d'un jeu que les hommes jouent entre eux sur la rue. Ils prétendent ne pas voir la personne qui s'en vient face à eux en espérant que celle-ci se rangera la première. Si ni l'un ni l'autre ne bouge... ils entrent en collision. Mais cela ne mène que rarement à la violence. Plutôt, on observera les deux parties se confondre en excuses et s'en aller finalement chacune de son côté. Il n'en reste pas moins qu'il s'agit bien de voir qui va bouger le premier. »

Si vous vous retrouvez malgré tout à faire la danse du trottoir, rompez le contact visuel d'avec l'autre, cela peut aider. Sinon, dites très fort : « Je passe sur la droite ! »

Dettes de cartes de crédit

D

Vous venez de payer le solde minimal sur votre Master Card à l'aide d'un chèque de la Discovery Card. Vous avez juste assez de fonds pour payer le solde minimal sur votre *autre* Master Card. Cela vous laisse avec si peu de liquidité que vous devez utiliser votre carte Visa pour faire les emplettes. Non, décidément, vous ne sortirez jamais, mais au grand jamais, du gouffre de vos dettes. Et je dis bien, jamais. J-a-m-a-i-s, jamais. Les poules auront des dents avant que ça vous arrive.

Ne vous y trompez pas, les sociétés de cartes de crédit veulent vraiment que vous soyez endetté. Elles font du profit grâce aux soldes tournants. Depuis 1990, les banques ont augmenté d'un tiers la limite d'achat sur les cartes de crédit de leurs clients. En 1997, elles ont aussi rempli les boîtes aux lettres de 3 milliards d'offres de cartes de crédit. Beaucoup de gens se plaignent des frais d'utilisation des guichets automatiques, mais peu d'entre nous se plaignent des frais et des intérêts relatifs aux cartes de crédit.

Des études menées par l'économiste Lawrence Ausubel de l'Université du Maryland ont démontré que les consommateurs sous-estiment les montants qu'ils empruntent sur leurs cartes. En moyenne, les gens ont deux fois plus de dettes qu'ils ne le croient.

Si vous avez un solde de 1 700 dollars sur votre carte de crédit à 18 pour cent d'intérêt et que vous ne payez chaque mois que le minimum requis, sans rien acheter d'autre, il vous faudra 22 ans pour le rembourser et il vous en aura coûté 4 000 dollars d'intérêts.

Au début des années 80, chaque ménage américain devait 70 cents sur chacun des dollars qu'il dépensait en un an. En 1990, ce taux avait grimpé à 90 cents. De nos jours, selon le *American Demographics*, le taux en est à 99 cents de dettes pour chaque dollar.

Les seuls coûts que nous comprenions bien sont les frais annuels et les taux d'intérêt promotionnels. Les sociétés de cartes de crédit

"OUR LITTLE GOLD MINE" CREDIT CARD

Account Number	Approved Credit Line	Available Credit	Statement Open Date – Close Date	Grace Period	Type of Interest
27891-02-7737-091-666	$10,000	$8,250.00	March 01 - March 31	NO	VARIABLE

Date Posted	Reference Number	Date Purchased	Description of Transaction	Amount
301	9835264769098753477783	228	GASACO GAS & OIL	$27.52
301	8652078437786276534 78	228	MIKES CAR WASH	$8.95
305	9127378950943980932 03	302	NOVEL BOOKS	$26.89
306	1118326409874563728 21	303	EBAY	$62.38
310	5221390746532798290 47	307	CITY SOCCER YOUTH	$45.00
313	3090787645533425898 54	309	SPORTS OUTLET	$79.53
322	7843778627653478865 20	318	EBAY	$200.15
322	9439809320391273789 50	318	MUNICIPAL UTILITIES	$294.85
322	4553342589854309078 76	318	EVERYWHERE CELLULAR	$39.91
322	7456372821111832640 98	318	EBAY	$69.03
330	5264769098753477839 83	327	EBAY	$280.97
331	2765347886520784377 86	328	STATE BANK/CASH ADVANCE	$250.00

Previous Balance	Payments and Credits	+ Purchases, Fees, and Adjustments	+ FINANCE CHARGE (18.00%)	+ Late Payment Fees	= New Balance
$364.89	$25.00	$1385.18	$24.93	$0.00	$1750.00

Si le taux d'intérêt est de 18 % et que le consommateur ne paie que le montant minimum exigé, il lui faudra 22 ans pour liquider cette dette.

ont donc abaissé les deux. Mais, soyez-en certain, elles se reprennent ailleurs. Les frais de retards ont augmenté de 50 pour cent depuis 1990. Les périodes de grâce ont raccourci. Et certaines cartes vous pénalisent dès que vous êtes en retard d'une seule journée.

Si vous vous retrouvez dans le pétrin, ne vous attendez pas à ce que vos créanciers vous aident. Si vous approchez la limite de crédit de votre carte et que le paiement mensuel minimal est égal à votre chèque de paye, la banque pourra même en augmenter le taux d'intérêt. Ils peuvent le faire si vous payez en retard, si vous excédez la limite de votre carte ou si votre bon dossier de crédit se détériore.

Une équipe de l'Université de l'État d'Ohio est arrivée à l'étonnante conclusion que tout ce stress relié à l'endettement est mauvais pour la santé. Ils effectuèrent deux sondages téléphoniques auprès de 1 036 résidants de l'Ohio et découvrirent que l'état de santé de ceux qui avaient le plus de dettes était pire que celui de ceux qui en avaient moins.

Disques compacts qui sautent... qui sautent... qui sautent...

(Voir Chaînes stéréo pour automobiles de puissance extrême, Chanson-poison, Vacarme)

Vous venez à peine d'envoyer: «Hé! Hausse le volume, c'est ma chanson préférée» que vos accompagnements vocaux, vos claquements de doigts et votre bonne humeur s'estompent soudainement. C'est que *Casse tout* des Dramatiques (c'est bien votre chanson préférée, n'est-ce pas?) se transforme en quelque chose qui ressemble plutôt à Pac Man qui mange à répétition le même point: Chomp! Chomp! Chomp!... C'est aussi à ce moment que vous découvrez qu'un disque compact vole aussi bien qu'un Frisbee.

Si vous êtes assez âgé pour posséder une collection de disques en vinyle au grenier, vous vous rappelez sans doute les inconvénients inhérents à ce médium particulier: les crissements, les pétillements et les redoutables sauts de sillons. On croyait que l'expression «tu me fais penser à un disque qui saute» disparaîtrait graduellement avec l'avènement des CD, mais, heureusement pour les auteurs de mon genre, les sauts dans les enregistrements musicaux sont là pour de bon.

La lecture d'un disque compact se fait sans aiguille. En fait, aucun appendice quel qu'il soit ne touche la surface du disque. Ainsi, le problème caractéristique le plus agaçant des disques... disques... disques... disques... zzzziiipp... en vinyle semble être un généralement résolu. (C'est sans parler des cassettes 8 pistes qui s'arrêtaient au milieu d'une chanson pour continuer sur une autre piste – Clunk-Clunk-A-Clack!)

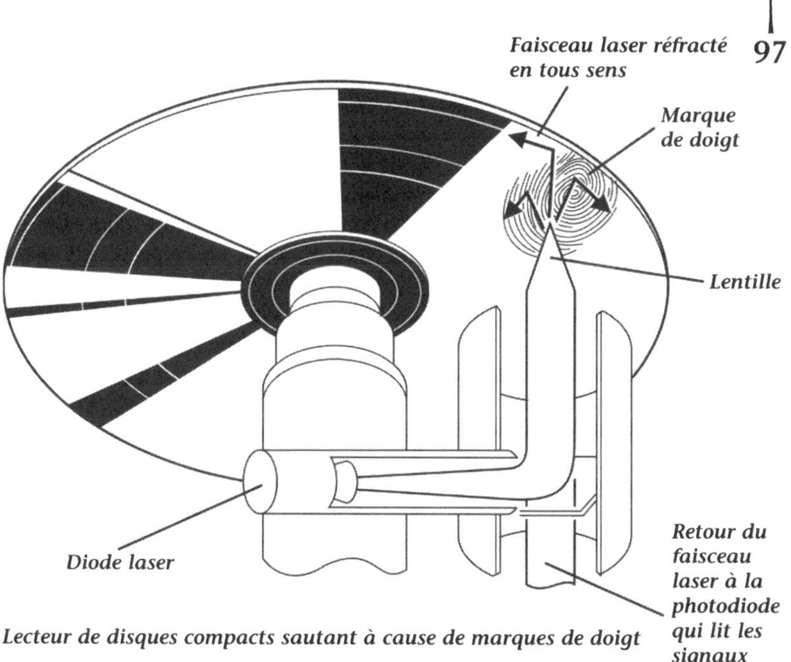

Lecteur de disques compacts sautant à cause de marques de doigt

Les lecteurs de CD sautent toujours, mais ils le font à leur manière toute personnelle, en produisant ce petit bruit robotique étrange.

Si vous regardez de près un disque compact, vous verrez qu'il s'agit d'une mince couche métallique enduite de plastique transparent. Un graveur de CD brûle littéralement le métal pour y former des crêtes et des vallées. Selon le son requis, il y brûlera un trou, ou laissera la surface intacte. Ces empreintes correspondent aux 0 et aux 1 du code binaire.

L'information est disposée en une spirale continue qui commence au centre (côté sans étiquette) pour s'étendre jusqu'à la périphérie. En tout, cette spirale d'informations mesure près de 5 kilomètres. Les CD tournent à 500 révolutions par minutes. Un rayon laser d'une largeur de 1,7 micron (1/29 938e de centimètre) lit l'information soit en se répandant dans un trou, soit en se reflétant sur une surface intacte. Les empreintes de doigts, les égratignures et les saletés peuvent provoquer une certaine bifurcation dans la réflexion du rayon, causant ainsi des sons qui n'étaient pas prévus par l'artiste. Les lecteurs de CD, tout comme leur

ancêtre le tourne-disque, risquent de sauter si l'on manipule l'appareil brusquement.

Heureusement pour les mélomanes, les problèmes associés aux CD sont beaucoup plus faciles à régler que ceux des disques en vinyle. Habituellement, un bon nettoyage suffit pour tout remettre dans l'ordre. Si une égratignure est peu profonde et qu'elle endommage à peine la surface de plastique, il existe un procédé de meulage qui efface l'égratignure et remet le disque à neuf. Si, par contre, l'égratignure s'enfonce jusqu'au métal, il est temps de remplacer votre copie de *Cris de la nature.*

Distributeurs automatiques rejetant votre billet de banque

Une pièce de monnaie n'achète plus grand-chose de nos jours. Heureusement, la technologie a avancé à un tel point que les appareils distributeurs peuvent maintenant reconnaître les billets de banque. Malheureusement, la technologie n'a pas avancé au point que les machines distributrices puissent *toujours* reconnaître les billets de banque. À moins d'avoir vécu dans une caverne durant les cinq dernières années, vous avez probablement fait l'expérience d'un appareil distributeur rejetant coup sur coup votre billet tout frais, le tout accompagné d'un petit « zzzziipp » déplaisant. Comment se fait-il qu'un appareil accepte un dollar quelque peu froissé, alors qu'un autre le rejette ? Comme les gens travaillant dans le domaine de l'informatique le disent parfois, « ce n'est pas une défectuosité, c'est une caractéristique ».

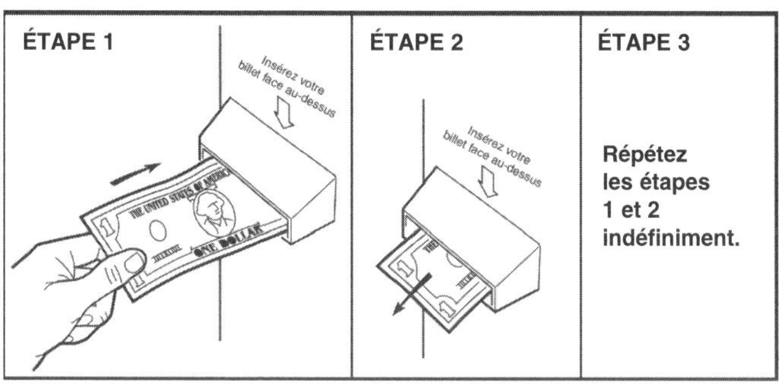
ÉTAPE 1
Insérez votre billet face au-dessus
ÉTAPE 2
Insérez votre billet face au-dessus
ÉTAPE 3
Répétez les étapes 1 et 2 indéfiniment.

Les distributeurs automatiques sont conçus de façon que leurs propriétaires fassent de l'argent. Ceux-ci ne feraient pas de profits si les appareils étaient facilement trompés par de la fausse monnaie ou des billets photocopiés. Par ailleurs, les propriétaires ne feraient pas d'argent non plus si vous partiez sans rien acheter parce que l'appareil s'obstinerait à refuser votre billet parfaitement légal. Les fabricants de ces distributeurs s'efforcent donc de trouver un juste milieu entre un appareil qui offre un niveau de sécurité satisfaisant pour ses propriétaires et un appareil qui acceptera des billets parfaitement légaux mais quelque peu abîmés. La firme Coin Acceptors Inc. de Saint-Louis au Missouri est l'un des plus importants manufacturiers de ces distributeurs en Amérique du Nord. Les clients de cette compagnie ont à choisir entre trois niveaux de sécurité pour les appareils qu'ils achètent. Si le distributeur doit être installé à un endroit très achalandé, ils optent habituellement pour un niveau de sécurité élevé. Si l'appareil est destiné à un bureau, le niveau de sécurité le plus bas suffit.

Une fois que l'appareil a tiré le billet à l'intérieur, elle l'examine à l'aide de rayons lumineux. Ces scanneurs sont si sensibles qu'ils peuvent déterminer le type de gravure se retrouvant sur le billet, la sorte d'encre utilisée ainsi que ses couleurs. Les appareils possédant le plus haut niveau de sécurité rejettent un billet qui affiche la moindre imperfection, par exemple un coin déchiré. Les distributeurs peuvent cependant être ajustés de façon à accepter les billets ayant des déchirures, qui sont tachés par des aliments, délavés ou sur lesquels on a écrit. Mais il arrive que même si l'appareil a été réglé de cette façon, il ne puisse reconnaître un billet qui est trop froissé. Les plis déforment les dessins que l'appareil doit reconnaître. Il se peut également que le distributeur n'ait pas été nettoyé régulièrement et qu'une accumulation de saletés obscurcisse les scanneurs.

Le meilleur conseil que nous puissions vous donner, si un appareil rejette votre billet, c'est d'échanger celui-ci pour un plus neuf. S'il vous est impossible de le faire là où vous vous trouvez, partez, tout simplement. N'essayez pas de remuer la machine en espérant obtenir une friandise gratuitement – vous pourriez vous blesser gravement. La Commission pour la sûreté des produits de consommation des États-Unis rapporte, qu'entre 1978 et 1995, 37 personnes sont mortes et 113 autres furent blessées par suite du renversement d'appareils distributeurs.

DE

ÉCHO SUR LA LIGNE TÉLÉPHONIQUE

À

EXAMENS DES HERNIES ET AUTRES SITUATIONS EMBARRASSANTES CHEZ LE MÉDECIN

Écho sur la ligne téléphonique

« Mais je... pardon? Oh, je m'excuse... Non, allez-y... Oui, j'étais... quoi? Non, vous parliez et... Mille excuses... Il semble y avoir... un délai... »

Rien ne se rapproche, en termes d'agacement, des incessantes coupures et de l'effet d'écho ou de délai dont on fait parfois l'expérience lors d'un appel téléphonique international. Mais avant de se plaindre outre mesure, réfléchissons au miracle de la technologie qu'est un appel interurbain ou intercontinental. Il faut des kilomètres de câbles renfermant des fibres optiques ainsi qu'un satellite ou deux pour que vous puissiez raconter à grand-mère les coups impressionnants de votre fils à la joute de baseball d'aujourd'hui. Assez impressionnant, merci.

Jadis l'apanage des films de science-fiction, les satellites de télécommunication d'aujourd'hui rendent possible la communication, instantanément, d'un point de la Terre avec n'importe quel autre point, pour autant que celui-ci soit dans le champ couvert par le satellite, c'est-à-dire environ 1/3 de la surface terrestre. Grâce à un réseau de câbles et de satellites, il est possible d'entrer en contact avec le monde entier en appuyant simplement sur quelques boutons. Un signal transportant votre voix prend moins de 0,3 seconde pour atteindre le satellite et revenir sur Terre. Cela signifie qu'un écho se fait entendre 0,6 seconde après la voix de l'interlocuteur. C'est suffisant pour semer la confusion dans n'importe quelle conversation.

Ces échos ne viennent pas tous de l'espace, cependant. Les plus importants des réseaux de télécommunication d'aujourd'hui utilisent de plus en plus la fibre optique. Un simple brin de fibre optique peut transporter 25 trillions de bits d'information par seconde. Certaines des lignes principales contiennent jusqu'à 288 brins de fibres optiques. Suffisamment d'espace pour votre signal, bien sûr... Mais l'installation de

câbles à fibres optiques coûte cher. De plus, les lignes qui relient votre maison ou votre bureau à l'échangeur local ne sont probablement pas constituées de fibres optiques. Les gens du métier appellent cela « le problème du dernier kilomètre ».

Ce problème vient du fait que le signal provenant de chez vous doit être converti par la compagnie de téléphone avant d'être acheminé sur une ligne interurbaine. C'est ce court délai que vous percevez comme un écho. Et nul besoin d'un ample délai : 30 millièmes de seconde sont déjà perceptibles, et 50 sont tout à fait déplaisants.

Finalement, il y a ce que l'on appelle l'« écho acoustique ». Plus facilement perceptible sur les téléphones munis de haut-parleurs et sur les petits téléphones cellulaires, l'écho acoustique est en fait une rétroaction (ou feed-back) qui se produit lorsque le son du haut-parleur est perçu par le récepteur. Les téléphones cellulaires d'automobile mains libres sont particulièrement touchés par cette rétroaction. Lorsque vous parlez de l'intérieur d'une voiture, votre voix se trouve réfléchie par différentes surfaces de l'habitacle, et tous ces échos atteignent le téléphone en des temps différents.

Les compagnies et les manufacturiers de téléphones, de modems et d'appareils de télécommunication sans fil s'efforcent de combattre le problème en utilisant des technologies de suppression d'échos qui promettent de mettre fin à... Pardon, ... disiez-vous quelque chose ? Allô ?... Allô !

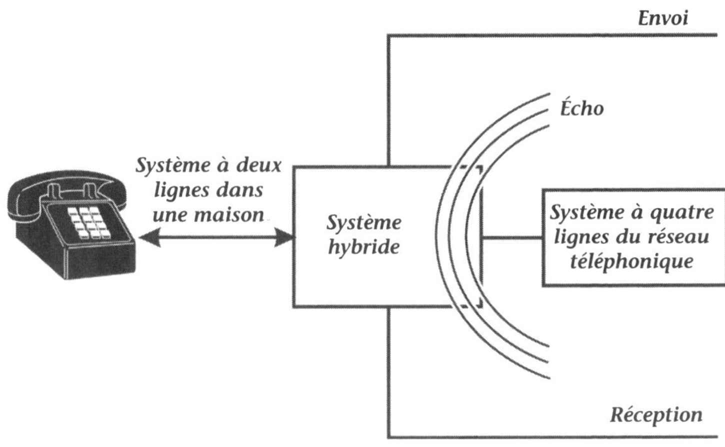

Emballages de friandises bruyants dans les salles de cinéma

(Voir Pointeurs laser, Téléphones cellulaires, Toussotements au théâtre)

Vous regardez un film au cinéma; du moins, vous essayez. Les acteurs chuchotent: «Si nous allumons la mèche maintenant...» Au même moment, votre voisin de siège décide qu'il est temps de déballer sa friandise. Ssshric, ssshrac! «Tu as songé au système d'alarme sur le...» Ssshric, ssshrac! «Le plus important, c'est...» Ssshric, ssshrac, ssshric, ssshric! C'est là que vous vous levez, et que vous gueulez: «Tu vas t'arrêter, oui!» Puis un placier énorme vous escorte jusqu'à la porte du cinéma et vous met dehors.

Les emballages de friandises sont toujours un irritant, et ce, que vous essayiez d'apprécier un spectacle alors que la personne d'à côté se bourre de friandises, ou que vous soyez vous-même le coupable qui tente de retirer l'emballage d'un bonbon sans attirer l'attention. Heureusement, deux savants se sont penchés sur la question suivante: «Y a-t-il une façon d'ouvrir un emballage de plastique en faisant moins de bruit?» Malheureusement, la réponse est «non».

C'est un événement fortuit qui a mené Eric Kramer, du Collège Simon's Rock de Great Barrington au Massachusetts, et Alexander Lobkovsky, de l'Institut national des standards et des technologies de Gaithersburg au Maryland, à devenir des pionniers dans le domaine de la recherche sur les emballages bruyants qui recouvrent les friandises. Étudiants au niveau du doctorat à l'Université de Chicago, ils entamèrent l'étude des membranes de plastique froissées et des polymères bidimensionnels, espérant découvrir quelques applications

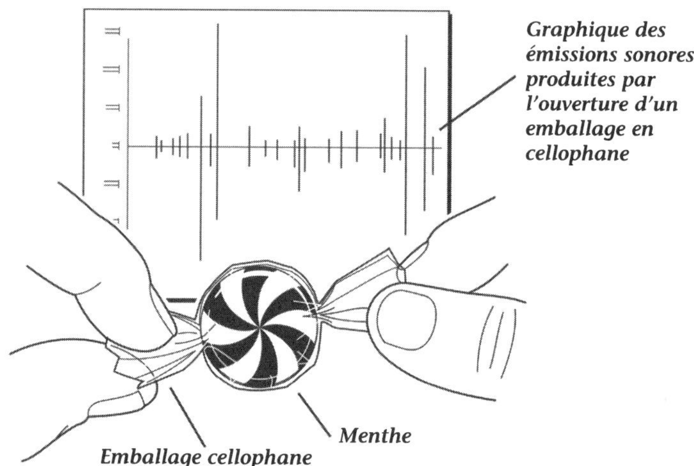

pratiques pour la sécurité automobile ou pour des emballages de meilleure fabrication.

Ils se mirent donc à froisser une feuille de polyester 30 à 40 fois, de façon à y faire des plis permanents. Ensuite, à l'aide d'un appareil numérique à haute résolution, ils enregistrèrent les sons produits par la feuille qu'ils dépliaient. Ils se rendirent compte que les phénomènes physiques intervenant dans les plis des emballages de friandises sont très compliqués. Lorsqu'un emballage de plastique plat est tordu autour d'un bonbon, il s'en trouve transformé de façon permanente. Ces plis, que les savants appellent *désordres* dans la courbure du matériel, sont responsables du bruit que vous entendez.

Quand vous croyez que vous ne faites que déballer une friandise, vous faites en réalité passer la membrane de plastique d'une configuration stable à une autre. Chaque fois que vous le faites, le plastique émet un son particulier. Le bruit n'est pas continu. Il est constitué d'une multitude de clic qui ne durent qu'un millième de seconde chacun. L'amplitude de chaque clic ne dépend pas de la vitesse à laquelle vous déballez le bonbon ni de l'épaisseur de l'emballage. En d'autres mots, quelle que soit la manière dont vous déballez la friandise, vous ferez toujours autant de bruit.

Kramer et Lobkovsky ont cependant un conseil à vous donner: déballez la friandise le plus rapidement possible afin d'en finir au plus tôt.

Espace pour les jambes en avion, ou Le dossier de l'un dans la figure de l'autre

(Voir Bagages perdus, Bouffe dans les avions, Crampes et engourdissements du pied, Guerre d'accoudoirs, Invasion de l'espace vital personnel, Oreilles qui bouchent en avion, Vols d'avion retardés)

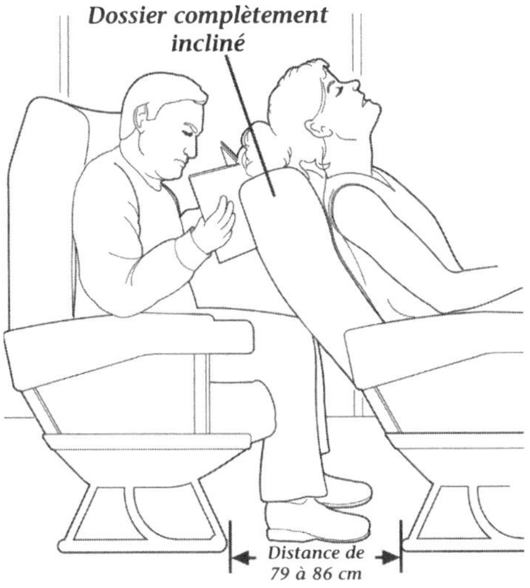

Vous occupez le siège du milieu. Certains de vos bagages sont rangés sous le siège avant, vous ne pouvez donc pas y étendre les pieds, au plus un orteil ou deux. Vos voisins ont pris les accoudoirs de chaque côté et le monsieur devant vous décide d'abaisser son dossier au plus bas. Votre tasse de café, aux dimensions d'un dé à coudre, repose

 entre vos cuisses. Vous avez autant d'espace vital qu'un corps dans un cercueil.

En novembre 2000, les médias se sont mis à accorder beaucoup d'attention à ce qu'ils ont appelé le « syndrome de la classe économique ». L'incident qui avait déclenché cet intérêt était celui d'une jeune femme dans la vingtaine qui était décédée à la suite d'un vol de 20 heures entre l'Australie et l'aéroport de Heathrow à Londres. Les médecins avaient attribué sa mort à une thrombose veineuse profonde – un caillot de sang s'était développé dans une de ses jambes et avait finalement migré vers les poumons.

Cependant, les autorités médicales ne font pas l'unanimité quand il s'agit d'attribuer ces thromboses veineuses profondes à l'espace restreint des sièges dans les avions. Le journal médical universitaire *Lancet* a publié les résultats d'études de chercheurs hollandais et italiens sur le sujet ; ceux-ci n'ont trouvé aucune corrélation entre les deux.

Malgré tout, les journaux s'en sont quand même donné à cœur joie avec leurs articles sur le « syndrome de la classe économique ». Le public, de son côté, voudrait bien que ce « syndrome » existe en réalité, parce qu'il aurait ainsi des raisons médicales documentées à soumettre aux compagnies aériennes dans sa quête pour obtenir de l'espace supplémentaire pour les passagers. Voyager, pour ceux d'entre nous qui le font en classe économique, est une expérience où l'on vit beaucoup d'inconfort et qui est psychologiquement stressante, principalement parce que les frontières de notre espace vital se trouvent envahies par des étrangers.

« Franchement, je ne crois pas qu'une telle situation aurait même vu le jour s'il existait une loi qui forcerait tous les cadres supérieurs des compagnies aériennes à s'asseoir sur le siège du milieu, en classe économique, lors de tous leurs voyages », soutient Frank Murkowski, sénateur de l'Alaska.

La FAA (Administration fédérale de l'aéronautique) possède déjà des règlements se rapportant à la configuration des sièges dans les avions. Ils doivent être conçus de façon que, en cas d'urgence, chaque passager puisse sortir de l'appareil en un temps minimal déterminé. Mais il n'y est aucunement question de confort minimal.

Jusqu'en 1980, la distance entre votre dossier et celui du siège avant était de 85 centimètres. Plusieurs transporteurs l'ont maintenant réduite à 80 et même à 78 centimètres. Les compagnies aériennes justifient

cette diminution en invoquant le fait que les coussins qui recouvrent les dossiers sont désormais plus minces. Elles répètent que l'espace pour les jambes n'a donc pas été réduit, mais que les gens ont peut-être l'impression d'être plus tassés parce que les vols sont plus complets.

Mais voici le cœur de la question : autant nous aimons nous plaindre du manque d'espace pour les jambes, de la nourriture insipide et du fait que nous devons payer pour avoir droit à des écouteurs quand un film est présenté (allons, j'ai déjà payé 400 dollars pour le billet, vous pourriez au moins me prêter les écouteurs !), autant nous recherchons à payer le moins cher possible pour voyager. Nous téléphonons à l'agence de voyages pour nous procurer un billet d'avion, ou nous passons des heures sur Internet à chercher une aubaine. Si nous choisissions nos vols en fonction de l'espace alloué aux passagers, les compagnies aériennes se verraient contraintes à offrir plus d'espace à bord de leurs avions afin de demeurer compétitives. Étant donné la situation actuelle, les compagnies n'ont qu'à offrir le billet le moins cher pour gagner des passagers dans leur classe économique. Quoi qu'il en soit, les compagnies aériennes ne font pas d'énormes profits si on les compare à ceux d'autres industries. En 1998, une année exceptionnellement bonne pour l'industrie du transport aérien, elles n'ont amassé que 5 milliards de dollars de profit sur des revenus de 100 milliards de dollars, c'est-à-dire seulement 5 pour cent. Tant et aussi longtemps que les passagers se soucieront des sous et des centimes qu'ils dépensent lors de l'achat d'un billet, les compagnies aériennes se préoccuperont aussi d'épargner des sous et des centimes sur leur coût total d'exploitation. Cela veut dire qu'elles continueront probablement à entasser des sièges supplémentaires dans leurs avions.

E

Examens des hernies et autres situations embarrassantes chez le médecin

(Voir Charabia médical)

Est-il vraiment nécessaire de « tourner la tête » et de « tousser », ou les médecins ne disent-ils cela que pour nous distraire de ce qu'ils nous font, là, en bas? Le mot hernie vient du grec *hernos* qui signifie

Les poumons se remplissent d'air rapidement. Les cordes vocales se compriment.
Spasme du diaphragme

«jeune pousse». Cette «pousse» fut nommée ainsi parce que la vilaine protubérance qu'elle produit ressemble au bouton d'une jeune plante. Dans le cas d'une hernie inguinale, comme celle que le médecin examinait, il y a un moment, le tissu protubérant descend le long du canal spermatique. Des enfants naissent parfois avec une légère lésion de la paroi abdominale. D'autres personnes se causent de pareilles lésions en sautant, en soulevant des poids excessifs, en toussant violemment ou en se surmenant d'une façon ou d'une autre. Les femmes peuvent aussi souffrir d'une hernie, mais ce problème est plus fréquent chez les hommes à cause de leurs efforts physiques plus importants et du fait que leur canal spermatique est de plus grande dimension que l'organe équivalent chez la femme.

Les hernies deviennent parfois si grandes que de larges portions de l'intestin se glissent à l'extérieur du corps par l'ouverture. Cependant, les hernies de plus petites dimensions sont plus dangereuses parce qu'un anneau d'intestin peut s'y coincer et ainsi s'obstruer. Les petites hernies sont rarement détectées par le patient lui-même. Afin que le médecin puisse repérer une quelconque ouverture, il lui faut augmenter la pression intra-abdominale et ainsi forcer le sac herniaire à créer une protubérance. Tousser produit l'effet désiré. Les muscles abdominaux se contractent et créent ainsi la pression voulue. Mais pourquoi devez-vous tourner la tête? Tout simplement parce que le médecin ne veut pas se faire tousser dans la figure. Il y a une bonne nouvelle: les patients n'ont à se livrer à un tel examen qu'une seule fois par année. La prochaine fois que vous aurez une discussion portant sur les pires professions qui soient, pensez aux substituts de patients. Il existe maintenant des écoles de médecine qui offrent des programmes de médecine génitale où l'on enseigne aux futurs médecins des façons d'effectuer avec le moins d'embarras possible pour le patient les examens les plus intimes. Ces substituts de patients peuvent subir de 10 à 20 examens rectaux, du pelvis, des seins, et de la prostate en un seul jour. Sachez que l'Université de Floride du Sud rémunère ces sujets au taux de 37,50 dollars l'heure, au cas où le poste vous intéresserait.

DE

FERMETURE ÉCLAIR COINCÉE

À

FUITES DE ROBINET

Fermeture éclair coincée

L'invention, par un certain Withcomb Judson, de cette attache pour vêtements aux dents d'acier remonte à 1891. Par contre, il nous fallut attendre jusqu'en 1917 pour qu'un ingénieur suédois du nom de Gideon Sunback en améliore le design pour qu'il ressemble à cet objet que nous connaissons aujourd'hui. Le mot « zipper », utilisé en Amérique du Nord, vient de la marque de commerce de bottes de caoutchouc. La compagnie B.F. Goodrich fabriquait un modèle de bottes qui s'attachaient par une ganse sans crochets. Bien vite, les gens ont donné le nom « zipper », celui de la marque de commerce, à cette attache ingénieuse d'abord conçue pour les bottes.

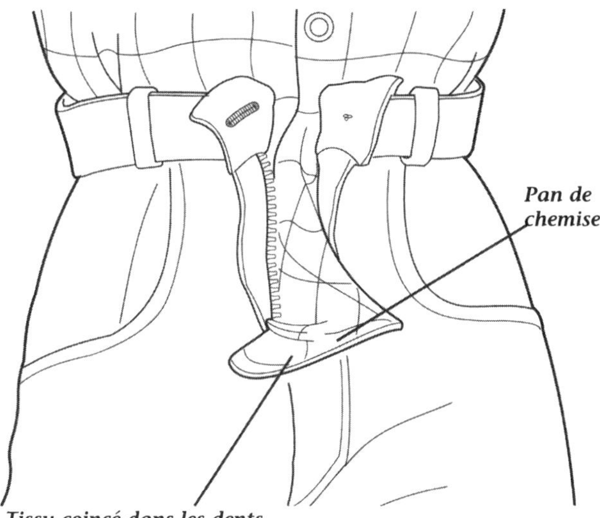

Au fur et à mesure que les fermetures éclair grandirent en popularité, les gens purent en apprécier les bienfaits, comme de pouvoir refermer un vêtement à toute vitesse lorsque les circonstances l'exigeaient.

Si vous regardez une fermeture éclair de près – la vôtre, de préférence, pour éviter tout malentendu – vous remarquerez qu'elle est constituée d'un glisseur qui se tire sur deux rangées de dents de métal ou de plastique moulé qui sont formées de façon à pouvoir s'entrecroiser. C'est le glisseur qui se brise la plupart du temps. Si votre fermeture éclair ne remonte plus ou si elle a la mauvaise habitude d'exposer au public, à tout moment, une partie de vous-même que vous préférez garder cachée, c'est que le glisseur est probablement trop usé, ou encore qu'il soit déformé. Le diagnostic reste le même si la fermeture éclair semble être soudée sur place. Le plus souvent, le glisseur de la fermeture éclair se déforme parce qu'un pan de tissu reste coincé dans les dents. Si le glisseur ne bouge toujours pas lorsque vous avez retiré le tissu et tous les fils, frottez les dents avec un crayon de cire, de la paraffine, une chandelle ou du baume pour les lèvres. Il glissera et vous pourrez alors retirer la particule qui le bloquait. Vous pouvez ensuite redonner sa forme au glisseur en le pressant délicatement avec une paire de pinces. « Délicatement » est le mot à retenir, ici. Pressez-le juste assez pour qu'il ne descende pas tout seul, mais pas au point qu'il ne puisse plus bouger ou qu'il se brise en deux. S'il manque des dents à la fermeture éclair ou qu'elle se détache du vêtement... c'est plus compliqué. Si vous savez coudre, vous pouvez la réparer. Sinon, allez chez un couturier.

Et puisque nous parlons de fermeture éclair coincée, voici ce que le magazine *Men's Health* nous dit au sujet d'un certain membre pris dans la braguette. Il est très rare qu'un membre viril soit complètement coincé dans la braguette. Mais les petits accidents arrivent. Ces accidents ne causent habituellement que des lésions superficielles à la peau. Mais elles font très mal selon *Men's Health*, puisque le magazine leur attribue la troisième place dans son échelle des huit sévices les plus douloureux que vous pouvez faire subir à vos parties génitales. Et, contrairement à la croyance populaire, c'est plutôt en ouvrant la fermeture éclair qu'on se blesse le plus souvent, pas en la refermant. Et si jamais vous vous retrouvez dans cette vilaine posture, *Men's Health* vous conseille de tirer sur le glisseur dans la direction d'où il venait, et ce, d'une façon expéditive. Ensuite, examinez la blessure et apposez un pansement pour arrêter le saignement.

Files d'attente: la plus rapide est toujours celle d'à côté

(Voir Bouchons de circulation, Rage au volant)

Vous voudriez vous rendre à la caisse sans tarder, mais il y a tous ces gens devant vous. Vous ne croyez pas que ces gens méritent, autant que vous, d'arriver rapidement à la caisse. Avoir à attendre est exaspérant, surtout quand quelqu'un qui est arrivé après vous passe plus vite que vous.

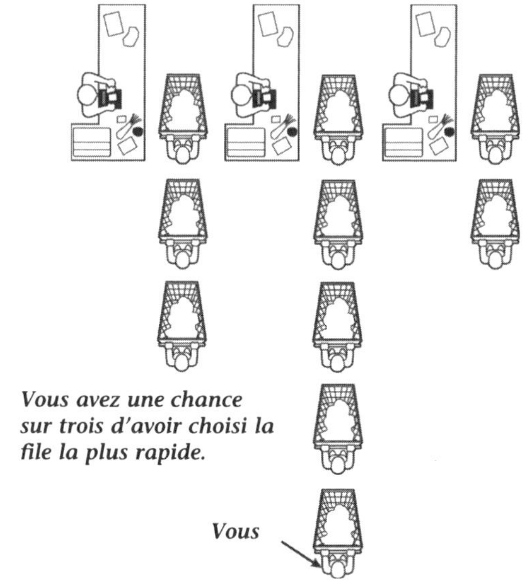
Vous avez une chance sur trois d'avoir choisi la file la plus rapide.
Vous

Nous passons beaucoup de temps dans des files d'attente. La firme de recherches Priority Management estime que nous passons plus de cinq années de notre vie à attendre. Il s'agit là de cinq années que nous ne récupérerons jamais, nous n'apprécions donc guère de voir quelqu'un passer plus vite que nous et gagner ces deux minutes de vie supplémentaires.

Le professeur Richard C. Larson, du Massachusetts Institute of Technology, anime des colloques sur sa « théorie des queues » et la « psychologie des files d'attente ». Il soutient que les magasins ne devraient avoir qu'une seule, longue file d'attente au lieu de plusieurs files plus courtes. Les files d'attente courtes et multiples produisent ce qu'il appelle « les glissades et les sauts ». Vous faites l'expérience de la glissade quand la personne d'à côté avance au-delà de vous ; le saut, quand c'est vous qui avancez. Nous sommes emballés lorsque finalement nous avançons, mais le plaisir est vite oublié quand la glissade survient.

« Quand une personne glisse au-delà de vous, le coût psychologique que vous défrayez est considérable », a-t-il affirmé dans le *Washington Post.* « Vous vous en souviendrez longtemps. »

Et si vous croyez qu'il n'est question ici que de pensée négative, ravisez-vous. En réalité, il y a de bonnes chances que la file d'à côté avancera effectivement plus vite que celle dont vous faites partie. Supposons que vous êtes au supermarché et que cinq files d'attente sont en marche. Il est vrai que, sur une période de temps assez longue, les files auront avancé au même rythme en moyenne. Une d'entre elles avancera un peu plus rapidement que les autres... jusqu'à ce que la championne des coupons rabais mette fin à sa progression. Une autre brisera des records de vitesse quand, soudain, la caissière lâchera un « Vérification de prix, s'il vous plaît ! » Mais en moyenne, les vitesses des files s'équivalent. Cette réalité, cependant, ne vous sera d'aucune aide au supermarché, parce qu'il s'agit ici de probabilités. Des cinq files d'attente, une seulement peut être la plus rapide. Vous n'avez donc qu'une chance sur cinq d'en faire partie. Et même en ne considérant que votre propre file d'attente et celles de chaque côté de vous, vous n'avez encore qu'une chance sur trois de vous trouver dans la plus rapide d'entre elles. Plus souvent qu'autrement, donc, la dame d'à côté arrivera à la caisse avant vous.

Autre chose à vous rappeler lorsque vous attendez en file. Supposons que vous êtes au bureau d'une société gouvernementale

pour y renouveler votre permis de conduire, avec la moitié des habitants de votre ville pour vous y tenir compagnie. À force d'attendre, vous devenez davantage impatient et exaspéré. Lorsque finalement vous arrivez au comptoir, vous jetez brusquement ceci à la figure de la personne qui vous reçoit: « Voilà déjà une heure que je fais la queue », ce à quoi elle vous répond, aussi brusquement: « Vous avez tort, c'est une file de 15 minutes seulement ! » Mais vous avez fort probablement tort tous les deux. Selon une étude de 1989 intitulée « Perceptions erronées du temps lors de transactions commerciales » et publiée par la revue *Advances in Consumer Research*, 77 pour cent des clients surestiment le temps qu'ils ont attendu, tandis que 88 pour cent des employés le sous-estiment.

F

Flatulences

En digérant, vous créez des gaz. C'est aussi simple que ça. Tout le monde le fait 10 fois par jour en moyenne. Certains aliments sont reconnus pour leur propension à produire des gaz. Les fèves, le brocoli, le chou et les pommes contiennent des sucres complexes qui ne peuvent être digérés par les sucs digestifs de l'estomac. Les bactéries intestinales provoquent leur fermentation et il en résulte des gaz. Vous serez content d'apprendre que les savants ont mis beaucoup d'énergie mentale à étudier les pets. En 1967, par exemple, l'Académie des sciences de New York anima une conférence de deux jours traitant des gaz gastro-intestinaux. Deux Australiens, le gastro-entérologue Terry Bolin et la nutritionniste Rosemary Stanton, ont écrit un livre sur le sujet qui s'intitule *Wind Breaks* (Quand le vent souffle…) et qui en est à sa troisième édition.

De nos jours, la sommité dans le domaine est probablement le docteur Michael Levitt, directeur des recherches à l'Hôpital administratif des anciens combattants de Minneapolis. Il étudie nos émissions de gaz depuis 1965. Il a constaté que certaines personnes ont des gaz plus souvent que d'autres, tandis que les gaz d'autres personnes sont d'un plus gros volume mais sont moins fréquents. La moyenne des gaz produits par un humain est néanmoins d'environ 2 000 millilitres par jour. La fréquence des pets dépend de la sensibilité des parois du rectum. Plus il sera sensible aux distensions, plus il relâchera les émissions

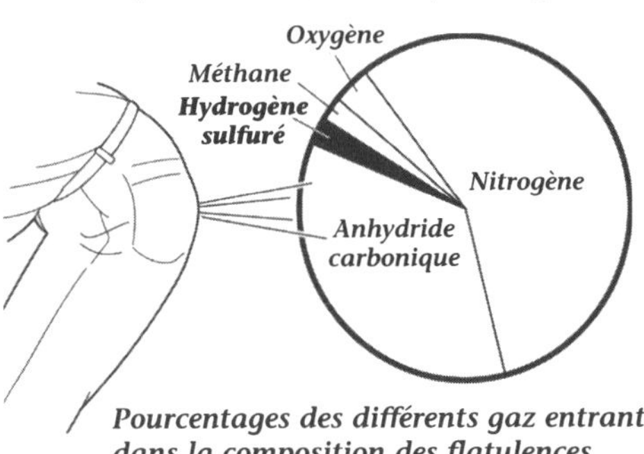

Pourcentages des différents gaz entrant dans la composition des flatulences

fréquemment. Avec l'âge, les boyaux intestinaux deviennent moins élastiques, donc plus sensibles à la distension. Ainsi, les personnes âgées pètent plus fréquemment, mais émettent sensiblement la même quantité de gaz au total.

La majeure partie de ces gaz est sans odeur. Seule 1 partie sur 10 000 pue. Les pets sont formés principalement de nitrogène, d'oxygène, de dioxyde de carbone, d'hydrogène et de méthane. Les deux premiers ingrédients sont avalés lorsque vous mangez. Lorsque vous faites un rot, ce sont à nouveau ces substances avalées qui sont relâchées. Elles ne sentent pas aussi mauvais que les autres qui sont relâchées à l'autre bout.

Les autres ingrédients constituant les gaz intestinaux sont fabriqués sur place. La moitié provient de ce que nous mangeons. Le reste vient de la bile, du mucus et des parois intestinales. Levitt et son équipe demandèrent à des personnes volontaires d'enfiler des pantalons parfaitement étanches et fabriqués d'un matériel particulier appelé Mylar. Levitt récupéra ensuite leurs émissions gazeuses et les filtra jusqu'à ce que les sujets de l'expérience lui disent que ça ne sentait plus mauvais. On apprit ainsi que la mauvaise odeur provient de l'hydrogène sulfuré, du méthanéthiole et du diméthyle sulfuré. Le soufre entre dans la composition de toutes ces substances.

S'il vous est déjà arrivé de décrire un pet particulier comme étant « mortel », vous n'étiez pas si loin de la vérité. Ces gaz sont chimiquement similaires aux additifs odoriférants que l'on ajoute au gaz naturel pour être en mesure de détecter rapidement une fuite. Le cerveau humain a appris à réagir à l'odeur des gaz à base de soufre car ils sont hautement toxiques. Levitt pense que nous aurions évolué de façon à pouvoir en détecter de très faibles niveaux. Le cerveau perçoit donc cette odeur comme étant dangereuse et nous donne le signal de nous en éloigner au plus vite. D'accord, inutile de me le répéter.

Fourmis

(Voir Blattes, Moucherons, Mouches, Moustiques, Puces)

F

Enfin, le printemps. Les fleurs jaillissent à nouveau, le soleil brille... et votre cuisine est soudainement envahie par des fourmis. Elles sont partout et elles n'en finissent plus d'arriver.

Pourquoi les fourmis apparaissent-elles soudainement et en si grand nombre le printemps? Pendant l'hiver, eiles demeurent dans leur nid souterrain. Elles subsistent grâce aux réserves de nourriture qu'elles ont stockées durant l'été. Quand la température se réchauffe, leur population augmente et les ouvrières doivent sortir à nouveau pour aller chercher des aliments. Une simple miette, d'une grosseur à peine visible pour un être humain, représente un délicieux festin pour une fourmi.

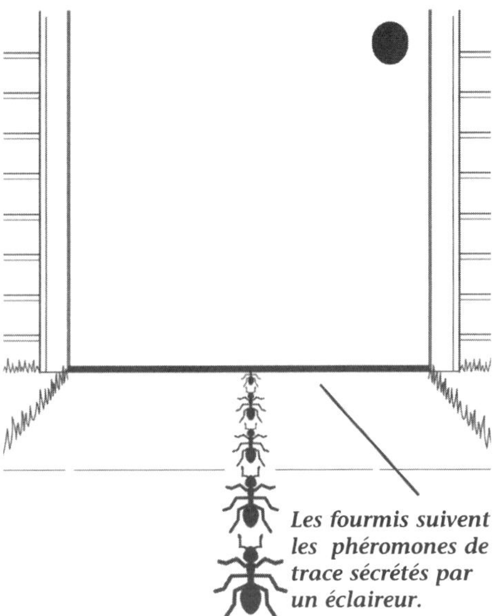

Les fourmis suivent les phéromones de trace sécrétés par un éclaireur.

D'après la revue spécialisée *Pest Control*, les propriétaires de maison placent maintenant les fourmis au premier rang sur la liste des insectes les plus nuisibles, même devant les blattes, ce qui est une bonne nouvelle pour les exterminateurs. Ceux-ci classent aussi les

fourmis comme étant l'insecte le plus important pour eux sur le plan des affaires. Malgré tout, selon William Robinson, président de la firme Urban Pest Control Research and Consulting, le contrôle de ces bestioles en est resté à ses premiers balbutiements.

La plupart des fourmis que vous apercevez à l'intérieur de votre maison sont des ouvrières (des femelles, exclusivement) qui vivent en colonie à l'extérieur. Si vous les observez pendant assez longtemps, vous vous apercevrez qu'elles font constamment la navette entre une source de nourriture et leur reine. Quand une ouvrière a trouvé de la nourriture, elle se met à sécréter, à partir d'une glande abdominale, une phéromone de trace. Les fourmis suivent donc cette traînée qui les attire et déposent leurs propres sécrétions. Lorsque la source de nourriture s'est épuisée, les fourmis cessent de sécréter la substance et la traînée s'assèche. Les fourmis se fient tellement à ce message chimique pour s'orienter que, si vous brisiez cette traînée en en essuyant de votre doigt une petite partie, vous verriez les fourmis qui marchaient dans les deux sens s'arrêter net à l'endroit du bris.

Les vaporisateurs insecticides sont plutôt satisfaisants, sauf qu'ils sont de peu d'efficacité à long terme. Ils vous permettent d'observer quelques ouvrières se retourner sur le dos et mourir, mais le poison qu'ils contiennent ne se rend jamais jusqu'à la reine. Aussitôt que les compagnes de ces fourmis auront retrouvé le chemin qui mène à votre maison, vous en serez à nouveau infesté.

L'utilisation des vaporisateurs insecticides est déconseillée non seulement en raison de son inefficacité, mais aussi pour une autre raison. Selon Sheila Daar, directrice du Bio-Integral Resource Center à Berkeley en Californie, au moins 500 des espèces d'insectes domestiques les plus communes sont maintenant résistantes aux insecticides les plus fréquemment utilisés. Et ces insecticides sont dangereux pour les humains, surtout pour les enfants.

Les pièges à fourmis sont plus efficaces que les vaporisateurs. Ils contiennent des portions de nourriture empoisonnée d'une dimension qui les rend intéressantes à rapporter à la fourmilière. Si les appâts sont trop puissants et que vous découvrez des fourmis mortes autour du piège, laissez-les où elles sont : tôt ou tard, d'autres fourmis rapporteront leur cadavre à la fourmilière et toute la colonie en sera empoisonnée. Les fourmis mortes possèdent une phéromone particulière. Leurs congénères se comportent envers les fourmis mortes comme si elles étaient

toujours vivantes, jusqu'à ce qu'elles repèrent les effluves de cet acide. À ce moment-là, les fourmis recueillent les corps de leurs compagnes mortes et les transportent jusqu'à un endroit de la fourmilière où l'on entasse les cadavres. Si vous mettiez de cette phéromone sur une fourmi vivante, les autres la ramasseraient également pour l'envoyer sur le tas de fourmis mortes. Et bien qu'elle retournerait au monde des vivants, cette pauvre fourmi serait constamment ramenée au cimetière jusqu'à ce que l'acide se soit complètement évaporé.

Au lieu de vous servir d'un vaporisateur, cherchez plutôt à voir d'où viennent les fourmis. Vous pourriez leur bloquer l'accès à votre maison en appliquant sur l'orifice un bouchon de gelée de pétrole ou de dentifrice. Il ne vous restera qu'à nettoyer avec de l'eau savonneuse la traînée qu'elles suivaient, éliminant ainsi les repères chimiques laissés par les éclaireurs.

Fraise de dentiste

(Voir Mauvaise haleine, Papier d'aluminium sur des plombages)

Bzzzzzzzziiiiiiii ! Peu de sons parviennent à nous glacer l'échine comme celui d'une fraise de dentiste. Mais, bonne nouvelle, il est possible que nos enfants n'aient jamais à l'entendre. Les chercheurs en dentisterie sont en train de mettre au point des procédés pour traiter les caries qui ne nécessiteront pas l'utilisation d'une fraise. Il se peut même que, dans quelques années, on parvienne à éliminer la bactérie qui cause la carie dentaire.

Même quand vos dents sont fraîchement brossées et que votre bouche est toute propre, il se trouve de 1 000 à 10 000 bactéries sur la surface de chacune de vos dents. Si vous avez omis de vous brosser les dents pendant un certain temps, il peut y en avoir plus de un milliard par dent.

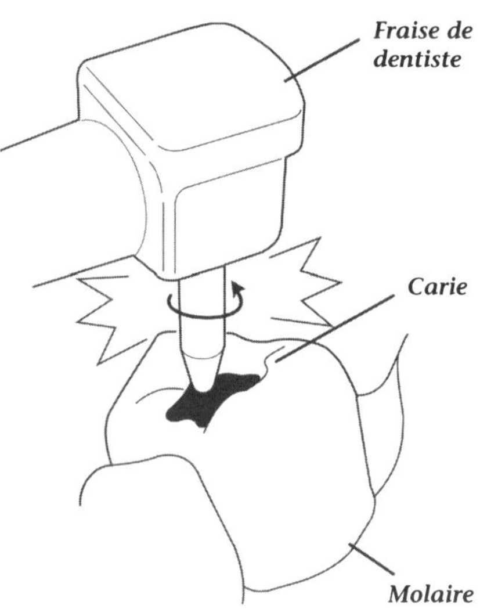

Ces micro-organismes ont évolué avec l'humain. Des chercheurs ont découvert que, partout sur Terre, même si les régimes alimentaires varient beaucoup, les types d'organismes qui se retrouvent dans la bouche des gens demeurent les mêmes. La bactérie responsable de la carie dentaire se nomme *S. mutans*. Les savants croient qu'elle fut un jour utile à l'homme. Certaines souches de la bactérie

produisent un antibiotique naturel qui combat la bactérie streptocoque qui cause les maux de gorge. Mais lorsque nous nous sommes mis à manger des sucres plus raffinés, tout a changé. Comme elle mange elle-même de ce sucre, la bactérie *S. mutans* s'est mise à produire plus d'acide qu'avant, en fait plus que ne peut en éliminer la salive. C'est cet acide qui gruge la surface des dents et qui cause des caries.

À notre naissance, notre bouche n'est pas pourvue de cet écosystème. Peu à peu, les bactéries, les levures, les virus et les créatures protozoaires s'y installent. La *S. mutans* arrive pendant que s'ouvre une fenêtre propice à l'infection, soit autour de l'âge de deux ans. Elle provient habituellement d'une bonne vieille maman qui la passe au bébé en lui donnant de gros bisous. Un tout petit peu de salive suffit pour effectuer le transfert de la bactérie. De nos jours, les savants cherchent un moyen d'empêcher *S. mutans* de s'installer durant cette période propice à l'infection qui dure six mois. D'autres chercheurs tentent de mettre au point un vaccin qui permettrait aux enfants de développer des anticorps efficaces contre la bactérie. Et encore d'autres chercheurs essaient de créer une souche de la bactérie *S. mutans* qui un jour pourra remplacer sa sœur, mais sans qu'elle ne produise d'acide.

Tout cela arrive un peu tard pour la plupart d'entre nous. Nous dépensons 20 milliards de dollars par année pour faire soigner nos caries. En ce moment, la seule façon de se débarrasser des caries est d'enlever la portion de dent infectée, un procédé qui se répète près de 170 millions de fois par année.

L'origine de la redoutable fraise de dentiste remonte au tout début du XVIIIe siècle. Des fraises modernes à haute vitesse firent leur apparition vers 1960. De nos jours, de nouveaux outils commencent à changer la dentisterie du tout au tout. Les dentistes utilisent le laser ainsi que la micro-abrasion pour enlever la carie. Avec un peu de chance, nous n'aurons plus à vivre avec ces fraises pour bien longtemps encore.

Fuites de robinet

Drip ! Drip ! Drip ! Drip !... C'est une véritable torture. Du moins, si vous êtes une femme. Vous entretenez probablement des conversations de ce genre : « Chéri, je croyais que tu devais réparer ce robinet ? » – « Oui-oui, aussitôt que j'en aurai le temps. C'est pas si urgent, après tout. » – « Il me rend vraiment folle, ce robinet, pas toi ? » – « Je t'ai dit que je le réparerai ! »

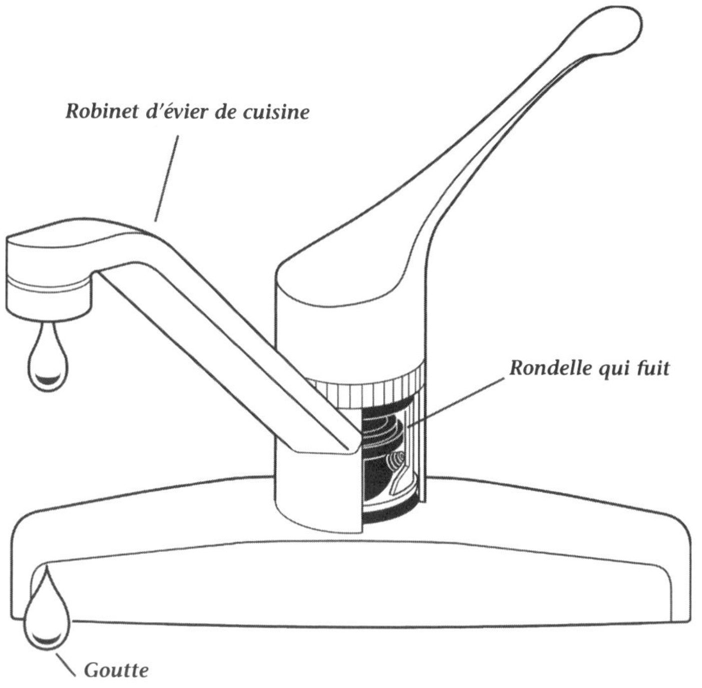

Selon Francis T. McAndrew, professeur de psychologie au Collège Knox de Galesburg en Illinois, « un robinet qui dégoutte est l'une de ces contrariétés qui affectent davantage les femmes. Elles s'en aperçoivent plus rapidement que les hommes et en sont beaucoup plus agacées. L'homme, lui, sera plutôt porté à dire "quel bruit?" »

Le bruit de l'eau qui coule n'est pas irritant en soi. En fait, le bruit d'une chute d'eau ou d'une cascade est plutôt reposant. Mais vous ne trouverez jamais un disque de relaxation Nouvel Âge intitulé « Fuite de robinet ». Le robinet qui fuit, contrairement à la chute d'eau, est un signal qui vous rappelle que quelque chose est brisé.

« Ça vous tape sur les nerfs parce que ce n'est pas censé être là », de dire McAndrew. « Ça vous rappelle sans cesse que quelque chose cloche dans la maison, que quelque chose à besoin d'être réparé, que vous gaspillez de l'eau... et ça vous empêche de vous détendre. »

Quant à la raison pour laquelle ça agace les femmes plus que les hommes, McAndrew avance que ça serait relié à notre passé lointain de chasseurs-cueilleurs. « Les femmes et les hommes sont constitués de façon à être sensibles à des choses différentes, dit-il, et il existe des preuves solides que les femmes, par exemple, ont plus de facilité que les hommes à se rappeler où un objet quelconque se trouve. Certains avancent l'hypothèse que les femmes, qui devaient être les cueilleurs, ont développé la faculté de bien se rappeler où sont les choses. » Comme, j'imagine, les petites choses qui clochent dans la maison; un robinet qui dégoutte, par exemple.

DE

GOMME À MÂCHER

À

GUERRE DE STATIONNEMENT, OU DÉGAGE DE MA PLACE!

Gomme à mâcher

Vous sortez enfin pour la première fois avec ce beau rouquin que vous reluquiez depuis des semaines. Vous êtes tous deux confortablement assis à une terrasse, souriants et conversant agréablement, jusqu'à ce que vous croisiez votre jambe et que le genou de votre pantalon de soie se colle sur une grosse mâchée de chewing-gum toute sale que quelqu'un a dissimulée sous la table. Non seulement votre pantalon est-il ruiné, mais les paroles qui sortent soudainement de cette bouche qui, il y a un moment, était si douce et féminine, viennent d'anéantir toute chance que vous aviez d'avoir un jour des enfants portant des taches de rousseur.

Ce ne sont pas les Américains qui ont inventé la gomme à mâcher. Si on en croit la revue *London's Independent*, la chercheure universitaire Elizabeth Aveling aurait établi que, selon les empreintes de dents retrouvées dans de la résine préhistorique, les enfants mâchent de la gomme dans le Nord de l'Europe depuis environ 7 000 ans avant Jésus-Christ. Il va sans dire que nous perpétuons l'habitude avec brio. Tellement, que si l'énergie déployée par les mâchoires de tous ces Américains qui mâchent de la gomme pouvait être récupérée et utilisée, elle pourrait fournir en électricité une ville de 10 millions d'habitants pendant une année entière. Les Américains dépensent 2 milliards de dollars par année pour acheter 83 milliards de morceaux de gomme. Le chewing-gum contemporain comprend de 40 à 50 composants différents, incluant de la résine de pin, des produits pétroliers, des cires et des latex synthétiques. En fait, ce que vous mâchez n'est qu'une variante un peu plus collante du produit que l'on utilise pour recouvrir les balles de golf. Ce produit ne se dissout pas dans votre bouche ni ne disparaît d'aucune façon. Alors, lorsque le sucre et les essences de saveur ont disparu, l'on doit se débarrasser de l'amas caoutchouté qui subsiste. Il est surprenant que nous ne soyons pas tous collés sur place à cause de la gomme prise à la semelle de nos chaussures.

Récemment, à Milwaukee, un conseiller municipal menaça de retenir une partie du budget de la ville tant qu'on ne s'occuperait pas du problème de la gomme sur les trottoirs. Regardez attentivement les trottoirs de n'importe quelle ville : vous y verrez de nombreuses taches noires. Il s'agit de morceaux de chewing-gum mâchés, écrasés et solidement incrustés dans la surface. Il en coûte cher en temps et en argent pour les retirer. Il est possible de les geler avec du gaz fréon et ensuite de les gratter pour les retirer, de les enduire d'un produit chimique à base d'acide citrique et d'attendre qu'ils se dissolvent, de les faire fondre avec de l'eau bouillante ou de les attaquer avec un jet d'eau à 1 000 kilos de pression. Mais il arrive que ce dernier procédé endommage le trottoir sans pour autant faire disparaître la gomme.

La gomme est tellement collante qu'elle défie presque les lois de la physique. Elle est en fait 10 000 fois plus collante que l'indiquent les modèles théoriques mis au point sur les ordinateurs de laboratoire. Le chewing-gum, tout comme le ruban adhésif, doit sa nature collante à la force de Van der Waals, une force électrique qui agit entre des molécules sans charge. Cependant, lorsqu'une équipe de savants mesura la force requise pour séparer une sonde métallique d'une surface adhésive, elle découvrit qu'il fallait plus d'énergie qu'en nécessitait la simple force de Van der Waals.

Deux chercheurs français entreprirent de découvrir pourquoi. Cyprien Gay, un physicien œuvrant au Centre national de la recherche scientifique à Paris, et Ludwik Leibler de Atochem, une entreprise française de produits chimiques, mirent au point un modèle susceptible d'expliquer le comportement adhésif de la gomme.

Quand la semelle caoutchoutée de votre soulier entre en contact avec un morceau de gomme, les deux surfaces s'étreignent, mais de l'air se trouve piégé entre elles. Lorsque, à nouveau, vous soulevez votre pied, les bulles d'air s'étirent, exerçant une succion qui rend la gomme et la semelle plus difficiles à séparer.

Il ne semble pas y avoir eu d'étude à grande échelle effectuée pour découvrir l'ampleur du problème des « gomfitis », mais le succès de la compagnie Gumbusters, spécialisée dans leur nettoyage, peut certainement vous en donner une idée. Cette compagnie, originaire des Pays-Bas, commença à pénétrer le marché américain en l'an 2000 en établissant des succursales à Washington, Atlanta, Philadelphie et Dallas. Le président de Gumbusters rapporta qu'avec un peu

de publicité, la compagnie avait reçu 1 200 demandes de services et 680 demandes de concessions durant les 4 premiers mois. Évidemment, il existe une façon plus simple de garder votre ville propre : jetez vos vieilles gommes à la poubelle !

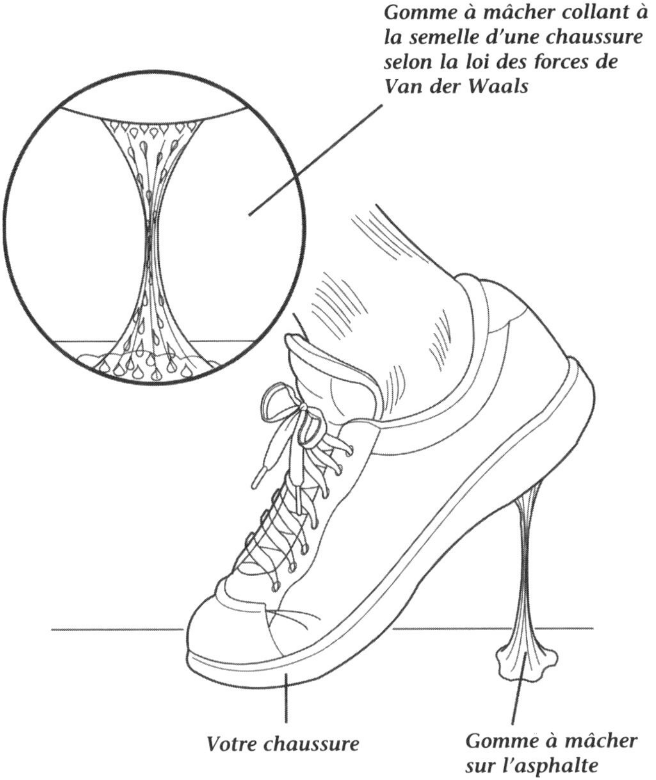

Gomme à mâcher collant à la semelle d'une chaussure selon la loi des forces de Van der Waals

Votre chaussure

Gomme à mâcher sur l'asphalte

Guerre d'accoudoirs

(Voir Bureau à cloisons, Danse d'évitement sur le trottoir, Invasion de l'espace vital personnel)

Vous êtes assis à côté d'un homme corpulent lors d'un long voyage en avion. Cet homme peu courtois, voire arrogant, a posé son énorme bras sur l'accoudoir. Vous trouvez la chose très injuste puisque vous vouliez l'appuie-bras pour vous tout seul. Sans même regarder l'homme, vous placez votre propre coude derrière le sien. À chaque petite secousse de l'avion, votre coude réclame furtivement un peu plus d'espace, mais son bras à lui est devenu raide comme une planche. Il n'est pas question qu'il cède. Ses muscles souffriront peut-être de crampes à la longue, mais son gros bras poilu restera sur l'accoudoir, il se l'est juré.

Les psychologues appellent « zones ambivalentes » ces espaces que des personnes se disputent. La possibilité de se retrouver ou non dans une situation de confrontation dépend grandement de la personne qui est assise à côté de vous. Notre bulle d'espace personnel s'élargit selon les sentiments que nous éprouvons envers la personne qui nous côtoie. S'il s'agit d'un ami, d'un parent ou d'une personne que vous trouvez engageante, vous n'aurez probablement pas de problèmes.

Quand il s'agit d'un étranger, par contre, la zone de guerre est vite délimitée. On en vient rarement aux coups lors de ces invasions, on n'en discute même pas. On se contente de rajuster sans cesse la position de son bras de façon à accaparer le plus d'espace possible, et ce, tout simplement parce que, dans une situation d'invasion de ce que nous considérons comme notre espace personnel, nous réagissons en essayant de ne pas reconnaître l'envahisseur comme une personne réelle.

Qui gagne la guerre? Généralement pas une femme, en tout cas. Si un homme est assis à côté d'une femme, il arrive 5 fois sur 6 que ce

soit l'homme qui accapare l'appuie-bras. Dorothy M. Hai et son équipe de l'École des affaires de l'Université Saint-Bonaventure ont observé hommes et femmes sur des vols commerciaux et ont remarqué que l'homme prend plus de place, qu'il soit plus gros ou plus petit que la femme assise à côté de lui.

Les chercheurs de l'équipe de Mme Hai effectuèrent un suivi de leur expérience en interrogeant une centaine de leurs sujets. Ils apprirent que ces voyageurs étaient parfaitement conscients de la petite guerre de coudes qui avait pris place, même s'ils s'étaient comportés comme s'ils n'en étaient pas conscients. Ils furent également surpris de découvrir que les hommes plus jeunes qui avaient perdu la guerre des coudes avaient exprimé plus de ressentiment que leurs aînés.

« Je crois que je mérite cette place pour mon bras, dit un jeune homme à Dorothy Hai, mais la femme assise à côté de moi ne la méritait pas. »

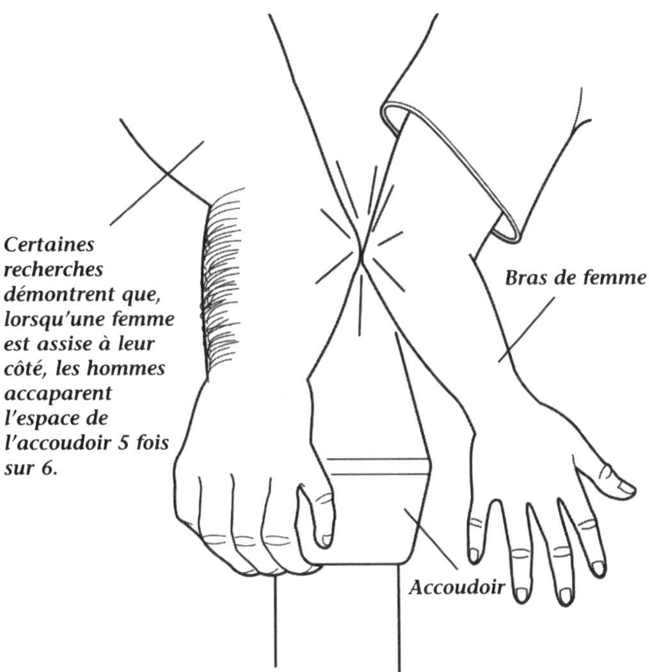

Certaines recherches démontrent que, lorsqu'une femme est assise à leur côté, les hommes accaparent l'espace de l'accoudoir 5 fois sur 6.

Guerre de stationnement, ou Dégage de ma place!

(Voir Bouchons de circulation, Guerre d'accoudoirs, Rage au volant)

Si les villes sont des « jungles urbaines », eh bien les parcs de stationnement sont nos zones de combat territorial. Dans la seconde même où nous apercevons un espace libre, nous le revendiquons comme nôtre au nom de notre Ford Explorer. Et nous sommes prêts à nous battre contre quiconque voudrait nous empêcher de le posséder. Dans un sondage effectué par Bernice Kanner, auteure de *Êtes-vous normal?*,

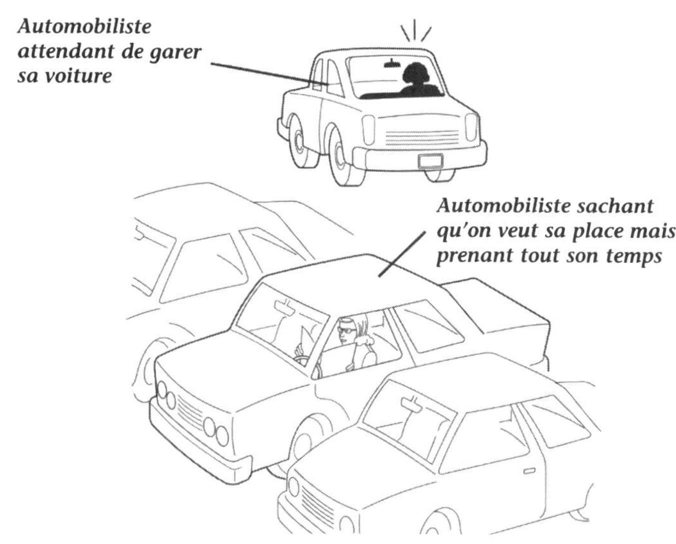

on a demandé à des Américains ce qu'ils feraient s'ils arrivaient à un espace de stationnement au même moment qu'une autre personne. Presque les deux tiers répondirent qu'ils se battraient pour l'avoir. Les automobilistes habitant le Nord-Est des États-Unis semblaient les plus entêtés ; 79 pour cent avouèrent qu'ils préféreraient se battre plutôt que de céder l'espace à un autre, comparativement à 40 pour cent de ceux qui habitaient le Midwest.

Les comportements ne changent guère même si vous êtes déjà confortablement stationné dans un espace. Les chercheurs Barry Ruback et Daniel Julieng de l'Université de l'État de Pennsylvanie ont étudié plus de 400 automobilistes à l'intérieur du parc de stationnement d'un centre commercial de la région d'Atlanta. Ils publièrent leurs résultats dans la revue universitaire *Psychologie sociale appliquée.*

L'article s'intitulait « Défense territoriale dans les parcs de stationnement : riposte envers des conducteurs en attente ».

Ils découvrirent que les automobilistes déjà stationnés mais sur le point de quitter prenaient plus de temps à le faire (7 secondes de plus) s'il y avait une personne qui attendait pour prendre leur place. Si la personne en attente s'avisait de klaxonner, le temps d'attente passait de 32,2 secondes (quand personne n'attend) à 43 secondes.

Les hommes, contrairement aux femmes, semblent être affectés par le type de véhicule en attente. Si une Infiniti Q45 de 57 000 dollars se présentait, les hommes lui laissaient leur espace en 30 secondes ; pour une familiale de 5 200 dollars, par contre, le temps d'attente grimpait à 39 secondes.

Personne ne semble immunisé contre les guerres de stationnement. Même pas la scientifique Diane Nahl, qui enseigne aux autres comment calmer leurs impulsions agressives au volant.

« J'aperçois cette femme l'autre jour, stationnée de travers et occupant trois espaces de stationnement. Elle lisait un journal », de raconter madame Nahl. « Elle ne semblait pas du tout dérangée. C'est alors que les pensées se mirent à arriver, du genre "Comment peut-elle oser ? Un tel manque de respect !" En arrivant au deuxième étage du centre commercial, j'ai jeté un coup d'œil au stationnement par une fenêtre. Il y avait maintenant une remorqueuse près de la voiture à cet endroit. La dame avait été en panne, et j'avais été complètement injuste dans mon jugement de cette personne. C'est une réaction tellement automatique que d'être offensé par ce que font les autres. »

138 Justement... vous est-il déjà arrivé d'apercevoir ce qui semblait être un espace vide dans un parc de stationnement bondé, et de découvrir en arrivant sur place qu'une toute petite voiture y était parquée... mais enfouie jusqu'au fond, de façon que vous ne puissiez la voir qu'au moment où vous vous apprêtiez à y pénétrer?...

DE

HÉMORROÏDES OU MERCI, JE VAIS RESTER DEBOUT !

À

HOQUET

Hémorroïdes ou Merci, je vais rester debout !

Les hémorroïdes surviennent quand les petites veines anorectales (celles qui sont disposées autour du rectum et de l'anus) deviennent dilatées. Autrement dit, si vous avez les hémorroïdes, vous avez des varices en de drôles d'endroits.

Le mot nous vient du grec *hemorrhoia*, qui veut dire « issue de sang ». En observant l'évolution du mot à travers les âges, on se rend facilement compte que les hémorroïdes ont tracassé l'humanité depuis la nuit des temps. Le docteur William S. Haubrich l'explique ainsi dans son livre *Medical Meanings* (Le sens des termes médicaux) : « Parce que les hémorroïdes étaient fréquentes, on fit référence à la source anatomique du saignement comme étant la "veine hémorroïdale". Le saignement fut le premier à recevoir un nom, puis ce même nom fut transposé à la source. »

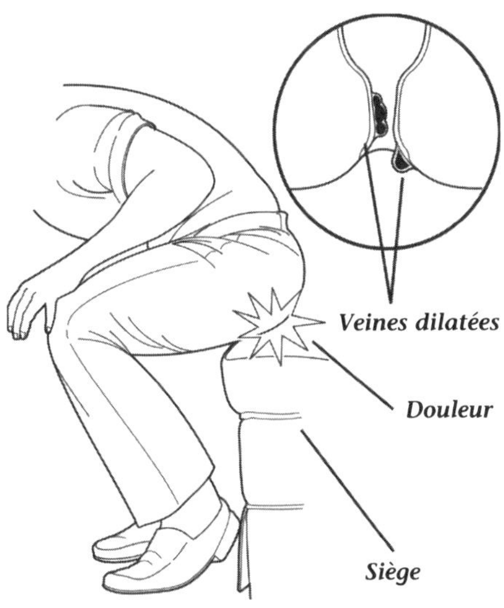

Il existe deux types principaux d'hémorroïdes : internes et externes. Comme le nom le suggère, les hémorroïdes externes surviennent à l'extérieur de l'ouverture de l'anus tandis que les hémorroïdes internes se retrouvent à l'intérieur du

rectum. Le type externe est habituellement plus douloureux puisqu'il se trouve en cet endroit un plus grand nombre de terminaisons nerveuses.

Les hémorroïdes sont causées par de la pression abdominale, laquelle se transmet aux veines anorectales. Demeurer assis pendant de longues périodes peut causer ce genre de pression, tout comme le fait de forcer en allant aux toilettes, surtout si vous êtes constipé.

Les femmes enceintes souffrent fréquemment des hémorroïdes, à cause de l'élargissement du placenta qui exerce une pression supplémentaire sur les veines anorectales. De plus, les hormones sécrétées durant la grossesse tendent à faire se relâcher les muscles supportant l'abdomen, ce qui exacerbe le problème. Sans compter que l'afflux sanguin d'une femme enceinte augmente, haussant ainsi la pression à l'intérieur des veines. Et comme si ce n'était pas déjà suffisant, la constipation est également un mal fréquent chez les femmes qui attendent un bébé.

La revue *Medical Update* ne recommande pas l'utilisation des onguents vendus pour le traitement des hémorroïdes. L'ingrédient actif de la plupart d'entre eux est un dérivé de cellules vivantes de la levure. La Food and Drugs Administration a déclaré inefficaces ces ingrédients en 1994. Mais certains produits, comme Préparation H, contiennent un nouvel agencement d'ingrédients approuvé par la FDA. Cependant, toujours selon *Medical Update*, ces ingrédients n'auraient que très peu d'effet sur les hémorroïdes. La meilleure chose à faire est d'éviter la constipation en ingérant une plus grande quantité de fibres diététiques et en gardant très propre la région anale. Pour soulager la douleur, vous pouvez toujours essayer le bain de siège. Asseyez-vous pendant de longues minutes dans quelques centimètres d'une eau la plus chaude que vous puissiez endurer. Cela contribuera à l'amélioration de la circulation. Des études récentes ont démontré que l'application d'une crème à base de nitroglycérine, habituellement utilisée pour l'angine de poitrine chez les personnes souffrant de maladies cardiaques, peut réduire la douleur des patients souffrant d'hémorroïdes. Quoi qu'il en soit, ne vous asseyez pas trop vite.

Hoquet

Tout le monde se – Hic ! paie votre – Hic ! tête à cause de votre – Hic ! hoquet, mais – Hic ! – Hic ! ça fait mal tout de – Hic ! même. Des amis accourent derrière vous sournoisement pour finalement vous faire un gros BOOU ! Mais vous n'êtes toujours pas – Hic ! – guéri. Ils vous font sauter sur une jambe, et puis sur l'autre, vous font boire de l'eau par le bord opposé du verre... Maintenant, non seulement vous avez le – Hic ! – hoquet, mais vous avez aussi l'air stupide et vous êtes tout mouillé.

Le hoquet est mentionné dans les ouvrages médicaux depuis l'époque du célèbre Hippocrate. Et depuis toutes ces années, les médecins n'ont toujours pas découvert ce qui exactement causait le hoquet. Il ne facilite pas la digestion ni ne joue quelque rôle que les médecins puissent reconnaître. Ils peuvent cependant en expliquer la mécanique. Le hoquet est causé par des spasmes du diaphragme. Lorsque le mouvement de ce muscle se trouve désynchronisé, il vous fait avaler de grandes bouffées d'air à contresens. Et alors que vos poumons se remplissent rapidement d'air, votre cerveau désire mettre un terme à cette respiration incongrue en resserrant la gorge. Les cordes vocales se compriment et l'afflux d'air occasionne ce Hic ! si familier.

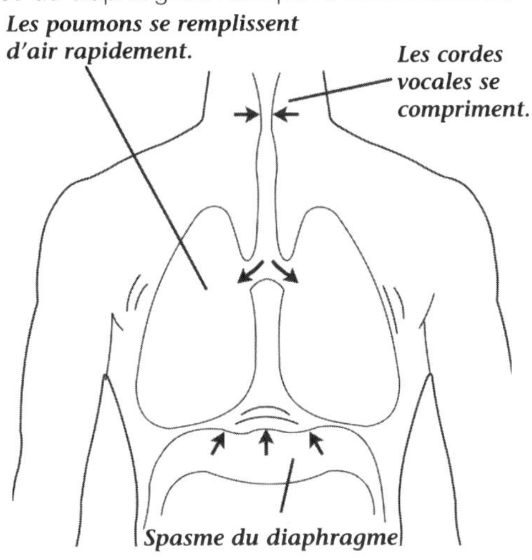
Les poumons se remplissent d'air rapidement.
Les cordes vocales se compriment.
Spasme du diaphragme

Très peu d'études sérieuses ont été faites

sur le hoquet parce que le phénomène n'est habituellement que de très courte durée. Quelques-uns des rares spécialistes du hoquet, comme le docteur Paul Rousseau du Centre médical Carl T. Hayden de Phoenix en Arizona, affirment que les spasmes du hoquet peuvent survenir par groupes de moins de 7 ou de plus de 63. Ils se manifestent ordinairement de 4 à 60 fois par minute.

Dans des cas extrêmes, le hoquet devient beaucoup plus qu'un désagrément. Certaines victimes du hoquet chronique en ont souffert pendant des décennies. Elles éprouvent de la difficulté à tenir une conversation et peuvent difficilement manger des aliments que l'on doit mastiquer rigoureusement. La personne qui détient le record du monde pour le hoquet, selon les *Records du monde Guinness 2000*, serait Charles Osborne de Anthon en Iowa. Il aurait eu le hoquet de 1922 à février 1990. Le docteur Rousseau, lors de ses recherches, s'est rendu compte que des gens étaient décédés des suites du hoquet. En l'an 2000, le *Washington Times* rapportait que deux citoyens de la ville de Washington s'étaient fait installer un stimulateur cardiaque de telle façon que l'impulsion électrique se trouvât envoyée à leur nerf phrénique, et ce, dans l'espoir d'être soulagés d'un hoquet chronique qui les affligeait depuis des années.

Selon le docteur S. Gregory Hipskind, il est possible de se débarrasser du hoquet en frottant de la glace au niveau du cou, autour de la pomme d'Adam. Il semble que ce procédé bloquerait l'impulsion nerveuse qui provoque les spasmes du diaphragme. Il existe tout de même un certain fondement médical derrière les remèdes maison communément utilisés. Respirer dans un sac de papier, par exemple, force la personne à inspirer une plus grande quantité de dioxyde de carbone, ce qui a pour effet de régulariser la respiration. Boire de l'eau par le côté opposé du verre permet au cou de bien s'étirer tout en stimulant le nerf vague, ou pneumogastrique, qui joue un rôle au niveau de la respiration et de la déglutition.

Si vous cherchez un remède pour le hoquet qui sorte de l'ordinaire, l'article d'un chercheur qui parut dans le journal médical universitaire *Lancet* en 1999 rapportait que la marijuana pouvait venir à bout d'un hoquet persistant. Après avoir eu le hoquet pendant neuf jours consécutifs, un patient fuma un joint et les spasmes cessèrent de suite. « Je vous le – Hic ! – jure, Monsieur – Hic ! – l'agent, je n'utilise la – Hic ! – marijuana que pour – Hic ! – des raisons médicales – Hic ! »

DE

INDIVIDUS QUI COUPENT LA PAROLE : TU ME LAISSES TERMINER OU JE T'ASSOMME !

À

INVASION DE L'ESPACE VITAL PERSONNEL

Individus qui coupent la parole: tu me laisses terminer ou je t'assomme!

Ne détestez-vous pas... – pardon, je parlais ici – que quelqu'un vous interrompe lorsque vous parlez?

« C'est une chose d'interrompre une discussion pour aviser les gens que l'édifice est en feu, mais s'il ne s'agit pas d'une situation d'urgence, c'est très impoli », de dire Katherine Hawkins, de l'École de communications Elliott à l'Université d'État de Wichita. « Si j'ai la parole lors d'une discussion d'affaires, essayant d'exprimer mon point de vue, et qu'à tout

 bout de champ quelqu'un m'interrompt pour démolir tout ce que j'ai dit, eh bien, je ne serais pas moins choquée si on m'avait donné une bonne paire de claques. C'est une violation flagrante de mes attentes par rapport aux règles des communications. »

Nous faisons tous partie d'une communauté linguistique. Et en tant que membres de cette communauté, nous connaissons les règles tacites qui se rapportent à la conversation. Nous nous donnons des signaux les uns aux autres afin de déterminer quand il est temps de parler ou bien d'écouter. Lorsque vous discutez et qu'une autre personne désire se joindre à la conversation, celle-ci s'inclinera un peu vers l'avant, relèvera les sourcils et inspirera de façon audible. En fait, elle veut signaler ceci : « J'inspire parce que je suis sur le point de dire quelque chose. »

Si vous n'êtes pas encore disposé à céder la parole, vous éviterez de croiser le regard de cette personne et remplirez les espaces entre vos phrases avec des « eeett » ou des « euhhm » pour éviter qu'elle s'ingère à ces endroits. Si vous avez terminé, vous laisserez votre dernier mot s'éteindre et vous regarderez l'autre dans les yeux. Vous pouvez même faire un geste en sa direction pour l'aviser que c'est à son tour de parler.

Il existe également ce que l'on pourrait appeler les « communications d'arrière-scène ». Il s'agit de tous ces petits bruits que nous émettons en guise d'approbation et d'encouragement envers la personne qui parle. Nous hochons la tête et insérons des « ahh-hann » aux moments appropriés.

Selon Hawkins, « Ceci veut dire "Je vous écoute. Ce que vous dites est intéressant. Continuez." Par contre, si vous émettez ces "ahh-hann" en vitesse accélérée, c'est tout comme dire "Allez, allez. Finissez-en. C'est à mon tour de parler." »

Vous serez peut-être heureux d'apprendre que les personnes qui ont de mauvaises habitudes de communication et qui tentent sans cesse de s'ingérer et de couper la parole ne sont pas seulement irritantes pour les nerfs des autres. L'attitude dominante de ces personnes est nocive pour leur propre santé. Une étude menée par le Centre médical de l'Université Duke, s'échelonnant sur une période de 22 ans et impliquant 750 hommes de race blanche issus de la classe moyenne, fit la classification de ces hommes selon leur degré d'agressivité verbale, le volume de leur voix et leur besoin de se vanter et de se grandir eux-mêmes. On les étudia en tenant compte des autres facteurs de risque pour la santé

dans leur vie de tous les jours. L'étude révéla que ceux qui étaient les plus agressifs sur le plan de la communication avaient 60 pour cent plus de chances de mourir à un âge moins avancé que leurs compagnons plus affables. L'étude ne mentionne pas combien ont été battus à mort par des gens totalement frustrés de ne pouvoir ajouter leur grain de sel à une conversation.

Invasion de l'espace vital personnel

(Voir Bureau à cloisons, Danse d'évitement sur le trottoir, Guerre d'accoudoirs, Espace pour les jambes en avion, Parfums entêtants)

Vous vous trouvez dans un endroit public et une dame s'approche de vous et entame une conversation. Alors qu'elle parle, vous vous sentez raide et nerveux. Elle se tient à un pas de plus près que vous ne le désirez. Vous essayez donc de reculer un peu sans que cela ne paraisse, et une étrange danse s'amorce. Au cours de la conversation, vous traversez ainsi presque la moitié de la pièce, mais elle vous poursuit en se retrouvant toujours un peu plus près de vous que vous ne l'aimeriez. Sans aucun doute, cette dame ne cherche qu'à être aimable et sociable ; pourtant, vous avez hâte qu'elle s'en aille. Pourquoi ? Parce qu'elle a envahi votre espace vital personnel.

Selon Edward T. Hall, un pionnier de la recherche dans le domaine de la proxémique – l'étude de l'utilisation de l'espace par l'humain – nous établissons nos frontières personnelles dès l'âge de 12 ans. Les caractéristiques de ces frontières peuvent varier selon les cultures, mais aucune culture n'en est exempte. Chaque personne, voire chaque animal, est entourée d'un champ invisible de forme ovoïdale. La raison pour laquelle ce champ n'est pas sphérique est que nous laisserons les gens s'approcher plus près de l'avant que de derrière.

Dans la culture américaine, il existe quatre zones spatiales distinctes. Celle qui permet la plus grande proximité mesure 45 centimètres. Seules les personnes avec qui nous sommes très intimes – notre amoureux ou nos enfants – peuvent pénétrer cette frontière. On s'attend à ce que les collègues de travail et les simples connaissances se tiennent à une distance de 1,25 à 2,50 mètres. Les étrangers sont tolérés à une distance de 2,50 à 5,50 mètres. Dans la culture américaine, la distance entre le podium et le public est normalement de 8 mètres. Lorsque nous rencontrons des gens dont le sens de l'espace vital diffère du nôtre parce qu'ils viennent d'une culture différente, cela peut nous rendre mal à l'aise, irritable et même, dans des cas extrêmes, physiquement indisposé.

À l'époque où la plupart des gens demeuraient à la campagne et sur des fermes, la question de l'espace vital n'était pas pressante. On a évalué qu'au Moyen Âge une personne ordinaire rencontrait plus ou moins cent personnes au cours de sa *vie*. Mais lorsqu'à la révolution industrielle les gens se mirent à affluer vers les villes, ils ont dû développer des moyens pour gérer les invasions constantes de leur espace vital. Il existe des règles tacites au sujet de l'espace que nous devons accorder aux autres et au sujet du moment opportun pour exprimer qu'on reconnaît une personne dans la rue. Nous créons des frontières en plaçant des livres ou un manteau près de nous sur un siège public. En ascenseur, nous nous tenons face à la porte et ne regardons que rarement les gens dans les yeux. Et bien que personne ne nous l'ait appris explicitement, nous savons instinctivement qu'en Amérique du Nord et en Europe du Nord, nous pouvons ignorer une personne qui se tient à trois mètres de nous, tandis qu'à deux mètres nous devons lui montrer que nous la reconnaissons et lui dire bonjour.

Lorsque l'espace est limité, nous nous efforçons de créer un sentiment intérieur d'espace en nous refermant sur nous-mêmes. S'il nous est impossible de faire sortir les gens de notre espace, nous ferons tout ce que nous pourrons pour croire que ce ne sont pas des personnes. L'on peut facilement observer ce phénomène dans le train, dans le métro et dans l'avion. La capacité légale du métro de New York alloue 6 mètres cubes d'espace par personne, sauf que les passagers doivent se tenir debout ou s'asseoir plus près les uns des autres s'ils désirent s'agripper à une rampe. Le métro de Tokyo, lui, n'accorde que 2 mètres cubes par personne.

Les passagers tentent de créer leur propre espace en lisant des livres et des magazines ou en regardant à l'extérieur. S'ils ne peuvent faire ni l'une ni l'autre de ces activités, ils regarderont par terre et éviteront de croiser le regard des gens des sièges avoisinants. Cet exercice peut être stressant et épuisant. Des chercheurs ont découvert qu'après un trajet d'une heure sur un train japonais bondé, il fallait 1 heure et 30 minutes à un voyageur pour se débarrasser complètement du stress et de la fatigue qu'il y avait vécus.

Robert Sommer, un psychologue de l'Université Davis de Californie, a écrit un livre intitulé *Personal Space* (L'Espace personnel) entièrement consacré aux réactions que les gens ont lorsque les règles de l'espace vital sont enfreintes. Il effectua le gros de sa recherche en allant dans des bibliothèques et en se tenant trop près des gens.

« Ils se mettent à taper le bout de leur pied par terre, dit-il. Ils tirent leurs cheveux et jouent avec. Ils deviennent complètement rigides. Ça ne provoque peut-être pas une crise de schizophrénie proprement dite, mais quelque chose, tout de même, qui n'est vraiment pas bon pour la santé. »

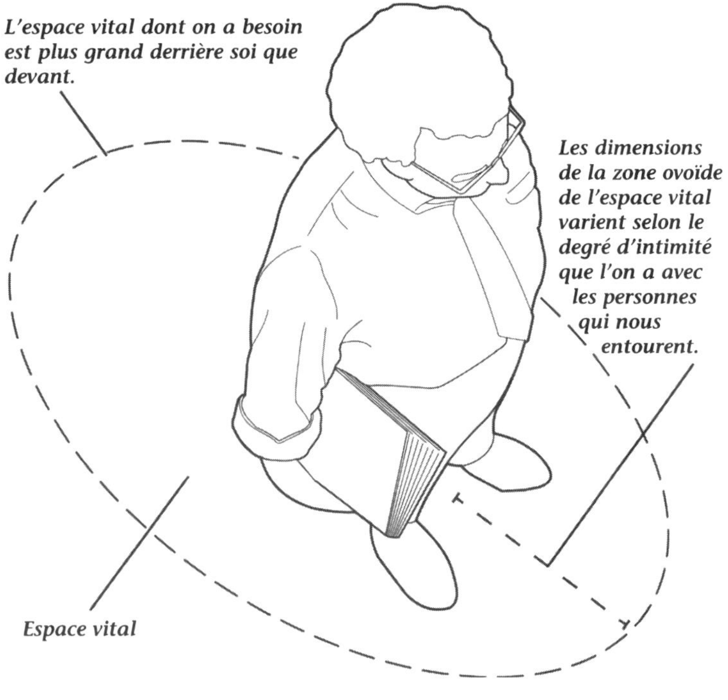

L'espace vital dont on a besoin est plus grand derrière soi que devant.

Les dimensions de la zone ovoïde de l'espace vital varient selon le degré d'intimité que l'on a avec les personnes qui nous entourent.

Espace vital

DE
JARGON UNIVERSITAIRE
À
LAIT SURI

Jargon universitaire

« Étant donné que la pensée est considérée comme étant *rhizomatique* plutôt qu'*arborescente*, son mouvement de différentiation et de devenir se trouve déjà imprégné de sa propre trajectoire positive. » Cet extrait du *Continental Philosophy Reader*, sous la direction de Richard Kearney et Mara Rainwater, fait partie d'une introduction qui a pour but d'aider les étudiants à comprendre le chapitre. Oui, bien sûr, c'est très clair !

Pourquoi les universitaires s'ingénient-ils à écrire dans un langage qui force le lecteur à froncer les sourcils et lui donne un mal de tête ? Ce n'est qu'une question de style, diront les défenseurs d'une prose dense et difficile. À chaque public correspondent des règles de communication différentes. Le style du magazine *People* diffère de celui du *New York Times*, et le style de celui-ci diffère de celui du catalogue Sears. Chaque profession a son propre jargon. Celui des domaines spécialisés de la recherche universitaire est particulièrement difficile, puisque les chercheurs tentent souvent d'exprimer des idées nouvelles ou très compliquées.

« Il existe une espèce de principe parmi

les journalistes et les gens qui sont appelés à parler de culture dans les médias, à savoir que si un texte est écrit par un professeur de langues, ça se doit d'être compréhensible pour les autres », a confié au *Dallas Morning News* Eric Mallin, professeur associé du Département d'anglais de l'Université du Texas à Austin. « Cela n'est vrai, bien sûr, que s'il n'y a pas de savoir spécialisé rattaché au sujet dont il est question. »

Judith Butler, professeure à l'Université de Californie à Berkeley, se retrouva malgré elle au centre d'une polémique sur le style des ouvrages universitaires quand la revue *Philosophy and Literature* de la Nouvelle-Zélande lui attribua le premier prix de son Concours annuel de mauvaise écriture pour un échantillon de 90 mots tiré de l'un de ses articles. Les « honneurs » du premier prix sont attribués à une phrase issue du monde universitaire dont le style est le plus horrible.

Butler défendit son style littéraire dans un article d'opinion qu'elle fit paraître dans le *New York Times*. L'écriture universitaire se doit d'être « difficile et exigeante », dit-elle, de façon à remettre en question des lieux communs qui sont souvent si largement admis que personne ne songe à les remettre en question. L'obligation de bien penser au sens de chaque phrase engendre « une nouvelle façon de percevoir des mots familiers ».

D'autres croient que ce jargon n'a rien à voir avec la communication. Ils le voient plutôt comme une sorte de poignée de main secrète entre des personnes d'une même confrérie ou encore comme une série de mots de passe. On écrit de cette façon pour confirmer son autorité dans le monde scientifique, son appartenance au club, pour ainsi dire.

En 1996, un physicien de l'Université de New York soumit un article truffé de phrases bidon et de charabia à la revue *Social Text*, qui le publia comme étant une authentique analyse scientifique. Quand un professeur d'anglais de l'Université du Sud de l'Oregon se fit demander de commenter une longue phrase tirée d'un texte qui avait fini en seconde place au Concours annuel de mauvaise écriture, il dut admettre qu'il n'y comprenait pas grand-chose.

Toutefois, afin de gagner en réputation, un professeur se doit d'écrire et de faire publier ses articles, et, pour que la publication des articles soit possible, ceux-ci doivent être rédigés dans un style qui soit accepté par les pairs du professeur. Voici ce qu'en dit le philosophe Bertrand Russell dans son essai intitulé *How I Write* (*Comment j'écris*) : « Je puis me permettre d'utiliser un langage de tous les jours quand

j'écris, puisque les gens savent très bien que je pourrais utiliser une logique mathématique rigoureuse si je le voulais. Je suggère donc aux jeunes professeurs d'écrire leur premier ouvrage dans un jargon qui n'est déchiffrable que par les érudits. Cette première étape derrière eux, ils pourront désormais se permettre de dire ce qu'ils ont à dire dans un langage "compréhendable pour la plus de part du monde". »

Lait suri

Rien de plus déplaisant lorsque, le matin, vous versez du lait sur vos céréales et qu'à la première bouchée vous vous rendez compte que – yyyach – le lait a suri.

Le lait suri est un lait qui a fermenté. Le lait est constitué de gras, de protéines et de sucres. Il renferme de 12 à 13 pour cent de matières solides, plus que la plupart des légumes. La composition du lait dépend de l'espèce et de l'âge de la vache qui l'a produit, ainsi que du moment où il a été tiré. La dernière portion de lait recueillie à chaque traite est plus riche en gras. Ce gras qui est nuisible pour l'humain devient un festin pour les bactéries.

Lorsque le lait sort de la vache, il est habituellement sans bactéries. Au contact de l'air, les bactéries commencent leur colonisation. La pasteurisation, l'action de chauffer le lait à 72 degrés Celsius pendant 15 secondes, tue le type de bactéries qui pourrait engendrer des maladies, mais quelques autres qui ne représentent aucun danger

J/L

Comment le lait surit

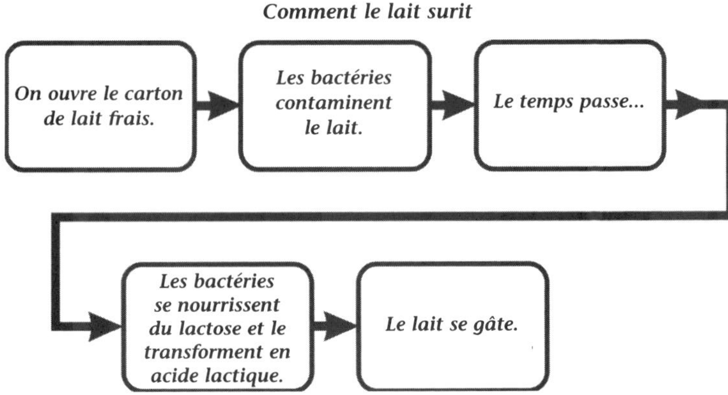

On ouvre le carton de lait frais.
Les bactéries contaminent le lait.
Le temps passe...
Les bactéries se nourrissent du lactose et le transforment en acide lactique.
Le lait se gâte.

pour l'humain survivent à ce traitement. Tant et aussi longtemps que la bouteille ou le carton demeurent scellés, très peu de nouvelles bactéries peuvent contaminer le lait. Ainsi, le lait se conserve plus longtemps dans un carton scellé que lorsque celui-ci a déjà été ouvert. Les bactéries qui ravagent le lait vivent très mal à basse température, c'est pourquoi le lait doit toujours être réfrigéré. Il devrait être gardé à une température de 5 degrés Celsius. À cette température, il se conserve pendant 14 jours.

Au cours de ces deux semaines, les bactéries se nourrissent du sucre de lait, le lactose. Elles transforment le lactose en acide lactique par un procédé de fermentation. Lorsqu'il y suffisamment d'acide lactique, le lait prend ce goût rance et cette odeur de suri. Le lait écrémé tend à se conserver plus longtemps que le lait entier parce qu'il contient moins de lactose. Si vous avez encore sous la main de vieilles recettes de votre grand-mère, vous pourrez constater que certaines d'entre elles font appel à du lait sur. C'est que l'acide contenu dans le lait suri entre en réaction avec le bicarbonate de soude pour former des bulles de dioxyde de carbone qui font lever les pâtisseries.

Ces recettes datent d'avant l'ère de la pasteurisation. De nos jours, du lait qui a eu le temps de surir a aussi eu le temps d'attirer et de laisser se développer des bactéries nuisibles pour la santé. Au lieu du lait suri, vous pouvez toujours utiliser du babeurre dans ces recettes, ce qui aura le même effet.

Le caillage du lait est dû à une protéine appelée caséine. Celle-ci est normalement dispersée un peu partout dans le lait. Lorsque le lait est aussi âgé que l'est, semble-t-il, celui de votre réfrigérateur, les solides (caillots) se séparent du liquide (petit-lait).

Quant aux dates limites de validité que l'on trouve sur les contenants, il faut se rappeler que le lait ne surit pas nécessairement à cette date précise. On estampille sur les contenants de lait une date de 14 jours ultérieure à la date où le lait a été pasteurisé et empaqueté. Deux jours suffisent pour que le lait se rende de la vache à l'épicerie, où il sera réfrigéré à 5 degrés ou moins. Il devrait donc demeurer apte à la consommation jusqu'à une semaine après la date limite de validité indiquée, à condition que vous le réfrigériez vous aussi.

DE

MAGNÉTOSCOPES AFFICHANT 12:00... 12:00... 12:00...

À

MOUSTIQUES

Magnétoscopes affichant 12:00... 12:00... 12:00...

Vous possédez un doctorat en astrophysique, et vous pouvez jongler avec cinq balles tout en fredonnant l'hymne national ; comment se fait-il, alors, que vous soyez incapable de régler l'horloge du magnétoscope ? La réponse varie selon la personne à qui vous posez la question. Les manufacturiers d'appareils électroniques diront que c'est parce que vous souffrez de technophobie, tandis que d'autres, comme Donald Norman, auteur du livre *The Design of Everyday Things* (Le design des objets de tous les jours), affirment qu'il s'agit plutôt de lacunes dans la conception des appareils.

Le magazine *Times* estime qu'au moins 80 pour cent des propriétaires de magnétoscopes n'ont jamais appris à programmer l'appareil de façon à pouvoir enregistrer une émission. Une étude effectuée en 1990 a révélé que 33 pour cent des personnes possédant un magnétoscope n'enregistraient jamais d'émissions alors qu'elles n'étaient pas à la maison. Une autre étude, celle-ci menée en 1992 auprès de 1 156 propriétaires de magnétoscopes, révéla que plus de la moitié d'entre eux éprouvaient des difficultés à utiliser certaines fonctions de l'appareil.

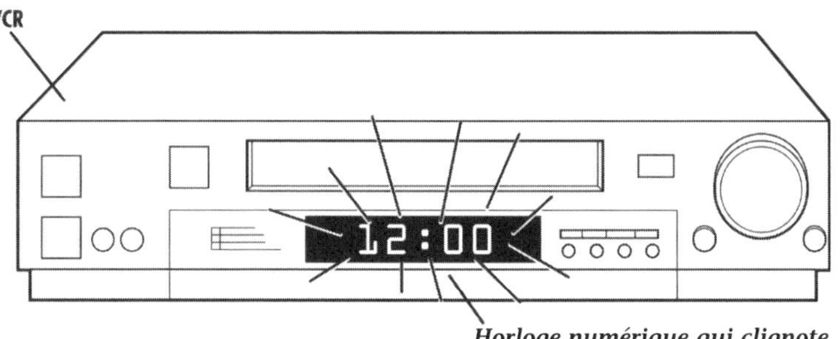

Horloge numérique qui clignote

 Des personnes brillantes comme Peter Jennings, Katie Couric, Barbara Walters et Tipper Gore admettent que leur magnétoscope affiche 12:00... 12:00... 12:00... à répétition. Plusieurs personnes apposent du ruban gommé opaque pour ne plus voir ces chiffres clignoter.

Une étude effectuée en 1994 et commanditée par la compagnie Dell Computers a montré que 55 pour cent des Américains présentaient des symptômes de technophobie à des degrés variés. Larry Rosen, professeur de psychologie à l'Université de l'État de Californie, travaille à aider les gens à surmonter leur peur de la technologie. Lors d'une diffusion de l'émission *Newsday,* il expliqua que la technophobie est « un problème strictement interne, dont la source ne se trouve pas à l'extérieur de la personne... Les technophobes se disent : "Je ne peux pas faire ceci ou cela, c'est trop compliqué." »

Mais peut-être qu'après tout c'est effectivement trop compliqué. Donald Norman croit que les consommateurs se blâment eux-mêmes trop rapidement, alors que le véritable problème serait le mauvais design des appareils. « Lorsque nous éprouvons de la difficulté à faire fonctionner un magnétoscope, nous devrions nous rappeler que c'est à cause de l'apparence déroutante de l'appareil et du manque d'indices nous permettant de connaître les fonctions qu'il possède et comment on doit les actionner », a-t-il écrit.

Quand le design d'un produit a été conçu intelligemment, l'utilisateur devrait savoir quoi faire au premier coup d'œil. De nos jours, ajoutait-il, les responsables du design aiment créer des appareils qui ont un look avant-gardiste, où les mêmes boutons servent à actionner plusieurs fonctions. Mais ils n'offrent que très peu d'indices qui puissent nous renseigner sur la façon de les faire fonctionner. Lorsqu'il n'existe qu'une seule pièce à actionner et que cette pièce ne sert qu'à une seule fonction, il n'y a pas de confusion possible. Par contre, les fonctions multiples d'un magnétoscope, particulièrement si celui-ci est relié à un téléviseur, à une chaîne stéréo et à une boîte de raccord pour le câble, offrent à l'utilisateur une pléthore étourdissante d'options.

Si vous croyez souffrir un tant soit peu de technophobie, Larry Rosen vous suggère d'essayer de programmer le magnétoscope à un moment où il n'y a pas d'émissions qui vous intéressent à la télé. Cela contribuera à réduire votre niveau de stress. Faites-vous aussi aider par un ami ayant un bon caractère.

Si vous croyez que votre problème est plutôt relié à la mauvaise qualité du design, tuez le problème dans l'œuf en refusant d'acheter des appareils qui vous apparaissent trop complexes à utiliser. Les manufacturiers croient que les consommateurs préfèrent un produit attrayant mais dont l'utilisation est complexe, plutôt qu'un produit moins attrayant mais facile d'utilisation. Tant que vous continuerez d'acheter des appareils trop compliqués, les manufacturiers n'auront aucune raison d'en améliorer la conception. Essayez de programmer le magnétoscope alors que vous êtes au magasin. Si vous éprouvez trop de difficultés, achetez un autre modèle.

Mailles tirées dans les bas de nylon

(Voir Chaussettes dépareillées)

Qui donc a eu l'idée géniale de faire porter aux femmes ces bas de nylon si fragiles et toujours parsemés de mailles tirées? Selon l'Association nationale des manufacturiers de bas de nylon, les femmes américaines dépensent chaque année près de 2 milliards de dollars en bas de nylon – j'ai bien dit 2 milliards. Remarquez le langage qu'ils utilisent: « La femme américaine a consommé 11,6 milliards de paires de bas de nylon en 1992. » Consommé. Il s'agit donc de vêtements jetables. Une paire dure en moyenne trois jours. Je dis en moyenne, parce qu'il arrive souvent que des mailles se défassent dès qu'on sort les bas de l'emballage.

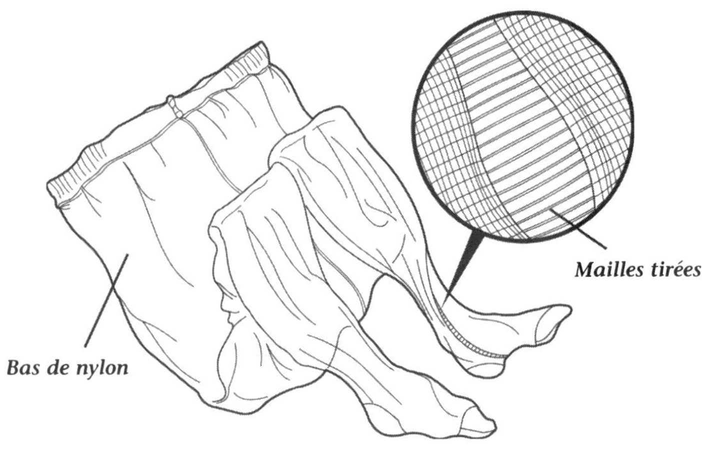

Il est amusant de savoir que l'origine du mot nylon vient de l'expression anglaise «*No Run*» (les mailles «ne se défont pas»). Lorsque la firme DuPont créa la première fibre synthétique, un comité fut formé afin de lui trouver un nom. Ils étaient d'accord pour l'appeler No Run, mais quelqu'un leur rappela qu'en fait les mailles se défaisaient facilement. Mais pas aussi facilement que celles des bas de soie, ce qui fit leur succès malgré que ces bas aient coûté alors deux fois plus cher. Le patriotisme favorisa aussi la vente du nylon: la soie provenait du Japon et les USA étaient sur le point de s'engager dans la Seconde Guerre mondiale.

«Tant que les jupes seront courtes et que les femmes seront coquettes, les bas de soie demeureront un article indispensable de la garde-robe féminine», clamaient les manufacturiers. Mais dès 1948, 85 pour 100 de tous ces bas étaient faits de nylon.

«Tant et aussi longtemps que les femmes voudront porter quelque chose de fragile ayant l'apparence de la peau, elles devront composer avec les mailles tirées», affirme Frank Oswald, conseiller en marketing pour la firme DuPont, un des plus grands manufacturiers des textiles utilisés dans la fabrication des bas de nylon. «Les femmes doivent réaliser qu'il s'agit du vêtement le plus mince qu'elles portent et qu'il couvre la moitié de leur corps», confia-t-il à la revue *Newsday*. Les collants opaques et les fibres plus épaisses comme le lycra et le spandex n'auront pas de mailles qui se tirent, mais donneront une sensation de lourdeur.

Que pouvez-vous faire, donc, pour empêcher que des mailles se tirent dans vos bas de nylon? Pas grand-chose. Lorsqu'une fibre a été tirée, vous pouvez empêcher temporairement que la maille se défasse en entier en utilisant du vernis à ongles transparent ou du fixatif pour cheveux. Une autre stratégie est d'attendre qu'une maille se tire dans la jambe opposée d'une autre paire. Vous n'aurez à ce moment qu'à couper la jambe effilochée de chaque paire et porter les deux demi-paires intactes comme s'il s'agissait d'une seule. Même s'il y a des femmes qui jurent que de garder les bas de nylon au congélateur empêche les mailles d'être tirées, c'est faux. Ça ne les rend que froids, c'est tout.

Mal de mer, de l'air, en auto...

(Voir Mises en garde stupides)

Ahhh, la voile. L'air frais de l'océan. Le bruit des vagues éclaboussant la coque. Le tangage de l'embarcation vers l'avant, vers l'arrière, vers l'avant, l'arrière, l'avant... Oh non ! Pourquoi pouvez-vous faire de la bicyclette sans être malade alors que sur un bateau ou à l'arrière d'une voiture le contenu de votre estomac cherche à remonter ?

Lorsque vous marchez dans la rue, cela ne vous rend pas malade. Mais quand vous êtes à l'intérieur d'un gros véhicule, particulièrement si vous ne conduisez pas, tous les paramètres se transforment. À l'intérieur d'un avion, par exemple, les fluides de votre oreille interne se meuvent avec les fluctuations d'altitude de l'appareil. Cela envoie à votre cerveau un signal qui confirme que vous êtes en mouvement. Vos yeux, par contre, ont une définition différente de la situation. Ils ne perçoivent qu'un mouvement très léger et disent à votre cerveau que vous êtes assis dans une

Ouverture de 7 sur 12 cm d'un sac vomitoire

grande pièce, sur une chaise très inconfortable, et que vous lisez un magazine. Le cerveau s'en trouve très confus. Et le cerveau n'aime pas la confusion, ce qui lui fait sécréter une hormone de stress ressemblant à l'adrénaline. L'estomac est particulièrement sensible à ces messages de stress et réagit en se contractant. Avec un peu de chance, vous pourrez atteindre à temps le sac prévu à cet effet.

La meilleure façon d'éviter l'inconfort dû au mouvement est de regarder à l'extérieur, ou, si vous êtes en bateau, d'aller sur le pont, de manière que vos yeux soient sur la même longueur d'onde que vos oreilles. Évitez de lire lorsque vous prenez place à bord d'un véhicule et ne voyagez pas l'estomac vide, cela augmente le risque de maux de cœur. Dans les airs, choisissez un siège au-dessus de l'aile et du côté droit de l'avion. La plupart des plans de vols prévoient de tourner vers la gauche, vous vous ferez donc moins brasser si vous êtes assis à droite.

Toutefois, sans le mal causé par le mouvement, Charles Sant, de Bracknell en Angleterre, n'aurait pas de passe-temps. Il collectionne les sacs qu'on met à la disposition des passagers à cet effet sur les avions. De quelle façon un analyste informatique autrement sérieux en est-il venu à collectionner un objet aussi bizarre? Croyez-le ou non, il fut attiré dans la confrérie par un ami collectionneur.

À ce jour, il a réuni assez de ces sacs pour rendre malades tous ses anciens copains de classe. Sa collection a doublé et compte maintenant plus de 200 sacs depuis qu'il a instauré son site Internet qu'il appelle savamment «Souvenirs de maux de cœur» (http://www.sant.demon.co.uk/sickbag.html). Sa présence sur Internet lui permet d'échanger des sacs à malaise avec d'autres enthousiastes de la chose, eh oui, il y en a plusieurs. Le service de recherche Yahoo possède une catégorie entière dédiée aux collectionneurs de sacs à vomissures.

Quelques-unes des pièces intéressantes de la collection de monsieur Sant comprennent des sacs ayant appartenu à des compagnies aériennes disparues, des sacs faits de papier buvard, des sacs avec un jeu dessiné sur l'arrière, un sac qui sert aussi d'enveloppe pour les films à développer, un sac presque transparent, des sacs d'une compagnie aérienne qui en a deux modèles, un pour la classe économique et un pour les passagers de première et même un sac qui porte la mention: «Peut contenir des matières organiques dangereuses une fois utilisé.»

Jusqu'à maintenant, il n'existe pas encore d'index des prix pour les collectionneurs et aucune convention précise n'a été établie... mais ça viendra. Si cette rubrique vous a inspiré et que vous vouliez commencer une collection et faire des échanges, monsieur Sant possède en trop 23 sacs à vomissures de la British Airways qu'il aimerait échanger avec vous.

Mal de tête causé par la crème glacée

Quelle est la cause la plus fréquente des maux de tête? Le stress? Les lendemains de veille? Une mauvaise posture? Selon Joseph Hulihan, de l'Université Temple, c'est la crème glacée. Il publia le fruit de ses recherches en 1997 dans le *British Medical Journal.*

Que vous ayez déjà souffert d'une migraine ou pas, il y a de fortes chances pour que vous ayez déjà eu un de ces maux de tête lancinants provoqué par une grosse bouchée de votre parfum préféré de crème glacée. La science médicale possède un nom pour désigner les maux de tête dus à la crème glacée. Elle les nomme: « maux de tête dus à la crème glacée. »

En 1998, les Américains ont consommé l'équivalent de 11 milliards de dollars de desserts congelés, soit près de 5 milliards de litres. Des études ont démontré qu'au moins un Américain sur trois avait fait l'expérience du mal de tête de 30 à 60 secondes causé par la crème glacée. La cause exacte demeure toutefois un mystère, mais vous serez heureux d'apprendre que des scientifiques de partout dans le monde se penchent sur la question. Un des premiers à avoir étudié le phénomène fut R.O. Smith qui, en 1968, se soumit lui-même à l'expérimentation en déplaçant à l'intérieur de sa bouche un amas de glace concassée. Il découvrit ainsi que c'était la partie arrière du palais mou supérieur qui était sensible au changement de température.

Les savants ne s'entendent toujours pas sur la cause du mal de tête qui suit souvent l'ingestion de nourriture glacée. Selon une des hypothèses, la cause en serait le refroidissement rapide de l'air à l'intérieur des sinus. Thomas N. Ward, du Conseil américain pour l'éducation en matière de maux de tête, croit que c'est le nerf trijumeau, responsable des migraines, qui réagit aux mets très froids. Merle Diamond, de la Clinique pour maux de tête Diamond de Chicago, met plutôt le blâme

sur le nerf glosso-pharyngien. Certaines études affirment que vous êtes plus susceptible de souffrir d'un mal de tête dû à la crème glacée si vous souffrez déjà de migraines à l'occasion ; d'autres études avancent que c'est l'inverse.

J.W. Sleigh, un conférencier de l'Hôpital Waikato de Hamilton en Nouvelle-Zélande, entreprit, par suite du rapport de monsieur Hulihan, sa propre recherche et utilisa pour réaliser ce projet l'ultrasonographie Doppler. Il mesura ainsi la vitesse de la circulation sanguine dans le cortex cérébral de trois sujets qui mangeaient de la crème glacée. Deux d'entre eux souffrirent d'un mal de tête, l'autre, non. Il remarqua que l'afflux sanguin avait diminué chez les sujets qui firent l'expérience d'un mal de tête. « Même si la température du cerveau lui-même n'avait pas été directement mesurée, conclut-il, ces observations suggèrent que la vasoconstriction cérébrale qui occasionne une diminution de l'afflux sanguin au cerveau joue probablement un rôle important dans l'avènement du mal de tête dû à la crème glacée. »

Les recherches se poursuivent. En attendant, vous pouvez toujours éviter la douleur d'un mal de tête en réchauffant d'abord la crème glacée à l'avant de votre bouche ou encore en plaçant votre langue sur le palais mou arrière afin de le réchauffer.

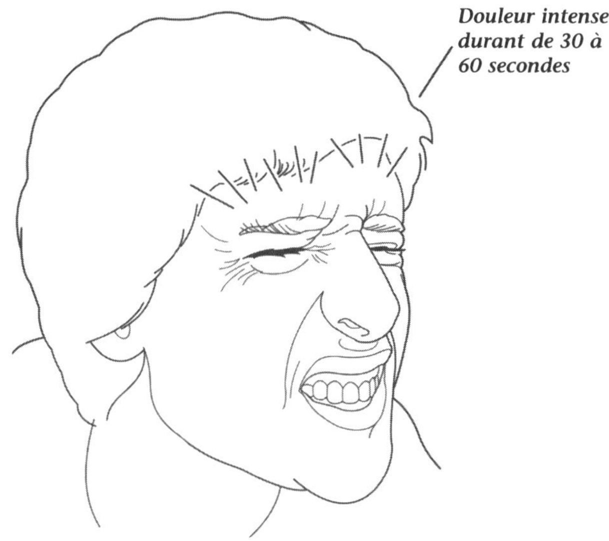

Mauvaise haleine

(Voir Fraise de dentiste, Papier d'aluminium sur des plombages)

Mettez à l'épreuve votre haleine: Est-ce que les gens reculent brusquement lorsque vous exhalez? Avez-vous des titres dans une compagnie de rince-bouche? Dépensez-vous plus de 10 pour cent de vos revenus dans l'achat de bonbons à la menthe? Est-ce que le chien vous fuit? Votre haleine a-t-elle fait périr de petites plantes d'intérieur? Si vous avez répondu oui, vous pourriez faire partie des millions de personnes qui souffrent de mauvaise haleine, connue aussi sous le nom de *halitose* ou *fœtor oris*.

« La mauvaise haleine est un problème qui a son origine dans la bouche », affirme le docteur Jon Richter dans un article de la revue *Men's Health*. Ce fait semble plutôt évident, mais une avalanche d'annonces télévisées prétendaient récemment qu'une pilule pouvait régler le problème de l'intérieur. Elle ne fonctionne pourtant pas. Et pour preuve, un milliard de dollars se dépensent chaque année aux États-Unis pour l'achat de rince-bouche, de gommes à mâcher, de menthes et

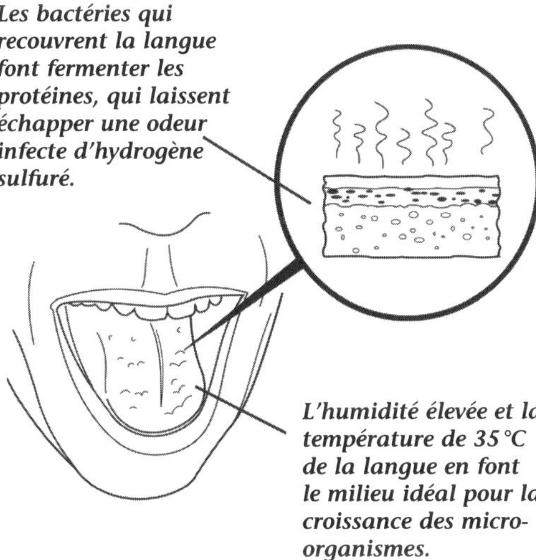

Les bactéries qui recouvrent la langue font fermenter les protéines, qui laissent échapper une odeur infecte d'hydrogène sulfuré.
L'humidité élevée et la température de 35 °C de la langue en font le milieu idéal pour la croissance des micro-organismes.

 de vaporisateurs pour la bouche. Mais ceux-ci masqueront les odeurs pendant une heure, tout au plus.

Personne n'aime s'arrêter à cette idée et se l'imaginer, mais la bouche abrite son propre écosystème. Pour un micro-organisme, la température de 37 degrés qui règne dans la bouche ainsi que le haut taux d'humidité représentent un paradis hawaïen. Plus de 400 espèces de bactéries font de votre bouche leur demeure. Vous les nourrissez chaque jour alors que vous vous nourrissez vous-même. Une partie du sucre et des hydrates de carbone subsistent après les repas et deviennent dans votre bouche un festin pour les bactéries.

La langue de certaines personnes se couvre de bactéries qui provoquent la fermentation de protéines. Ce processus de fermentation produit du mercaptane méthylique, des acides gras, de l'ammoniaque et de l'hydrogène sulfuré. Ce dernier gaz est responsable de l'odeur sulfureuse propre à la mauvaise haleine. (Une fermentation similaire a aussi lieu dans les intestins. Voir *Flatulences.*)

Peu importe que vous vous brossiez les dents et que vous utilisiez de la soie dentaire, votre haleine du matin sent le souffre bien plus que la menthe. Pendant la nuit, bien à l'abri des attaques de votre brosse à dents, les micro-organismes qui habitent votre bouche ont eu plusieurs heures pour se nourrir et pour réduire les minuscules parcelles d'aliments en acides aminés et en peptides, avec leurs sous-produits malodorants.

Même si vous vous absteniez de vous brosser les dents pendant le même nombre d'heures durant le jour, votre haleine ne se comparerait pas à celle du matin. Pendant la journée, vous parlez, vous mâchez et vous avalez. Ces activités déclenchent une production ininterrompue de salive.

Il s'avère que la salive est une substance des plus intéressantes. Elle empêche l'écosystème de votre bouche de se déséquilibrer. Elle contient des ions de bicarbonate qui préviennent une trop grande prolifération des acides qui causent la carie dentaire et qui sont produits par des bactéries tel le *S. mutans.* (Voir *Fraise de dentiste.*)

Durant la nuit, la production de salive diminue considérablement et ses propriétés antibactériennes sont stoppées. Les organismes se multiplient et votre langue se recouvre d'une pellicule bactérienne... jusqu'à votre réveil où vous vous brossez les dents à nouveau.

Si vous avez mauvaise haleine malgré d'incessants brossages de dents, vous souffrez peut-être de ce que les dentistes appellent « une langue géographique ». Cela veut dire que votre langue possède plus de crevasses et d'aspérités que la normale, procurant aux bactéries anaérobiques des espaces supplémentaires pour vivre et se multiplier.

La meilleure façon de garder votre haleine fraîche est de bien nettoyer l'arrière de votre langue. Et nul besoin d'acheter pour cela un dispendieux nettoyeur de langue. Il suffit d'utiliser une petite cuillère inversée et de gratter doucement l'arrière de votre langue. Ensuite, il ne vous reste plus qu'à bien rincer.

Mélodie persistante en tête

Tout le monde a fait l'expérience d'avoir une chanson, plus particulièrement une chanson tellement populaire qu'elle en est devenue exaspérante, comme accrochée dans la tête, y jouant et rejouant sans cesse. Les Allemands utilisent le mot *ohrwurm* pour décrire le phénomène, ce qui peut se traduire en « ver d'oreille » ou encore « perce-oreille ». « Vous ne pouvez vous débarrasser d'un "ver d'oreille", mais vous pouvez par

...C'est la danse
des canards
Qui en sortant de la mare
Se secouent le bas des reins...
Chanson obsédante
François Lemaître, Ph.D.
Conférence sur la
théorie de la physique
quantique

M

contre le rendre contagieux», a écrit Tony Shelbourne au courrier des lecteurs du journal *Independent* de Londres. «Rien de plus amusant que de faire fredonner *La Danse des canards* à un collègue ayant normalement des goûts musicaux plutôt sophistiqués.»

La docteure Judith Rappaport, spécialisée dans le traitement des troubles obsessifs compulsifs, en décrivit un cas extrême dans le magazine *People*. Un homme avait entendu les mêmes six notes de violon pendant 31 ans. «Lorsqu'il admit finalement ce problème à sa femme, celle-ci pleura de joie, ayant cru pendant toutes ces années qu'il n'était tout simplement pas intéressé par ce qu'elle avait à dire.» En l'an 2000, un Américain se fit ôter le cortex temporal latéral droit par un chirurgien afin de mettre fin à la chanson *Owner of a lonely heart* du groupe Yes qui n'en finissait plus de jouer dans sa tête.

Même les animaux ne sont pas immunisés contre ce phénomène. Un groupe de savants de l'Université de Sydney en Australie a fait l'étude des complaintes de baleines à bosse entre 1995 et 1998. Ils ont découvert qu'une séquence de notes qui n'était vocalisée que par deux mâles s'était propagée aux autres au fil des ans. À la fin de 1997, toutes les baleines d'un même groupe avaient adopté la «chanson».

Il y a, semble-t-il, une certaine action neurologique à la base du phénomène. Des chansons peuvent ressurgir lorsque l'on stimule une région du cerveau qui gère l'organisation des sons. Cependant, il ne semble pas y avoir eu beaucoup de recherches effectuées sur le sujet des «vers d'oreille». «Je ne connais aucune recherche sur le sujet proprement dit, de dire la docteure Rebecca Mercuri, une spécialiste en psycho-acoustique, mais j'imagine que c'est parce qu'il serait très agaçant d'étudier une telle chose.»

Ce qui rend le phénomène aussi agaçant, c'est que vous êtes plus susceptible d'avoir la *Danse des canards* pris dans la tête qu'une cantate de Mozart. «Nous avons tendance à nous rappeler particulièrement bien les choses inhabituelles, étranges et peu plaisantes», a expliqué à la revue *Toledo Blade* Rebecca Rupp, auteure de plusieurs livres sur l'apprentissage et la mémoire. «Ce n'est pas très élégant, mais c'est ainsi que la mémoire fonctionne.»

Jim Nayder, animateur de l'émission *The Annoying Music Show* (L'Émission de musique agaçante), appelle ce phénomène «action reflux agaçante du cerebrum (cerveau)». Lorsqu'une mélodie de très mauvais goût ne sort plus de sa tête, il résout le problème en cherchant à la remplacer par une chanson encore plus déplaisante. Allez, tous ensemble maintenant: «C'est la danse des canards...»

Messages publicitaires exaspérants

« Oh, Henri, regarde comme c'est beau la nature ! »

« Je suis tombée, et je ne peux plus me relever ! »

« Il coupe, il découpe, met en cubes ou fait des juliennes, et si vous appelez dans les 30 prochaines minutes, vous obtiendrez cet autre couteau tout à fait gratuitement ! Alors, combien seriez-vous prêt à payer pour cette merveille... ? »

Ils vous gueulent aux oreilles, ou alors vous cajolent. Ils ont des voix abrasives, émettent de petites phrases saugrenues qui ne vous sortent plus de la tête et vous rabâchent les mêmes rengaines au sujet des mêmes choses jour après jour : « les cernes autour du col, les bruits incongrus étranges que fait votre auto, les points noirs sur votre visage, les pellicules que vous avez peut-être dans les cheveux... » Non mais, ça ira ! Vous avez tous d'ailleurs déjà eu une mère pour vous rappeler ces choses, merci beaucoup.

M

Il semble que les publicitaires font des pieds et des mains afin de gagner votre faveur et de vous vendre leurs produits. Eh bien, ce n'est pas même suffisant. Pour retenir votre attention, la tâche des annonceurs est de nos jours plus ardue que jamais. Chaque jour, l'Américain moyen se fait bombarder

par 600 à 1 200 messages commerciaux. Les quatre grandes chaînes de télévision américaines ont augmenté le temps alloué à la publicité. Durant une émission d'une heure, vous subissez 11 minutes et 12 secondes de commerciaux, une augmentation de près de 2 minutes par rapport à 1991. Et si vous rajoutez le temps que la chaîne elle-même se donne pour promouvoir sa propre programmation, il ne vous reste que 45 minutes d'émission, truffées de 15 minutes de publicité. En comptant la presse écrite, les panneaux réclames, les messages sur les sachets de plastique et les bannières défilantes sur Internet, vous voyez probablement chaque jour plus de 3 000 annonces publicitaires. Et si par malheur vous allez vous promener au centre commercial, vous serez assailli par 10 000 autres réclames.

De la même façon que le fait de marcher pieds nus sur un morceau de verre brisé laisse en vous une plus grande impression que de marcher sur une plume, une annonce publicitaire qui insulte votre intelligence, vous casse les oreilles et vous exaspère est davantage susceptible de rester gravée dans votre mémoire qu'une annonce plus discrète et anodine.

Pour des exemples de premier ordre de commerciaux lancinants, il faut faire un retour aux années 70 alors que la capacité d'attention du public commençait à être vivement sollicitée. C'est à cette époque que Ron Popeil voulut s'assurer que chaque seconde de ses commerciaux à 7,50$ la minute rapportait le plus possible. Il parlait donc le plus vite possible, il coupait de la bande audio-vidéo les moments où il avait dû prendre son souffle et accélérait même le tout mécaniquement. Ses publicités firent la promotion du fameux Veg-O-Matic, de Mr. Dentist, du Pocket Fisherman et de l'inoubliable Mr. Microphone, qu'on entendait hurler: « Hé, Poupée! J'passe te prendre plus tard! » Ces publicités présentaient à la fois un problème que les gens étaient censés avoir et le produit qui était censé pouvoir régler ce problème, « tel que présenté à la télé ».

Monsieur Popeil a un jour fait ce commentaire au journal *Palm Beach Post:* « Essayez ça vous-même. Prenez n'importe quel objet sur votre bureau. Maintenant, faites une liste de tous les problèmes que ce produit peut régler. Ensuite, faites la présentation du produit. Faites tout cela en 30 secondes, et les gens auront vraiment l'impression que vous essayez d'enfoncer votre produit dans leur gorge. »

Les publicitaires de la compagnie Dial Media suivirent l'exemple. Ils prirent un couteau plutôt banal et lui donnèrent un nom à consonance

 japonaise: «Ginsu». En plus d'utiliser la stratégie «fous-leur dans la gorge», ils innovèrent en introduisant un nouvel élément: les cadeaux. «Achetez un couteau Ginsu et vous obtiendrez gratuitement un couperet, une scie à pain, des couteaux de table... Mais attendez, il y a plus! Un jeu complet de petites cuillères!» Ces publicitaires étaient des pionniers. Ils ont ouvert la voie à toutes ces émissions de télévision commerciales que l'on retrouve aujourd'hui, où l'on vous sollicite dans votre salon afin de vous vendre une myriade de produits. Après tout, si on ne vous l'avait pas présenté à la télé, auriez-vous su que vous aviez besoin d'un petit chapeau de cow-boy pour votre chien, d'un interrupteur de lumière qui s'active en claquant des mains ou d'un poisson robot qui chante l'hymne national américain? «Allons, combien êtes-vous prêt à payer pour...»

Mimes

Dans un numéro récent de la revue *Entertainment Weekly*, on a demandé à des célébrités quel avait été le pire emploi qu'ils avaient eu. Robin Williams pu répondre sans même avoir à y penser. Il avait jadis été mime à New York.

« Les enfants essayaient de m'asséner des coups de pied, dit-il. Mais le pire, c'était les vieilles dames riches... elles me disaient très sèchement : "Tu vas me foutre ton [censuré] de camp d'ici, oui ?" et je recevais un beau sac Vuitton au visage. »

Un mélange complexe de facteurs sociaux et psychologiques entrent en jeu lorsque nous sommes confrontés à un homme au visage peint en blanc et qui marche à contrevent à l'intérieur d'une boîte invisible. À ce moment-là, nous nous trouvons embarrassés par une pseudo-rencontre des classes, dérangés par un sentiment de perte de pouvoir et apeurés par la crainte infantile que nous avions des clowns. Tout cela se transforme, l'espace d'un instant, en colère et en fantasmes de violence. (Souvent, les mimes professionnels se font poser cette question : « Si je vous tire dessus, dois-je utiliser un silencieux ? »)

La peur des clowns est assez répandue pour qu'elle ait droit à son propre nom savant : la « coulrophobie ». Les psychologues affirment que les gens aiment ou détestent les clowns et les mimes pour la même raison : le masque qui recouvre leur expression naturelle et qui leur permet d'agir de façon inattendue. Sautera-t-il dans l'auditoire... ou viendra-t-il amuser les gens à vos dépens? Tout est possible. Pendant son numéro, c'est le clown qui a le contrôle, pas vous.

Certaines personnes détestent les clowns à cause d'une expérience traumatisante survenue dans l'enfance. Elles se rappellent avoir été confrontées à une énorme personne aux pied monstrueux, au visage peint de blanc et rouge, et arborant des cheveux violets. « Les enfants ne peuvent tout simplement pas emmagasiner tout ça », a confié au

Washington Post Jerilyn Ross, directrice du Centre Ross pour l'anxiété et les autres désordres connexes. « Ils reconnaissent qu'il s'agit d'une personne, mais qui n'en a vraiment pas l'apparence. Ça les désoriente. »

Cependant, les gens qui n'aiment pas les clowns ne le démontrent pas aussi verbalement que ceux qui détestent les mimes, sans doute à cause de l'historique de ces amuseurs publics des temps modernes. Les Français ont combiné le mime et le ballet pour en faire une forme des Beaux-Arts. Les Nord-Américains, quant à eux, sont naturellement sceptiques face à tout ce qui n'appartient pas à la culture de masse, particulièrement s'ils n'y comprennent rien. L'Américain moyen peut facilement éviter l'opéra, le ballet et les galeries d'art, mais les mimes se rendent inévitables en se manifestant plutôt dans les parcs et les endroits publics. Les promeneurs dans un parc ne sont pas nécessairement à la recherche de formes d'art. Tout ce que nous percevons, alors, est une personne rappelant le snobisme des « élites ». Avec son visage très pâle, il pourrait parler mais ne le fait pas, se croyant bien au-dessus de cette forme d'expression, et il pourrait bien se mettre à nous ridiculiser à tout moment... Où ai-je donc rangé ce silencieux?

Mises en garde stupides

La mise en garde suivante provient de l'emballage d'un sandwich : « Retirez les cure-dents avant de consommer. »

Les fabricants de produits de toutes sortes doivent nous prendre pour de véritables idiots. Pire que cela, en fait. S'il existe une façon d'utiliser un produit qui soit tout à fait contraire au bon sens, un malheureux Américain la découvrira sans aucun doute. Grâce aux publicités de plus en plus nombreuses offrant les services d'avocats spécialisés en réclamations pour blessures, même le citoyen le moins nanti en bon sens sait qu'il peut poursuivre en justice.

En 1991, les États-Unis possédaient 70 pour cent de tous les avocats du monde, et ceux-ci étaient très occupés. En 1960, les Américains engagèrent un peu moins de 100 000 poursuites pour dédommagement auprès des cours fédérales. En 1990, le nombre avait monté à plus de 250 000. Les litiges juridiques comptent pour environ 2,5 pour cent du coût des marchandises neuves aux États-Unis, et davantage si ces produits sont reliés à la médecine, au domaine de la santé ou à la technologie. Un groupe de recherches a rapporté que les coûts reliés au fonctionnement des cours de justice, les sommes octroyées aux gagnants de litiges juridiques et le manque à gagner attribuable au temps perdu a coûté 132 milliards de dollars à l'économie américaine, et ce, pour l'année 1991 seulement.

Certains analystes croient que la base du problème est que les personnes qui doivent décider de l'issue des causes ont été forcées à siéger comme membres du jury. « Les jurys sont formés de personnes qui elles-mêmes n'apprécient guère se responsabiliser », pouvait-on lire dans un Rapport Ardell Wellness datant de 1998. « Ainsi, elles prendront facilement la part de l'infortuné plaignant. »

Afin de se protéger, les manufacturiers apposent donc sur leurs produits des mises en garde qui insultent notre intelligence. Voici quelques

exemples étonnants mais bien réels. Sur des protège-jambes pour la bicyclette: « Ces protège-jambes ne peuvent protéger une partie du corps qu'ils ne recouvrent pas. » Sur un tour à bois: « On ne doit pas utiliser cet outil en dentisterie ou pour tout autre usage médical. » Sur un sac d'arachides: « Attention, retirer l'écale avant de consommer la noix. » Sur la plaque de direction dans un ascenseur: « Ne peut être utilisé que lorsque installé. » Sur un sac de bonbons: « Attention: De petits objets tels les bonbons peuvent rester pris dans la gorge. » Sur un séchoir à cheveux de Sears: « Ne pas utiliser en dormant. » Sur le logiciel d'exploitation Windows 98: « Ne faites pas de copies illégales de ce disque. » Et, bien sûr, sur les contenants à café de McDonald: « Attention: Chaud. »

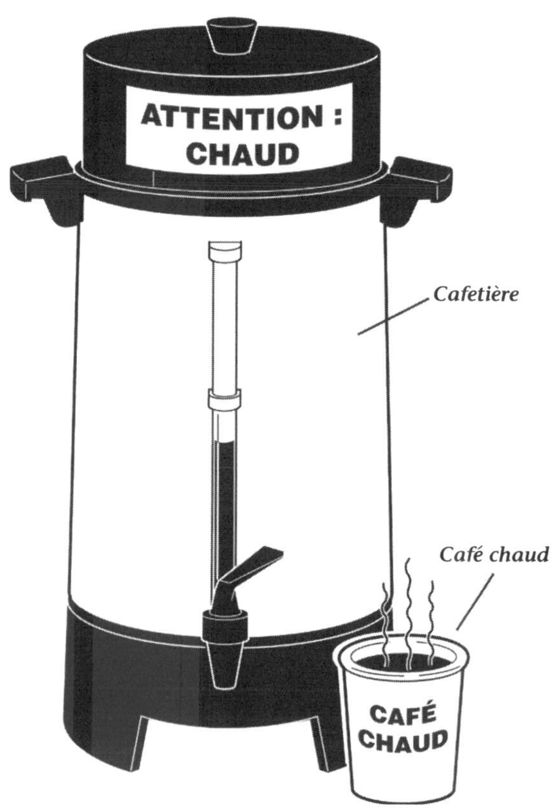

Mot perdu

(Voir Qu'est-ce que j'étais venu faire ici? ou Destinésie aiguë)

J'étais allé au marché parce que je voulais du... J'avais une recette pour laquelle il fallait de la... Tu sais, cette chose verte... ce n'est pas un cantaloup. C'est un légume, tu sais, un... C'est une... Aaaaaagggrr. C'est vert...

Les psychologues appellent ça l'état de « mot-sur-le-bout-de-la-langue ». Vous connaissez bien le mot que vous cherchez, vous l'utilisez régulièrement, mais votre cerveau refuse de vous y donner accès. Des études démontrent que les personnes âgées entre 18 et 22 ans font l'expérience de cet état une ou deux fois par semaine. Celles qui sont âgées entre 65 et 75 ans le font deux fois plus souvent. Le mot peut parfois resurgir en quelques secondes seulement, mais cela peut aussi prendre des jours.

M

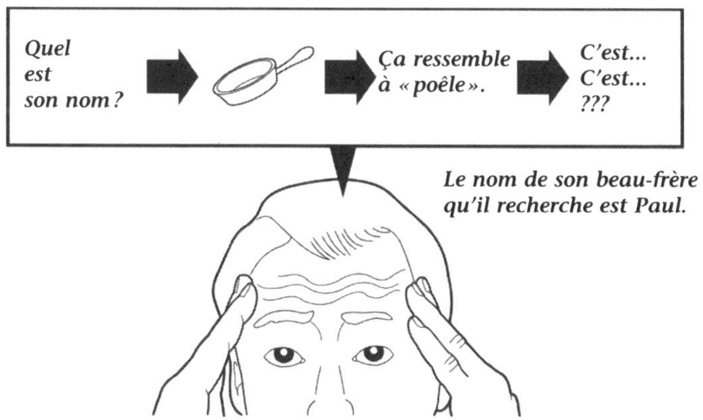

Dans le passé, les chercheurs croyaient que le problème était causé par un mot similaire qui bloquait l'accès à celui que nous cherchions. Des études récentes avancent l'hypothèse qu'il est plus difficile de se souvenir d'un mot comme « duplicata », parce qu'il est moins familier et que sa consonance est inhabituelle. Il semble que le cerveau ait besoin de faire un plus grand effort pour dénicher les mots que nous utilisons rarement.

Le processus qui nous permet de retrouver un mot qu'on a perdu s'effectue en deux étapes. Dans un premier temps, le cerveau accède au sens du mot, puis il recherche la consonance d'un mot qui correspond à ce sens. Un phénomène similaire se produit lorsque vous reconnaissez un visage familier mais que vous ne pouvez vous souvenir du nom de la personne. Les circuits de neurones qui desservent la région du cerveau qui emmagasine l'information visuelle sont différents de ceux qui s'occupent des mots – comme le nom d'une personne.

Les gens se rappellent parfois la première lettre du mot ou du nom qu'ils cherchent, ou, encore, un mot semblable surgira dans leur conscience. Selon Deborah M. Burke, professeure de psychologie au Collège Pomona de Claremont en Californie, les gens ont deux fois plus de chances de retrouver le mot qu'ils cherchent s'ils lisent ou entendent un autre mot qui possède certaines des sonorités du mot recherché.

Willem Levelt, un chercheur hollandais de l'Institut de psycholinguistique Max Planck, utilise une technologie de pointe, l'imagerie cérébrale, pour tenter de percer ce mystère. Il compare l'état de « mot-sur-le-bout-de-la-langue » à un bouchon de circulation. Il explique que plus vous essayerez de retrouver le mot, plus il vous échappera. Plusieurs personnes ont fait l'expérience suivante : elles se sont finalement souvenues du mot recherché une heure après le moment où elles en avaient eu besoin. Il resurgit, comme ça, et les scientifiques n'arrivent pas encore à expliquer ce phénomène.

La seule chose qu'ils sont en mesure de vous dire... Concombre ! Voilà le mot que je cherchais ! Concombre !

Moucherons

(Voir Blattes, Fourmis, Mouches, Moustiques, Puces)

Ces petites mouches ont sans aucun doute permis l'apparition du mot « peste ».

Même l'*Encyclopédie Columbia* les qualifie d'*irritantes*. Il s'agit de tout petits insectes ne possédant qu'une paire d'ailes et ayant la très mauvaise habitude de s'attrouper autour du visage des gens l'été. Du point de vue des moucherons, ces essaims sont l'équivalent des bars-rencontres. Cela fait partie de leur rituel d'accouplement. Les mâles se regroupent en masse autour d'un objet facilement reconnaissable – un buisson, un poteau, ou tout simplement une personne debout. C'est là qu'ils attendent leur contrepartie féminine. Les insectes sont très persévérants lors de ce rituel puisqu'ils n'ont que quelques semaines pour transmettre leurs gènes. Les mouches, elles, convergent sur de la bouse de vache pour les mêmes raisons. Les déchets animaux regorgent de bactéries dont les bébés mouches (les asticots) se nourrissent. Ils contiennent aussi beaucoup d'humidité dont les mouches peuvent s'abreuver. C'est pourquoi les mâles et les femelles de l'espèce se rencontrent près des bouses ; celles-ci constituent un environnement idéal pour pondre les œufs.

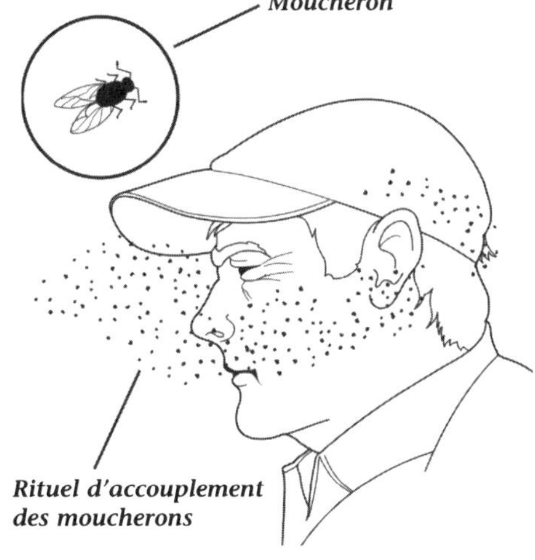

M

Mouches

(Voir Blattes, Fourmis, Moucherons, Moustiques, Puces)

Elle vrombit autour de votre tête; bzzzzzz... bzzzzzz... Elle sait très bien que vous ne l'aurez pas avec cette tapette à mouche que vous agitez dans tous les sens. Elle ne fait que rire de vous avec ce petit bzzzzz... bien à elle. Si elle semble toujours vous échapper, c'est que ses yeux composites lui donnent la possibilité de réagir à la lumière 10 fois plus vite que ne le font les humains. Elle voit ce tue-mouche venir et s'échappe grâce à ses ailes qui battent 180 fois par seconde (c'est ce qui produit le bzzzzz...). En avez-vous assez au point de vouloir déménager en Alaska? Oubliez ça. La mouche domestique, *Musca domestica*, vole PARTOUT où il y a des humains. Elle est en Alaska aussi bien que dans le désert. Une seule poubelle peut servir de nursery à 30 000 asticots par semaine. (Non, même bébés, elles ne sont pas jolies.)

M

Selon l'expert à qui vous posez la question, il y aurait entre 120 000 et plus de un million de sortes de mouches dans le monde. Elles peuvent marcher au plafond, la tête en bas, grâce à de petites glandes sur leurs pieds qui sécrètent une substance collante. Elles peuvent aussi goûter avec ces mêmes pieds qui possèdent 1 500 poils gustatifs. C'est ainsi qu'elles savourent l'arôme d'un cube de sucre ou d'une bouse de vache: deux de leurs aliments favoris. Pour être équitable, nous

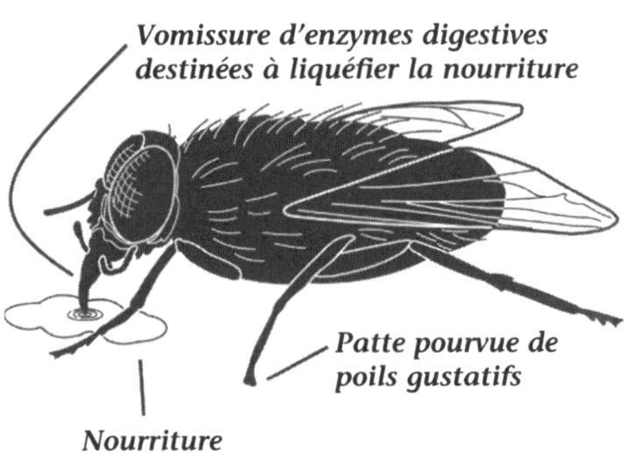

devons dire que les mouches ne mangent pas vraiment d'excréments. Ce serait dégoûtant. Tout ce qu'elles font c'est en sucer le jus. Puisqu'elles urinent à peu près toutes les deux minutes, elles doivent se réapprovisionner en liquide régulièrement.

Les mouches adultes sont incapables de mâcher. Elles « épongent » la nourriture en quelque sorte. C'est pourquoi elles doivent convertir en liquide tout ce qu'elles mangent. Elles accomplissent ceci en vomissant. Autrement dit, elles régurgitent des enzymes digestives sur leur nourriture de façon à la prédigérer avant de l'absorber. À l'aide d'une petite pompe attachée à la tête, elles sucent le liquide qu'elles ont recueilli en utilisant une pièce buccale spongieuse. Si vous n'êtes pas encore suffisamment dégoûté par les mouches, voici quelques raisons supplémentaires qui vous aideront à le devenir : les mouches sont reconnues pour transporter des maladies tels la fièvre typhoïde, le choléra, la dysenterie, le trachome et le charbon, qu'elles propagent facilement grâce à leur façon particulière de se nourrir.

Il y a tout de même un côté positif à la présence des mouches. Les bébés mouches, soit les asticots, ont une utilité sur le plan médical. Aussi dégueulasse que cela puisse sembler, les médecins utilisent ces larves pour manger le tissu mort et infecté des plaies. Ces larves ne mangent que le tissu infecté en épargnant le tissu sain. Des chercheurs ont prouvé que les asticots sécrètent des substances antibiotiques telle l'allantoïne. Les médecins déposent donc une quantité d'asticots (de 12 à 100) sur la plaie infectée et les tiennent en place à l'aide d'un bandage conçu spécialement pour protéger la peau contre les puissantes enzymes produites par ces larves. Une équipe d'asticots mange en moyenne 14 grammes de tissu mort par jour. Mmmmmnn !

Moustiques

(Voir Blattes, Fourmis, Puces, Moucherons, Mouches)

La plupart des caractéristiques du comportement des moustiques sont détestables du point de vue de l'humain. D'abord, il y a ce bruit lancinant qu'ils émettent, et les petites rougeurs que leur piqûre laisse sur notre peau et qui nous démangent sans merci, ainsi que leur talent incontestable pour ruiner un pique-nique. Mais le fait qu'ils s'abreuvent de sang et que, ce faisant, ils transmettent des maladies est plus que détestable, c'est carrément dangereux.

Les moustiques, sachons-le, sont les transmetteurs de maladies les plus efficaces de tout le royaume animal. Dans plusieurs parties du monde, ils transmettent la malaria, l'encéphalite, le virus du Nil occidental et les vers du cœur qui affectent les chiens. Heureusement, ils n'ont pas la capacité de transmettre le SIDA. Un moustique qui pique une personne séropositive n'aura pas en lui suffisamment de virus pour contaminer une autre personne. En Amérique, seulement 1 moustique sur 1 000 transporte une maladie, ce qui est une bonne nouvelle, à moins que ce ne soit celui-là qui vous pique.

Mais pour être juste, il nous faut dire que ce n'est qu'une partie de la population des moustiques qui donne mauvaise réputation aux autres, car, en fait, les mâles de l'espèce ne piquent pas. Il n'y a que la femelle qui se nourrit de sang lorsqu'elle a besoin de nutriments pour produire des œufs fertiles. Le reste du temps, les moustiques, mâles comme femelles, se contentent des sucres qu'ils prélèvent du nectar des plantes. Chaque fois que la femelle suce le sang d'un animal ou d'un humain, elle prend l'énorme risque d'être tuée. C'est pourquoi elle évite ce genre de festin jusqu'à ce qu'il lui soit tout à fait indispensable.

Les humains ne sont même pas sa cible de premier choix. Le moustique femelle préfère de beaucoup le goût des oiseaux, des petits rongeurs et des gros mammifères comme les vaches et les chevaux. Si ces

gâteries sont introuvables, cependant, elle sera fort aise de pique-niquer sur un humain. Et elle sait où vous vous trouvez à cause de votre haleine. Selon des sources, les moustiques peuvent détecter à 60 kilomètres à la ronde l'émission de dioxyde de carbone que vous expirez. La femelle du moustique détermine l'emplacement de l'animal qui respire en volant en zigzag à travers le flot de CO^2. En s'en rapprochant, elle se met à rechercher l'odeur de vapeur d'eau et d'acide lactique pour s'assurer qu'il s'agit bien d'un animal et non, disons, d'une simple cheminée. Lorsqu'elle s'est approchée encore davantage, elle peut utiliser ses autres sens. Elle est en mesure de détecter les mouvements et peut repérer les radiations infrarouges émises par un corps chaud.

Elle ne se fait pas d'illusions sur la réception qu'elle recevra; c'est ce qui explique pourquoi elle s'efforce de piquer à un endroit que l'hôte pourra difficilement atteindre... et difficilement gratter, conséquemment. Cependant, il arrive qu'elle trahisse sa position à cause du bruit lancinant émis par ses ailes qui battent à un rythme allant jusqu'à 500 cycles par seconde. Si toutefois elle parvient à ne pas être détectée, elle sondera la surface de la peau à l'aide de son stylet jusqu'à ce qu'elle trouve l'emplacement d'une veine capillaire au-dessous. À ce moment-là, elle percera l'épiderme à l'aide de quatre de ses six sondes, les deux autres seront utilisées comme des pailles pour sucer le sang.

Sa salive empêche le sang de coaguler et sert du même coup d'anesthésique local, ce qui est d'une importance capitale pour elle puisque son repas peut lui prendre jusqu'à cinq minutes. L'anesthésique lui permet de ne pas être détectée par l'hôte. La rougeur et les démangeaisons qui s'ensuivent sont causées par une réaction allergique à sa salive. Les démangeaisons débuteront environ trois minutes après qu'elle vous a piqué.

Selon une croyance populaire, si vous laissez le moustique se rassasier et partir de lui-même, il retirera l'anticoagulant avant de s'envoler et la piqûre ne causera aucune démangeaison. Cette croyance n'est pas fondée, mais il y a tout de même une bonne raison de laisser le moustique finir son repas. Si la femelle n'est pas rassasiée... elle reviendra. Et le résultat final sera deux piqûres au lieu d'une.

Si vous semblez être une personne que les moustiques affectionnent particulièrement, j'ai une bonne et une mauvaise nouvelles pour vous. La bonne nouvelle, c'est que vous n'êtes pas fou. Effectivement, les moustiques préfèrent le goût de certaines personnes plus que d'autres. Et la

mauvaise nouvelle, c'est que vous n'êtes pas fou, et que les moustiques préfèrent *vraiment* le goût de certaines personnes.

Pourquoi préfèrent-ils le goût de certaines personnes ? Eh bien, les savants ne le savent pas. Pour l'instant, ils n'ont été en mesure que de prouver que les moustiques ont, en fait, une préférence.

La meilleure façon de garder les moustiques à l'écart est de détruire ce qui pourrait constituer pour eux une aire de reproduction – soit les eaux stagnantes, tout simplement. Les moustiques se nourrissent dans un périmètre s'étendant de 30 à 90 mètres autour de l'endroit où ils ont vu le jour. À vous de faire le calcul.

Il y a des gens qui croient dur comme fer que la consommation de doses élevées de vitamine B, de thiamine ou de comprimés d'ail éloignera d'eux les moustiques. Pour ceux qui préfèrent éviter l'utilisation de produits commerciaux anti-moustiques, il existe des substances naturelles qui repousseront ces pestes. Les huiles essentielles Pennyroyales, la menthe poivrée, la vanille, le clou de girofle, la feuille de laurier, la feuille de sassafras ainsi que le cèdre ont tous leurs inconditionnels. Vous pourriez aussi essayer de faire brûler de la sauge et du romarin lors de votre prochain barbecue ; certains jurent que ça éloigne les moustiques. D'autres frottent du persil frais ou du vinaigre de cidre sur leur peau. Voici une recette-maison d'enduit anti-moustiques : mélangez une cuillerée à table de citronnelle, deux tasses de vinaigre blanc, une tasse d'eau ainsi qu'une tasse d'huile pour le bain Skin-So-Soft de Avon.

Si aucune de ces préparations ne marche pour vous, vous pouvez toujours essayer de trouver lequel de vos amis est le plus attirant pour les moustiques et l'inviter à tous vos dîners champêtres. Et tenez-vous toujours près de lui.

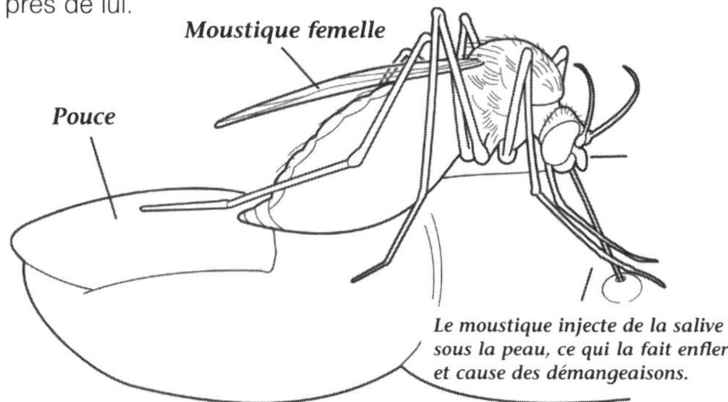

Moustique femelle
Pouce
Le moustique injecte de la salive sous la peau, ce qui la fait enfler et cause des démangeaisons.

M

DE

NIDS-DE-POULE, OU ATTACHEZ VOS CEINTURES !

À

OREILLES QUI BOUCHENT EN AVION

Nids-de-poule, ou Attachez vos ceintures !

(Voir Rage au volant)

Il existe des chaussées qui ressemblent davantage à des parcs d'amusement qu'à des routes publiques. Votre voiture monte et redescend avec une telle violence que vous risquez de crever vos pneus et de perdre vos plombages. La cause principale des nids-de-poule est

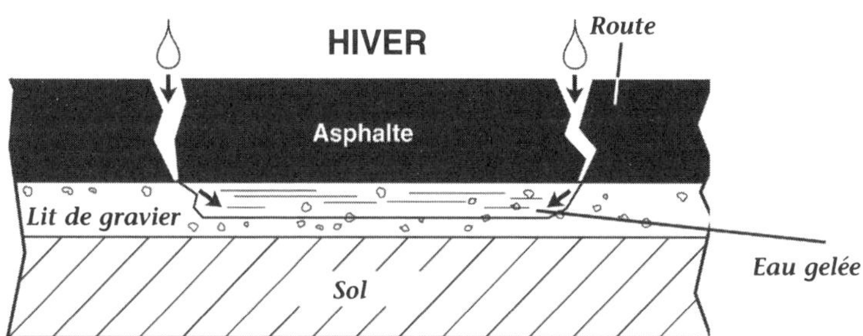

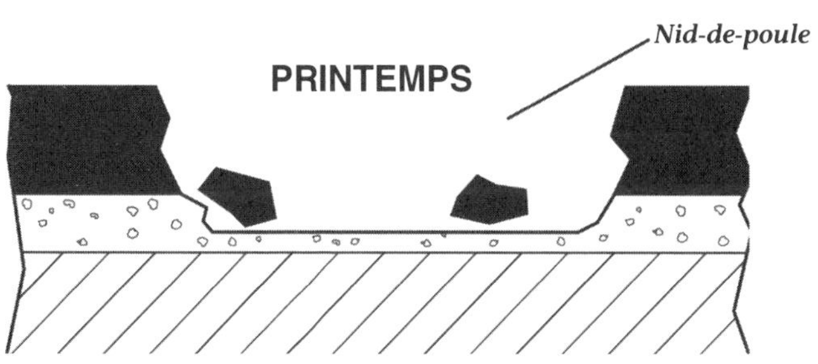

l'infiltration d'eau. À l'état liquide, l'eau s'infiltre facilement dans les petites fissures du ciment ou de l'asphalte. Lorsque les jours froids arrivent, l'eau gèle et, ce faisant, prend de l'expansion. Cela a pour effet d'agrandir les fissures. Quand la glace fond, des interstices sont laissés vides et des morceaux de ciment ou d'asphalte du dessus y tombent. Un nid-de-poule a été créé.

On peut donner une autre explication au nombre important de nids-de-poule sur les routes : la politique. On retrouve plus de nids-de-poule dans les régions où les autorités gouvernementales reçoivent moins d'argent qu'il n'en faut pour réparer les routes. Le Groupe de travail environnemental, un organisme voué aux services à la communauté, a fait l'analyse des dossiers du département des Transports relativement aux dépenses et à l'entretien des routes. Ils ont découvert qu'aux États-Unis plus de la moitié des voies rapides en milieux urbains sont en mauvais état. Au moins 26 pour cent de ces routes ont besoin de réparations immédiates. Ils conclurent que pour chaque portion de 20 kilomètres de route empruntée par les Américains, 2 kilomètres sont troués et raboteux. C'est l'équivalent d'un voyage de New York jusqu'à la ville de Saint-Louis au Missouri effectué sur une route en mauvais état.

Les département d'État responsables des autoroutes dépensent environ 1,2 milliard de dollars par année pour réparer les routes, tandis que les automobilistes dépensent 4,8 milliards de dollars par année pour faire réparer leur voiture endommagée à cause des nids-de-poule et des autres mauvaises conditions des routes. Les pièces subissant des dommages sont surtout les pneus et les composantes de la suspension. Si vous vivez en Arkansas, au Mississippi, en Virginie, en Caroline du Nord ou en Caroline du Sud, vous connaissez très bien les nids-de-poule. Ces États sont cotés le plus haut sur l'index des nids-de-poule. Ils ont donc le plus haut pourcentage de routes en mauvais ou en piteux état, et ils dépensent le moins par kilomètre pour l'entretien. Les régions métropolitaines possédant le plus haut taux de nids-de-poule sont Norfolk en Virginie, Charlotte en Caroline du Nord, Orlando en Floride et Richmond en Virginie. Si vous viviez dans une de ces régions, vous pourriez peut-être penser à investir dans des coussins pour les sièges d'auto.

Et puisque nous sommes dans le vif du sujet, voici une question piège au sujet des nids-de-poule. Quelle chanson des Beatles a été en partie inspirée par les nids-de-poule? *A Day in the Life*. John Lennon s'inspirait souvent de ce qu'il lisait dans les journaux. La phrase « 4000 holes in Blackburn Lancashire » (4 000 trous à Blackburn, Lancashire) de

cette chanson provient d'un rapport du conseil municipal de Blackburn publié dans le *Daily Mail* du 17 janvier 1967. On y mentionnait qu'il y avait à Blackburn un vingt-sixième de trou dans les routes pour chacun des habitants.

Ongles grattés sur un tableau

(Voir Chaînes stéréo pour automobiles de puissance extrême, Systèmes d'alarme antivol de voitures, Vacarme)

Le monde est rempli de bruits agaçants: les bébés qui pleurent, les klaxons d'automobiles, les sirènes d'alarme, mais le pire de tous ces bruits est celui des ongles grattés sur un tableau noir. Ce bruit est tellement détesté qu'il est devenu une métaphore pour tout bruit agaçant et pour toute chose qui tombe sur les nerfs. Qu'est-ce qui rend ce bruit si difficile à supporter? Eh bien, croyez-le ou non, les savants ont mis beaucoup de temps, de ressources et d'énergie à étudier cette question déroutante. Ils n'en sont pas encore arrivés à un consensus.

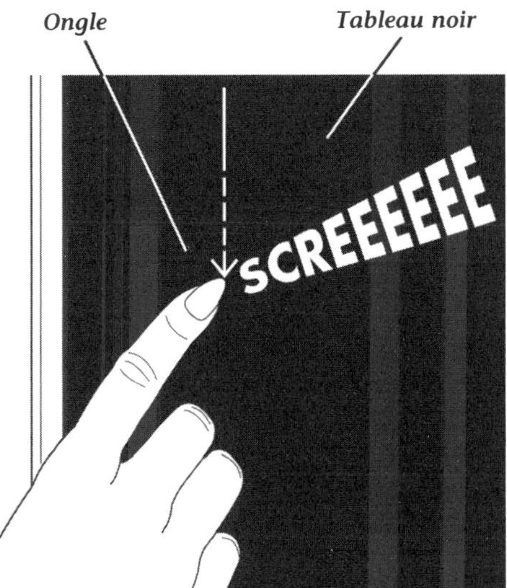

Les chercheurs Lynn Halpern, Randy Blake et Jim Hillenbrand de l'Université Northwestern ont étudié la psycho-acoustique des bruits énervants en demandant à 24 adultes volontaires d'écouter des sons divers et de rapporter leurs réactions. Les chercheurs s'y attendaient, presque

N/O

tous les sujets réagirent fortement au bruit des ongles sur un tableau noir. Ils soupçonnèrent également qu'il s'agissait de la portion à hautes fréquences du bruit qui irritait particulièrement les gens. Ils en retirèrent donc la portion à hautes fréquences et firent réécouter la bande audio aux sujets. Mais à leur plus grande surprise, les volontaires trouvaient toujours le son irritant. Fait surprenant, c'est plutôt quand ils en retirèrent la portion à basses fréquences que les personnes purent supporter le bruit sans problèmes.

William Yost, président de l'Institut Parmly pour l'audition à l'Université Loyola, avance que c'est parce que les gens ne reconnaissent plus le son comme étant celui d'ongles sur un tableau qu'ils n'y réagissaient plus, que c'est plutôt l'image mentale de quelqu'un grattant ses ongles sur un tableau qui produit l'inconfort, et non le bruit lui-même.

L'équipe de Northwestern a une explication différente. En comparant les oscillations du bruit des ongles sur un tableau avec celles du cri d'alerte des singes macaques, ils ont découvert qu'elles se ressemblaient d'une façon étonnante. Randy Blake croit donc que « la réaction puissante produite par le bruit d'ongles qui grattent une surface comme celle d'un tableau noir serait un réflexe résiduel légué par nos lointains ancêtres ».

Ordinateur, « @#%$ machine! »

(Voir Améliorations qui rendent les choses pires qu'elles étaient, Courrier électronique indésirable, PowerPoint l'omniprésent, Rage au clavier, Virus informatiques)

Les ordinateurs peuvent nous rendre de mauvaise humeur, de très, très mauvaise humeur. Deux sondages effectués en 1999 ont révélé l'ampleur de ce problème. En Grande-Bretagne, un sondage mené par la firme MORI de Londres pour la compagnie d'ordinateurs Compaq Computers a révélé que 46 pour cent des usagers éprouvaient des frustrations devant leur incompréhension des messages d'erreur qui s'affichent sur l'écran. Vingt et un pour cent affirmèrent qu'ils n'avaient pu respecter des échéances de travaux dans les derniers trois mois à cause de problèmes d'ordinateur. Et 14 pour cent dirent que des problèmes d'ordinateur interrompaient leur travail plus d'une fois par jour. Sur le site Internet de la BBC, un grand nombre d'utilisateurs admirent qu'il leur arrivait de lancer des jurons à leur ordinateur. Entre-temps, la firme américaine Concord Communications, de Marlborough au Massachusetts, révélait que 83 pour cent des responsables de réseaux informatiques avaient rapporté que des utilisateurs s'en prenaient à leur machine, assénant des coups de pied aux ordinateurs, fracassant les écrans et brisant les claviers.

N/O

Pourquoi juronsnous au nez de machines? Pourquoi les frappons-nous et les maltraitons-nous? Les psychologues croient que nous frappons notre ordinateur parce que nous ne pouvons frapper notre patron, nos compagnons de travail, nos clients, le garçon d'ascenseur et ces petits chiens qui aboient tout le temps. En d'autres mots, nous éprouvons des frustrations face aux responsabilités associées à notre travail, et la rage qu'elles provoquent à la longue n'a d'issue que de s'exprimer sur

un objet inanimé. Donald Gibson, un professeur adjoint au Département de comportement organisationnel de l'Université de Yale, blâme la surcharge de responsabilités dont souffrent les employés depuis qu'ils doivent utiliser les ordinateurs. Ces machines conçues pour nous simplifier la vie ont augmenté nos attentes face au travail que nous sommes en mesure d'accomplir en une journée. Du même coup, les compagnies augmentent leurs profits en mettant des employés à la porte. Les employés qui restent pourraient, à la limite, encaisser la surcharge de travail si les ordinateurs fonctionnaient toujours parfaitement. Mais la moindre défaillance informatique entraîne des délais et peut tout bousiller, laissant les employés complètement débordés de travail. Les bulletins de nouvelles ont rapporté plus d'une fois le cas de personnes qui avaient tiré sur leur ordinateur avec une arme à feu.

Si vous sentez que vous allez bientôt avoir une sérieuse prise de bec avec votre ordinateur, voici un bon conseil : ne passez pas votre poing à travers l'écran du moniteur. Comme les télés, ces moniteurs possèdent un tube à vide qui peut exploser. Frappez plutôt sur le clavier. Il est beaucoup plus résistant et moins cher à remplacer.

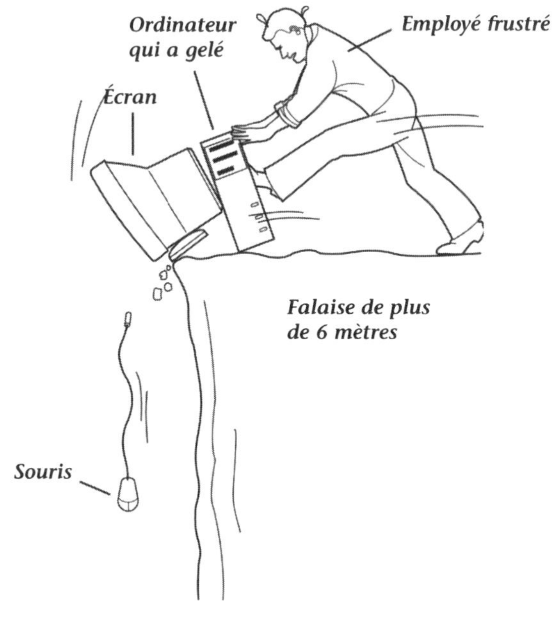

Oreilles qui bouchent en avion

L'avion grimpe jusque dans les nuages. Soudainement, vous avez l'impression qu'on enfouit de l'ouate dans vos oreilles. Le pilote annonce quelques consignes de sécurité, mais vous n'entendez que des sons inintelligibles. Si en plus vous souffrez d'un rhume, vous aurez aussi de la douleur.

Les changements rapides d'altitude vous donnent l'impression d'avoir les oreilles enflées de l'intérieur et, surtout, bloquées. Les savants ont un nom pour ce phénomène, ils l'appellent « aérotite » ou « barotite ». Au niveau de la mer, la pression de l'air à l'intérieur de l'oreille moyenne est sensiblement la même que la pression de l'air autour de votre tête. Cependant, plus vous montez haut, plus la pression de l'air diminue. Ainsi, l'air à plus haute pression situé dans l'oreille moyenne cherche à en sortir par la trompe d'Eustache pour aller dans le nez et la gorge.

N/O

Lorsque l'avion cesse son ascension et vole à une altitude stable, votre corps a enfin l'occasion de remettre les choses à l'ordre. Il laisse s'échapper assez d'air pour que la pression dans l'oreille soit égale à celle de la cabine. Vos oreilles se porteront bien à nouveau... jusqu'à ce que ce soit le temps d'atterrir. Tout le processus se remet en branle, mais à l'inverse, cette fois-ci. Plus l'avion descend, plus la pression de l'air augmente dans la cabine. Maintenant, la pression extérieure est plus grande que la pression à l'intérieur de l'oreille. L'air essaie donc de se forcer un chemin de retour par la trompe d'Eustache. Si l'air rencontre un obstacle, disons, parce que vous avez un rhume qui a irrité le petit tube qui constitue la trompe d'Eustache et l'a obstrué temporairement, vous ressentirez probablement de la douleur. Pour éviter l'aérotite en ascension, il suffit d'égaliser la pression d'air en avalant. Cela ouvrira la trompe d'Eustache et facilitera l'expulsion de l'air. C'est pourquoi il est suggéré de mâcher de la gomme en avion. Boire de l'eau à petites gorgées

ou manger une friandise aura le même effet. Le magazine *Prevention* suggère, dans le cas où ces techniques ne marcheraient pas, d'avaler votre salive tout en pinçant votre nez bouché. Cela crée un vacuum qui égalisera la pression.

Prevention suggère aussi de souffler doucement de l'air par vos narines, lorsque vous redescendez, tout en tenant votre nez bouché. Cette technique a même un nom, la manœuvre Valsalva. Celle-ci forcera l'air à se rendre jusque dans l'oreille moyenne.

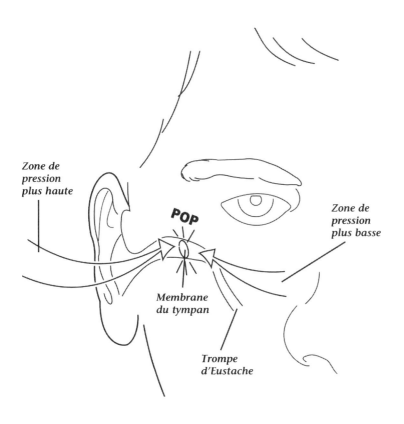

DE

PAPIER D'ALUMINIUM SUR DES PLOMBAGES

À

PUCES

Papier d'aluminium sur des plombages

C'est l'heure du repas au bureau. Vous vous assoyez et vous déballez soigneusement un sandwich au jambon enveloppé dans du papier d'aluminium. À votre insu, un petit morceau de papier d'aluminium est demeuré dans le sandwich. Vous prenez une bouchée et le petit bout d'aluminium se retrouve coincé entre deux dents, où se trouve du plombage. Une douleur aiguë vous tenaille les dents, comme si un dentiste sadique tentait de vous inculquer, par conditionnement, une révulsion pavlovienne pour le sandwich au jambon sur pain blanc. La douleur que vous ressentez est littéralement un choc électrique.

Les plombages sont faits de mercure combiné avec de l'étain ou à de l'argent. Quand du papier d'aluminium entre en contact avec un plombage, l'aluminium tient lieu d'anode, tandis que le plombage joue

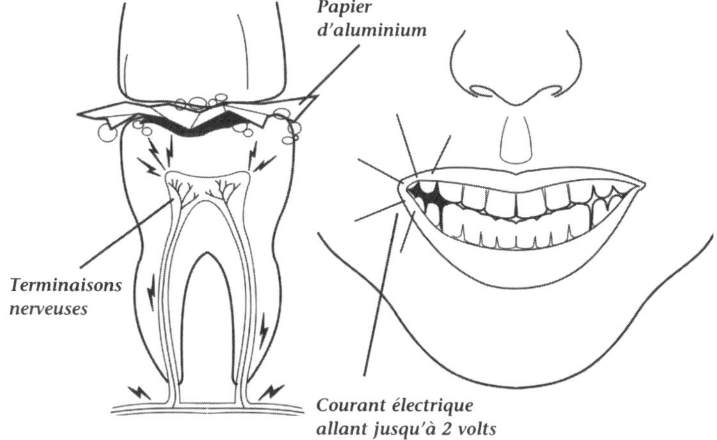

le rôle de cathode. Votre salive, un milieu salé, devient alors un électrolyte. Le tout forme une pile galvanique qui relâche dans votre bouche un courant électrique d'environ deux volts. Croyez-le ou non, il existe au moins un scientifique qui affirme qu'il est bon pour vous de mâcher du papier d'aluminium. Selon le *Wireless Flash News Service*, le savant Miklos Gombkoto de l'Université hongroise de dentisterie à Gyor effectua une étude au cours de laquelle 20 collégiens hongrois (qui étaient probablement sans le sou !) acceptèrent de mâcher du papier d'aluminium pendant 30 secondes, trois fois par jour pendant un mois, moyennant une rétribution de 75 dollars. Gombkoto écrivit dans son rapport que les décharges électriques avaient aidé à tuer les microbes de la bouche qui causent la mauvaise haleine et la carie dentaire. Sentez-vous libre d'en faire l'essai vous-même !

Parfums entêtants

(Voir Invasion de l'espace vital personnel)

Votre collègue est intelligente, a un bon sens de la repartie et a une belle personnalité, mais il vous est impossible de vous approcher d'elle. Les litres d'eau de Cologne dans lesquels elle semble se baigner vous font éternuer, couler les yeux et constituent, en somme, une offense à votre nez. Pour elle, il s'agit d'un parfum, mais pour vous, ce n'est qu'une odeur.

Vous considérez les excès olfactifs de votre collègue de travail comme une invasion de votre espace vital personnel. Nous allouons mentalement à une personne trois mètres d'espace dans un endroit public. Si sa fragrance exsude au-delà de cette ligne imaginaire, cette personne se retrouve dans votre espace. Aux États-Unis, de plus en plus de personnes au nez sensible se vengent en faisant adopter des politiques bannissant l'usage de parfums et de désodorisants parfumés. Ces politiques sont plus particulièrement fréquentes dans les écoles et les universités. Les partisans de zones sans parfum expliquent que non seulement ces odeurs sont envahissantes, mais qu'elles peuvent aussi s'avérer dangereuses pour les personnes souffrant de sensibilité extrême aux éléments chimiques (SEEC). Les victimes de ces troubles, dont le système immunitaire est devenu surchargé par les différents produits chimiques que l'on retrouve dans l'environnement, réagissent maintenant de façon excessive.

Mais la SEEC porte à controverse. Alors que certains médecins se spécialisent dans le traitement de cette affection, d'autres maintiennent que la SEEC est d'origine psychosomatique, ou encore que cela n'existe pas du tout. L'Association médicale américaine, l'Académie américaine pour les allergies et l'immunologie, le Conseil de la Société internationale pour la réglementation en matière de toxicologie et de

pharmacologie ainsi que le Collège américain des médecins ne reconnaissent pas cette maladie.

Le problème que posent ces zones sans parfum est qu'elles bannissent tous les types d'odeur, au lieu de cibler les émanations de produits chimiques elles-mêmes, ce qui appuie la thèse selon laquelle il s'agit d'une question d'invasion d'espace personnel bien plus qu'une question de réactions allergiques. Vous percevez une odeur lorsque votre nez détecte des traces de produits chimiques dans l'air et qu'il relaye l'information au cerveau. En retour, le cerveau vous informe si l'odeur est plaisante ou non. La puissance de l'odeur ne correspond pas nécessairement à la dangerosité du produit. Le gaz naturel est sans odeur, tandis que la pelouse fraîchement coupée est très aromatique.

L'industrie du parfum, dont le chiffre d'affaires est de 42 milliards de dollars par année, produit annuellement plus de 100 nouvelles fragrances, dont la plus simple contient jusqu'à une centaine d'ingrédients différents. Des parfums plus complexes – et plus chers – peuvent en contenir plusieurs centaines. On estime qu'il existe au monde entre 5 000 et 6 000 fragrances produites commercialement.

Plusieurs membres de groupes de défense de l'environnement ont des griefs très précis : ils demandent que seuls les parfums faits de produits chimiques synthétiques soient bannis. Certains ingrédients de ces parfums, soutiennent-ils, sont toxiques et peuvent causer le cancer.

Mis à part les raisons touchant la santé, il en existe d'autres, très valables aussi, qui peuvent vous pousser à détester un parfum en particulier et qui peuvent expliquer pourquoi vous y réagissez si fortement. Les nerfs sensoriels du nez sont connectés au lobe temporal du cerveau où la mémoire est emmagasinée, et sont étroitement associés au système limbique, lequel est responsable des impulsions les plus fondamentales tels le sexe, la peur et l'appétit. Quoi que vous ressentiez lorsque vous humez ce parfum, les émotions seront puissantes.

P

En fait, des savants ont récemment découvert qu'une partie des informations que nous recevons par le nez ne sont pas reconnues par le cerveau comme étant des odeurs mais sont plutôt converties directement en émotions. Des chercheurs à l'Université de l'Utah ont découvert l'organe verméronasal chez l'humain, une paire de petites fosses dans les narines qui avertissent le cerveau lorsqu'elles détectent certaines substances. Les sujets des expériences de ces chercheurs ont respiré des odeurs qu'ils n'étaient pas conscients de détecter; leur organe

verméronasal émettait toutefois un signal et ces sujets ont témoigné d'un sentiment de bien-être. Donc, lorsque vous sentez certains parfums, il est fort probable que vous réagissiez à un niveau dont il vous est impossible d'être conscient.

Les savants ne croient plus qu'il existe une phéromone humaine unique qui soit responsable de l'attraction des membres du sexe opposé. Néanmoins, les odeurs semblent jouer un rôle beaucoup plus prédominant que nous le pensions quand il s'agit d'attirer quelqu'un. Cela n'a rien à voir avec les hormones sexuelles mais plutôt avec le système immunitaire. Lorsque le corps subit l'invasion d'un corps étranger (un virus, une bactérie, une transplantation d'organe), le système immunitaire y attachera des protéines afin de l'identifier comme agresseur et formulera des anticorps spécifiquement conçus pour l'attaquer. Un segment de notre ADN, le complexe d'histocompatibilité majeur (CHM), se « rappellera » cette information ainsi que les codes s'y rattachant.

Distance moyenne jusqu'où l'odeur d'un parfum se répand

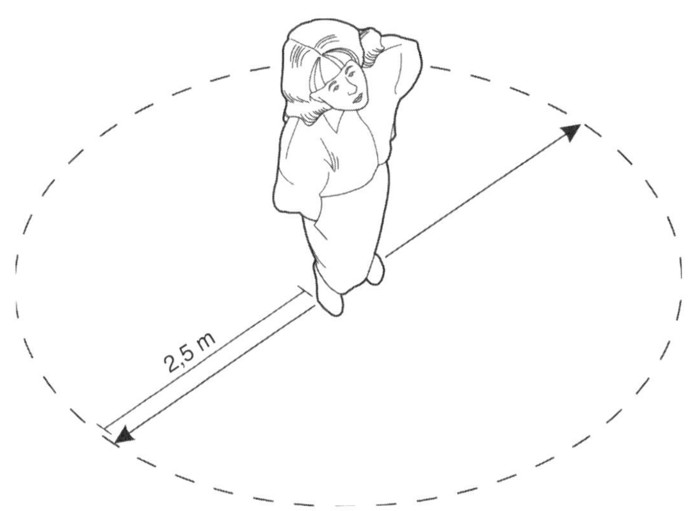

P

Les chercheurs ont observé que les femmes préféraient l'odeur des hommes ayant un profil de CHM différent du leur à celle des hommes avec un profil CHM semblable au leur. Ils émirent l'hypothèse que, en fait, nous « sentons » nos partenaires potentiels, et ceci afin de détecter ceux dont le système de défense est différent du nôtre, de façon à produire des enfants qui seront plus forts et plus résistants aux maladies. Une recherche effectuée par les écologistes évolutifs Manfred Millinsky et Claus Wedekind a démontré que les personnes ayant un profil CHM similaire préféraient les mêmes parfums pour leur usage personnel, mais détestaient l'idée que leur partenaire porte ces mêmes fragrances. Les deux chercheurs en conclurent que les gens font la sélection d'un parfum parce que celui-ci amplifie les signaux naturels émis par leur système immunitaire. Ils amplifient donc leur odeur naturelle. Si vous n'aimez pas le parfum de votre collègue de travail, vous pouvez toujours en blâmer l'évolution.

Pellicules

(Voir *Poussière sur l'ordinateur*)

Vous vous grattez la tête. Cela pourrait indiquer aux autres que vous avez des pellicules. À moins que votre problème ne soit trahi par le fait que vos épaules ont l'air de pentes de ski ou encore parce que vous commencez à être chauve par endroits à force de vous gratter la tête...

Avoir des pellicules est un phénomène très répandu. De 60 à 70 millions d'Américains en ont. Certains dermatologues avancent qu'elles sont causées par un déséquilibre de l'écosystème de ces petites créatures qui habitent votre corps. Votre cuir chevelu est la demeure d'un organisme ressemblant à la levure et qui s'appelle Pityrorosporum ovale (ou P. ovale). Le climat, les hormones et d'autres facteurs peuvent contribuer à rendre plus fertile son environnement. La peau de certaines personnes réagit outre mesure à la présence de P. ovale. Leur système immunitaire réagit en produisant un très grand nombre de cellules de peau, qui se renouvellent alors 10 fois plus vite que la normale. Certains savants, par contre, croient plutôt que c'est la présence accrue des P. ovales elle-même qui est la cause principale des pellicules.

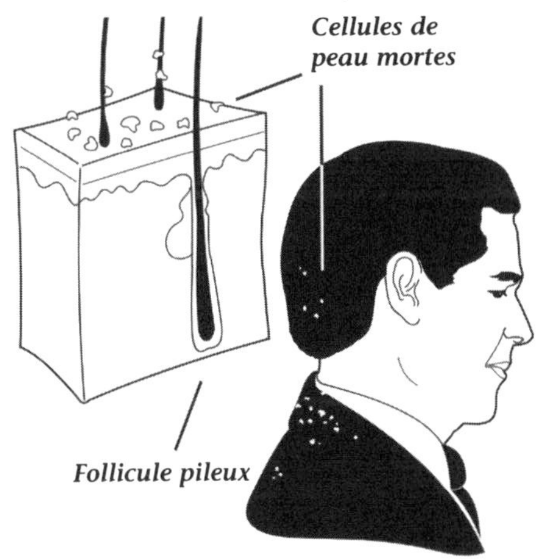

Quelle que soit la cause des pellicules, il reste que plus il y a de cellules de peau, plus vous muez. Vous laissez

P

tomber environ 400 000 petites particules de peau chaque minute, mais les cellules de peau qui tombent de parties de votre anatomie autres que votre tête sont si minuscules que nous les apercevons seulement lorsqu'elles se retrouvent sur l'écran de notre ordinateur sous forme de poussière. Votre cuir chevelu produit plus d'huile que les autres parties de votre corps. Cette huile retient ensemble les particules de peau, ce qui forme des flocons.

Le Groupe de recherches et de sondages ICR de Pennsylvanie a interrogé récemment 700 personnes qui avaient des pellicules : 21 pour cent d'entre elles avouèrent qu'elles préféraient avoir un mal de tête plutôt que d'avoir des pellicules ; 17 pour cent choisiraient les brûlures d'estomac plutôt que des pellicules ; 10 pour cent aimeraient mieux une crise d'allergie ; et 9 pour cent échangeraient pellicules contre pied d'athlète.

Si vous n'avez pas beaucoup de pellicules, vous êtes peut-être affecté par le problème tout autant, et ce, en raison des annonces publicitaires télévisées qui cherchent à vous faire croire que vous devez être parfait. La moitié des personnes interrogées avouèrent qu'elles étaient complexées à cause de leurs pellicules. Et il appert que les hommes le sont plus que les femmes : 58 pour cent des hommes étaient autant préoccupés par ce que les autres pensaient d'eux que par le problème des pellicules lui-même. Chez les femmes, ce taux descend à 48 pour cent.

Si vous êtes préoccupé par l'allure enneigée de vos épaules, vous serez soulagé d'apprendre que les shampooings pour pellicules sont efficaces. En fait, une étude récente a démontré que les shampooings pour pellicules les plus populaires étaient aussi efficaces que les shampooings qu'on ne peut se procurer que par une ordonnance du médecin. (Il s'agit d'une très bonne nouvelle, puisque cela veut dire que tous les produits populaires sont probablement aussi bons que n'importe quoi d'autre ; c'est aussi une mauvaise nouvelle parce que cela veut dire que, si le shampooing Head & Shoulders ne vous a pas débarrassé de vos pellicules, il n'existe rien d'autre qui puisse le faire.) Les ingrédients principaux des shampooings pour pellicules sont le pyrithione de zinc, le sulfate de sélénium, l'acide salicylique et le goudron de charbon. Leurs ingrédients actifs sont soit cytostatiques (c'est-à-dire qu'ils retardent la croissance des cellules), soit kératolitiques (c'est-à-dire qu'ils facilitent l'enlèvement des couches superflues de cellules). Il existe enfin de nouveaux shampooings pour pellicules (comme Nizirol A-D) qui utilisent un ingrédient antifongique, le kétokonazole, qui tue le P. ovale.

Phalanges qui craquent

Si vous avez un ami ou un compagnon de travail qui a l'habitude de se faire craquer les jointures, vous aimeriez probablement que je vous dise que cela peut causer le cancer ou le SIDA, que cela endommage la couche d'ozone ou peut provoquer un conflit nucléaire. N'importe quoi, pourvu que cela incite cette personne à ARRÊTER de le faire. Désolée, je ne puis vous aider.

Ce qui se passe dans la main d'une personne qui se fait craquer les jointures peut sans doute endommager vos nerfs, mais pas ses jointures. Chaque jointure est entourée d'un liquide qui remplit l'espace entre les os. Des ligaments enrobent le tout et maintiennent les joints en place. Lorsque vous appliquez une pression sur vos doigts, la pression diminue entre les os et le ligament se trouve attiré par le vide qui en résulte. Au même moment, un gaz se fait expulser d'entre les jointures et une bulle se forme. Cette bulle vient maintenant occuper l'espace entre les deux os, forçant le ligament à reprendre sa place tout en émettant ce petit craquement familier qui vous agace...

Contrairement à la croyance populaire, l'habitude de se faire craquer les jointures ne cause pas d'arthrite ni ne déforme les doigts. Comme l'a expliqué le docteur Dave Hnida à l'émission *This Morning* de CBS, « le plus gros problème relié aux craquements de doigts est sans doute le fait que ça agace les autres ». S'il vous faut absolument une explication qui vous permettrait de dissuader cet ami de faire craquer ses jointures, sachez qu'une étude a quand même prouvé que des gens qui s'étaient fait craquer les jointures pendant plus de 35 ans présentaient de légères enflures entre les os et qu'ils avaient une poigne plus faible que les individus qui ne se font pas craquer les jointures. Les médecins recommandent que, si vous avez l'habitude de faire craquer vos jointures, vous preniez plutôt l'habitude de presser une balle de tennis entre vos doigts, ce qui les renforcera au lieu de les affaiblir.

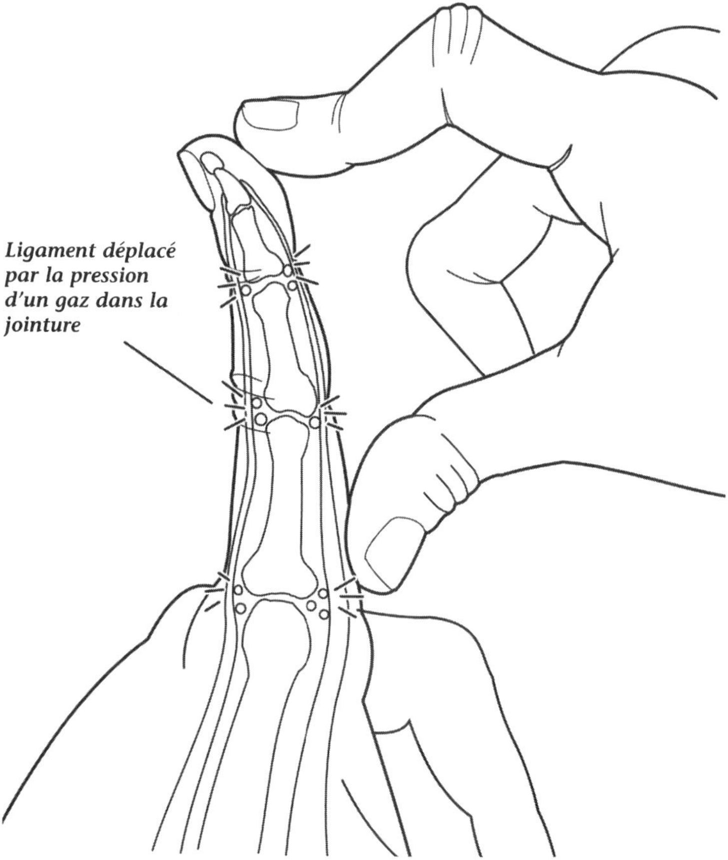

Ligament déplacé par la pression d'un gaz dans la jointure

Pointeurs laser

(Voir Améliorations qui rendent les choses pires qu'elles étaient, PowerPoint l'omniprésent)

On les a surnommés les « tire-pois des années 90 », ces petits pointeurs laser dont les enfants adorent se servir pour projeter de minuscules points rouges sur le dos des professeurs, sur les écrans de cinéma, sur la scène de concerts rock et sur leurs amis. Paul Stanley du groupe Kiss avait des mots plus durs pour ceux qui pointent leur laser sur les musiciens lors de performances. « Si un de ces @#$% a le courage de venir jusque sur la scène, je lui ferai un examen que seuls les proctologues ont l'habitude de faire ! »

Ces pointeurs laser ont été mis sur le marché afin d'être utilisés par les cadres de compagnies qui désiraient quelque chose de plus impressionnant qu'un bâton pour pointer leurs graphiques lors de conférences. À l'origine, ils coûtaient entre 80 et 100 dollars, ce qui les gardait hors de portée de la plupart des adolescents.

Faisceau d'un pointeur laser pouvant émettre jusqu'à 500 mètres de distance

P

Mais dans les années 90, leur prix baissa pour atteindre aussi peu que 9 dollars. Ils étaient maintenant accessibles à tous ceux qui voulaient se payer soit une joute de chat perché, version laser, dans la cour arrière, soit une partie de « rendons le chat complètement dingue » ou, encore, jouer à « qui pointe ce @#$% de laser sur moi ?! »

Le mince faisceau de lumière rouge qui en émane peut se rendre jusqu'à un demi-kilomètre, ce qui rend difficile l'identification de celui qui le projette. « Les enfants les adorent parce qu'ils peuvent servir à ennuyer les gens », a confié Gus Rogers, propriétaire d'un magasin à prix unique, au magazine *Christian Science Monitor*. Et les gens sont effectivement ennuyés. Prenez ce propriétaire de cinéma à Elcamp, au Texas, qui dut interrompre la présentation d'un film parce qu'il y avait trop de points rouges sur l'écran. Et que dire de ce chauffeur d'autobus du New Jersey qui perdit le contrôle de son engin après avoir été momentanément aveuglé par un faisceau laser pointé dans son rétroviseur ? L'autobus, qui contenait 27 passagers, a failli heurter un poteau.

Selon le *Christian Science Monitor*, « pointer » les policiers est devenu une distraction populaire dans plusieurs régions. Les policiers avouent qu'il leur est impossible de savoir s'il s'agit d'un adolescent qui joue un tour ou d'un dangereux criminel qui pointe sur eux une arme à feu munie d'une mire au laser. Les ophtalmologistes nous préviennent qu'il peut être dangereux pour la vision de recevoir un faisceau laser dans un œil, comme de jeunes personnes l'ont appris lors d'incidents qui ont fait les manchettes.

Les amateurs de pointeurs laser affirment que les dangers pour la santé ont été exagérés et que le faisceau de 5 milliwatts ne représente qu'un risque très minime. Ils disent que les cas où des blessures aux yeux ont été subies résultaient d'une utilisation négligente des pointeurs – comme braquer le faisceau dans l'œil pour voir si la pupille réagirait, par exemple.

Quoi qu'il en soit, plusieurs municipalités ont maintenant interdit la vente de pointeurs laser aux personnes d'âge mineur. En quelques endroits, leur vente est tout simplement interdite à tous. En 1997, le gouvernement britannique a invoqué les risques pour la santé afin d'ordonner aux magasins de cesser la vente de pointeurs ayant une puissance de plus de 1 milliwatt, à moins qu'ils ne soient vendus à des opérateurs qualifiés.

Ceux qui font le commerce de ces pointeurs disent que la mode du point rouge cessera d'elle-même et qu'il n'est pas nécessaire de légiférer sur le sujet. S'ils ont raison, attendez-vous à retrouver d'ici peu plusieurs de ces pointeurs dans les ventes de garage et les bazars, tout comme ce fut le cas des cubes Rubik.

Poussière sur l'ordinateur

(Voir Pellicules)

Comment se fait-il qu'en dépit des essuyages répétés de votre écran d'ordinateur, vous regardiez encore ce fichu document à travers un halo de poussière?

Sur le plan scientifique, il n'existe pas de molécule de poussière proprement dite. La poussière peut-être constituée d'à peu près n'importe quoi, pour autant que les particules soient assez minuscules pour être emportées dans l'air, ce qui veut dire moins de un dizième de l'épaisseur d'un cheveu humain. La poussière est partout. Elle se dépose sur toutes les surfaces de tous les endroits de la planète.

Joseph Prospero, professeur de chimie atmosphérique à l'Université de Miami, a étudié la poussière pendant plus de 30 ans. Ses découvertes vous feront peut-être voir dorénavant la poussière d'un autre œil.

La poussière de l'extérieur est ordinairement constituée de particules rocheuses qui se retrouvent suspendues dans l'air après qu'elles ont été érodées des montagnes par l'eau et le vent. Monsieur Prospero a découvert que la poussière rougeâtre suspendue dans l'air de plusieurs États de la côte est des États-Unis vient d'aussi loin que l'Afrique. Les Bermudes ne posséderaient pas de couche de terre arable si ce n'était du souffle poussiéreux en provenance de l'Afrique. Il y a même de la poussière en provenance de l'espace sur Terre. Celle-ci est déposée dans notre atmosphère par les comètes et puis attirée vers le bas par la gravité.

La poussière que l'on retrouve à l'intérieur, ça, c'est autre chose. Une petite quantité nous vient, bien sûr, de l'extérieur, mais la plus grande partie est créée à l'intérieur même. Il s'accumule environ 20 kilos de poussière chaque année dans une maison. Et comme vous le savez déjà, peut-être, celle-ci est en majorité constituée de cellules de votre

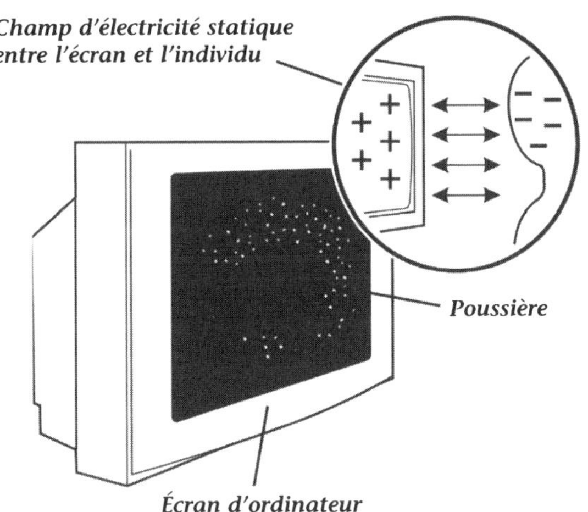

propre peau. Selon Armin Clobes, chimiste et spécialiste de la poussière, un humain laisse tomber à peu près 400 000 particules de peau par minute. Clobes est un chercheur réputé qui travaille pour la société SC Johnson Wax. Il utilise des microscopes électroniques et des lasers pour analyser le contenu de la poussière de domiciles. La poussière de notre maison est un reflet microscopique de tout ce que nous avons à l'intérieur : fibres de tapis, particules de nourriture, restes d'objets que le chien a défaits, mousse de vêtements, insectes morts désagrégés, cheveux...

Dans certaines conditions propices, la poussière peut même produire de la poussière. S'il y a assez d'humidité dans l'air ambiant, les bactéries et les moisissures se multiplient dans les amas de poussière et créent leur propre nuage de poussière. C'est assez pour que la femme de ménage quitte son emploi. Quoi qu'il en soit, il est important de minimiser l'accumulation de poussière à la maison. Celle-ci risque de procurer de la nourriture à toutes sortes de petites créatures dont les excréments peuvent provoquer des réactions allergiques.

Les appareils électroniques tels les téléviseurs, ordinateurs et stéréos ont en eux un courant électrique qui génère un champ d'énergie statique. Puisque les particules de poussière sont électriquement chargées, elles s'attacheront facilement à des surfaces qui détiennent une charge électrique. (Parfois, elles s'attachent aussi les unes aux autres

pour former des moutons de poussière.) Une particule de poussière pourrait tout simplement tomber, disons, d'une table, mais demeurera attachée à la surface où elle se trouve si cette surface est électriquement chargée.

Selon le magazine *Electronic Design*, les trajectoires de particules de poussière électriquement chargées sont influencées par les champs électriques qui se forment entre un écran d'ordinateur ou de téléviseur et une personne. Ainsi, la couche de poussière que vous voyez s'accumuler sur l'écran pourrait aussi bien s'accumuler sur votre visage. Cependant, lorsque vous quittez la proximité de l'appareil, le champ électrique est rompu et une partie de la poussière retombe. Quant à votre visage, vous le lavez plus souvent que vous nettoyez l'écran de l'ordinateur, n'est-ce pas?

PowerPoint l'omniprésent

(Voir Améliorations qui rendent les choses pires qu'elles étaient, Ordinateurs, « @#%$ machine »)

Bien. Bon après-midi tout le monde. Donnez-moi juste un moment, le temps de brancher mon portable. Bon, ça y est.

ARTICLE SUR LES DÉSAGRÉMENTS DUS À POWERPOINT

Par : Laura Lee

Bon après-midi. Oh ! J'ai déjà dit ça, je crois. Quoi qu'il en soit, si je suis venue ici aujourd'hui, c'est pour vous parler de l'omniprésence de PowerPoint, du fait que les États-Unis sont devenus dépendants de ce logiciel de présentation et de communication pour les affaires.

POURQUOI RETROUVE-T-ON POWERPOINT PARTOUT ?

- Listes à puces et version multimodale des communications et de l'apprentissage
- Historique de PowerPoint
- Ubiquité des logiciels Microsoft

- Listes à puces et répétition :

Les créateurs de PowerPoint n'ont certainement pas inventé la méthode de présentation utilisant le langage répétitif et les listes à puces, ni les diapositives en couleurs qui les accompagnent. Nous devons remercier les chercheurs des années 60 et 70 pour cela. Ceux-ci ont cherché la méthode de présentation qui permettait le plus haut taux de retenue de la part des auditeurs. Ils en sont venus à la conclusion que la méthode d'enseignement la plus efficace était de donner au préalable un aperçu de ce que l'on se proposait de dire par la suite. Donc, poser une question à laquelle on se propose soi-même de répondre et présenter l'information le plus brièvement possible pour ensuite revenir sur chacun des points soulevés. Bien sûr, l'effet est décuplé si l'on utilise un soutien visuel et des graphiques de toutes sortes.

P

Ces recherches donnèrent lieu aux manuels illustrés d'aujourd'hui comprenant un résumé et des questions de révision. Elles posèrent aussi les fondements du logiciel PowerPoint.

- Historique de PowerPoint :

En 1985, la compagnie Forethought créa PowerPoint pour la division Macintosh de Apple. Deux ans plus tard, Microsoft achetait ladite compagnie au prix de 14 millions de dollars. Et, à partir de 1994, PowerPoint devint le logiciel de présentation le plus utilisé.

QU'Y A-T-IL DE SI DÉSAGRÉABLE À UTILISER POWERPOINT ?

- Trop d'une bonne chose
- La dépendance
- Le manque de créativité, de finesse

Les désagréments
dus à Power Point
Pourquoi retrouve-t-on PowerPoint partout ?
Qu'y a-t-il de si désagréable à utiliser PowerPoint ?

- Trop d'une bonne chose :

La raison pour laquelle les diapositives furent si populaires dans le passé était leur relative rareté, ce qui leur donnait un caractère de nouveauté suffisant pour ravir l'attention des spectateurs. Du temps où les diapositives étaient un luxe, l'on tenait pour acquis qu'elles devaient contenir de l'information importante. Aujourd'hui, même les « diapositives » numérisées en couleurs ne font souvent guère plus qu'orner des en-têtes. Quand les présentations finissent par prendre un air de déjà-vu, elles attirent beaucoup moins l'attention.

- La dépendance :

PowerPoint devient un outil tout à fait ennuyant lorsque l'utilisateur en perd l'habileté de présenter ses idées sans ce support. L'entrepreneur spécialiste des investissements à risques Steve Jurvetson déclara ceci au journal *USA Today* : « J'ai vu de ces gens qui étaient devenus

P

tellement amorphes mentalement qu'ils pouvaient à peine écrire une simple liste à puces. »

- Le manque de créativité, de finesse :

Le résultat, de dire plusieurs critiques de PowerPoint, est la perte de la faculté de s'exprimer oralement. Peter Norvig du Centre de recherches Aimes de la NASA a illustré ce problème en convertissant un célèbre discours d'Abraham Lincoln en format PowerPoint et en l'affichant sur Internet. « J'ai sélectionné PowerPoint sur mon ordinateur et j'ai laissé le soin à un "Assistant sommaire automatique" de m'aider à créer une toute nouvelle présentation. Ensuite, j'ai sélectionné le guide-gabarit « Réunion en ligne » où j'ai pensé faire preuve d'un peu de créativité en composant de mauvaises illustrations que j'ajoutai ici et là. Je fus très surpris de constater que l'Assistant sommaire automatique avait si bien anticipé mes désirs que je n'eus à faire que très peu d'ajustements à la présentation. » Si vous voulez jeter un coup d'œil à cette célèbre pièce d'art oratoire réduite à si peu par la technologie PowerPoint, rendez-vous sur le site http ://www.norvig.com/Gettysburg/sld001.htm.

En conclusion... Oh ! Je crois que mon portable s'est éteint spontanément...

Publicités tonitruantes

(Voir Chanson-poison, Messages publicitaires exaspérants, Vacarme)

Il est deux heures du matin. Vous êtes en pyjamas et vous regardez une reprise de l'émission *Drôles de dames*. Vous ne voulez surtout pas réveiller vos voisins de l'appartement d'à côté, mais vos murs, évidemment, sont faits d'une matière à peine plus insonorisante que du carton. L'une des dames de l'émission vient tout juste de recevoir ses instructions du chef, Charlie, quand, tout à coup, le volume de la télé monte violemment : « HÉ HÉ, LES AMIS, ICI ÉDOUARD LE CINGLÉ, ET MES RABAIS SUR TOUS LES APPAREILS MÉNAGERS SONT LES PLUS FOUS EN VILLE ! » Vous plongez alors par-dessus la table à café pour attraper le bouton du volume ; ce faisant, vous trébuchez, vous brisez un vase précieux et vous vous cognez la tête sur le plancher lorsque votre corps s'écrase de tout son long. Vous pouvez à peine y croire.

En fait, vous avez probablement exécuté ce saut périlleux pour rien. Vos sens semblent vous indiquer que le volume est plus élevé lorsque les annonceurs passent leurs commerciaux, mais il est probable que vos sens vous jouent des tours. Les fréquences et le volume des émissions diffusées ne relèvent pas simplement des diffuseurs et sont réglementés. Aux États-Unis, c'est la Commission fédérale pour les communications (CFC) qui fixe le taux de décibels maximal.

P

Vous n'êtes pas seul à croire que le volume sonore des publicités est plus élevé. La CFC reçoit sans cesse des plaintes à ce sujet. En 1997, par exemple, 275 personnes s'en sont plaintes... La Commission avait déjà étudié la question en 1984 et avait conclu qu'elle ne pouvait rien faire au sujet de « l'apparente hausse de volume lors de commerciaux ».

Deux raisons expliquent ce phénomène. Premièrement, le seul fait que vous n'aimiez pas les publicités leur confère cette qualité vociférante.

Les bruits qu'on n'aime pas semblent toujours plus forts que les autres. Deuxièmement, les annonceurs se servent des limites légales d'une façon différente de celle des producteurs des émissions régulières. Pendant un film, un téléroman ou un bulletin de nouvelles, le volume monte et descend. Une scène d'amour passera par vos haut-parleurs à un niveau sonore autre que celui d'une fusillade. Pour des raisons financières, les annonceurs ne peuvent pas se permettre d'être aussi subtils ; chacune des répliques et chacun des sons vont donc être diffusés au volume maximal permis.

« Imaginez que la trame sonore soit une tasse », a confié David Perry, de l'Association américaine des agences de publicité, à l'*Associated Press.* « La CFC établit les dimensions de la tasse, mais c'est nous qui décidons à quel point nous la remplirons. Les émissions ordinaires vous servent du café, alors que nous avons tendance à vous servir de la purée de pois. »

Les manufacturiers de téléviseurs tentent de régler le problème en installant une sorte d'égalisateur automatique de volume à l'intérieur de leurs appareils. Ces systèmes sont conçus de façon à harmoniser le volume d'une émission à l'autre, d'une station à l'autre et à rapprocher le volume des annonces publicitaires de celui des émissions régulières.

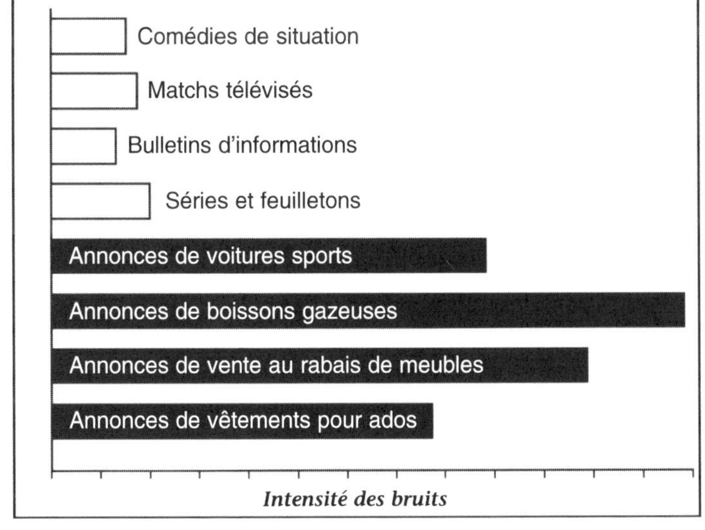

P

Puces

(Voir Blattes, Fourmis, Moucherons, Mouches, Moustiques)

Les ennemis de Fido se retrouvent partout dans votre maison. Le chien se gratte au point de s'en arracher le poil. Vous marchez sur le tapis et de petits insectes vous sautent sur les chevilles. Avez-vous besoin de plus de raisons pour détester les puces ? Alors, voyez maintenant ceci : au Moyen Âge, les ancêtres des puces actuelles tuèrent un quart de la population d'Europe en propageant le bacille de la peste bubonique…

Il existe environ 1 600 espèces de puces dans le monde. L'entomologiste légiste John W. Maunder a affirmé un jour qu'il avait la preuve que nous assistons présentement à une « vaste épidémie de puces » en Europe de l'Ouest et aux États-Unis. L'ensemble de toutes les puces du monde pèsent probablement plus que celui de tous les humains. Depuis 1991-1992, les demandes d'extermination de puces ont augmenté de 70 pour cent. Si votre chat a des puces, il se peut qu'il n'y en ait qu'une douzaine sur l'animal lui-même. Plus de 10 000 autres sont probablement cachées dans le tapis, attendant qu'un hôte à sang chaud passe par là pour lui sauter dessus.

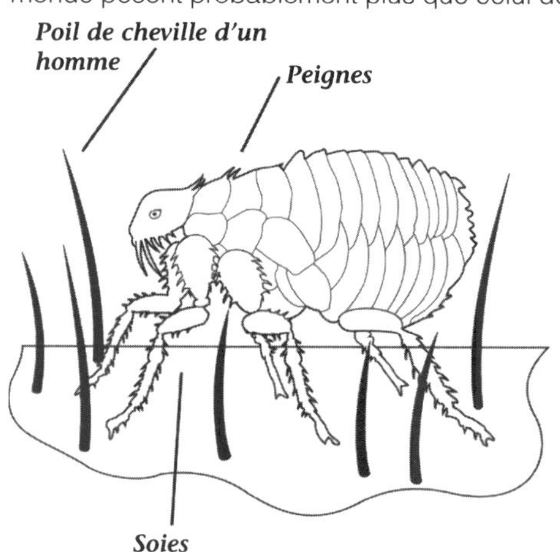

Les puces sont de minuscules insectes

sans ailes qui aiment le sang. Leur corps est fortifié par une armure d'épines recouvrant la bouche et le dos que l'on appelle peignes. Jadis, les entomologistes croyaient que ces peignes permettaient à la puce de se mouvoir à travers fourrures et plumes. Maintenant, ils croient que ce sont plutôt les soies de leurs pattes qui les aident à avancer, tandis que les peignes les rendent difficiles à retirer du poil de Fido. Si vous avez déjà tenté l'expérience, vous savez combien les puces semblent indélogeables. Leur tête dure et pointue en font un insecte fouisseur par excellence, et leurs pièces buccales leur permettent de percer la peau et de sucer le sang.

Elles peuvent mesurer environ de un millimètre à un centimètre de longueur, mais ne vous leurrez pas sur leur modeste taille, car elles sont très fortes. En effet, si vous désiriez égaler les performances d'une puce, il vous faudrait sauter d'un seul bond par-dessus un édifice de 25 étages, jusqu'à 30 000 reprises! (Pour les hommes, disons que, si vous étiez « monté comme une puce », vous posséderiez non pas un mais deux pénis...)

Certaines puces font les difficiles en matière de nourriture, car elles peuvent avoir une prédilection pour une espèce particulière. Mais, faute de pouvoir sucer le sang de leur animal favori, elles ne se gêneront pas pour faire bombance sur une autre créature. C'est le cas des puces de Minou, par exemple, qui s'empresseront de vous attaquer. Les mammifères favoris des puces sont toutefois les rongeurs. Ainsi, ces insectes adorent les rats, et ce, bien avant les chevaux, les singes, hominiens ou non, ou encore les êtres humains.

Les œufs de puce sont de la taille d'une tête d'épingle. Si votre animal de compagnie est infesté de puces, il est fort probable que vous puissiez apercevoir leurs œufs dans sa fourrure. Une fois les œufs éclos, maman et papa puce nourrissent les larves avec leurs excréments, riches en éléments sanguins. (Bon appétit !) Si les fèces des parents viennent à manquer, les larves se mangent entre elles. Ces larves peuvent faire des cocons et, selon les espèces, y demeurer pendant quelques jours et même plusieurs mois. Elles en émergent alors adultes, prêtes à délester leur future victime de son sang.

Vous n'avez pas de puces à la maison? Vous pouvez toujours en voir au musée. La plus grande collection de puces au monde est conservée au British Museum de Londres. Il existe aussi des collections au Musée national du Canada à Ottawa ainsi qu'au célèbre Smithsonian à Washington.

Q

QU'EST-CE QUE J'ÉTAIS VENU FAIRE ICI ? OU DESTINÉSIE AIGUË

Qu'est-ce que j'étais venu faire ici? ou Destinésie aiguë

(Voir Mot perdu)

Parfois, il semble qu'il existe un champ de force entre votre chambre et le salon. Vous vous levez du sofa, propulsé par le désir d'aller chercher quelque chose. Vous franchissez la porte, et – Pouf! – votre mémoire s'est effacée. Qu'est-ce que je fais dans cette pièce? Je suis pourtant certain que j'étais venu y faire quelque chose...

Non, vous n'êtes pas devenu fou, vous êtes tout simplement à court de mémoire vive (RAM) pour le moment. Votre mémoire à court terme, celle que vous utilisez pour fonctionner dans votre vie de tous les jours, est très semblable à la mémoire vive de votre ordinateur. Elle retient temporairement l'information dont votre conscience a besoin pour accomplir la tâche à laquelle vous vous affairez. Le cerveau doit gérer une grande quantité d'informations. Vous n'êtes jamais conscient d'une grande partie de l'information que vos sens relaient sans cesse au cerveau. Alors que vous lisez cette page, vous ne pensez probablement pas à votre langue. Mais lorsque, pour une raison ou une autre, vous y prêtez attention, vous devenez conscient de la sensation qu'elle produit en se frottant sur la molaire brisée que vous avez du côté gauche.

Cette information est toujours disponible, sauf que le cerveau l'élimine durant le tri qu'il effectue constamment. Plus de 99 pour cent de toute l'information sensorielle qui parvient au cerveau est considérée comme négligeable par celui-ci et n'est pas enregistrée dans votre mémoire à long terme. Certaines données n'ont besoin de rester dans votre conscience qu'assez longtemps pour que vous puissiez agir en

fonction d'elles – pour la décision de vous rendre dans une autre pièce, par exemple.

«La principale loi régissant la mémoire, en ce qui concerne les processus cognitifs, est que, pour arriver à vous rappeler quelque chose – donc l'encoder dans votre cerveau –, vous devez y prêter attention», explique la docteure Sonia Lupien, une neuropsychologue à l'Hôpital Douglas de Montréal qui se spécialise dans l'étude des effets du stress sur la mémoire. «Souvent, lorsque nous "oublions" ces petites choses, il ne s'agit pas vraiment d'oubli. Nous n'avons tout simplement pas encodé l'information.»

Nous n'avons pas l'habitude de nous concentrer sur une seule chose à la fois. Notre attention est constamment partagée. Lorsque vous étiez assis sur le canapé et que vous évoquiez la possibilité de vous lever pour aller dans la chambre, vous pensiez aussi à ce que vous prépareriez pour le repas, vous vous demandiez si les enfants avaient fait leurs devoirs et vous vous rappeliez que votre émission favorite commençait dans 30 minutes.

Sonia Lupien nous dit que, «parce que nous ne pouvons tout emmagasiner dans notre mémoire, nous décidons de ce qui devrait y être encodé ou non. Plus vous faites de choses à la fois, moins vous serez en mesure de sélectionner consciemment l'information à sauvegarder. Lorsque vous êtes arrivé dans la pièce et que vous ne saviez plus pourquoi vous y étiez, c'est tout simplement parce que l'information reliée à cette action n'avait pas été encodée.»

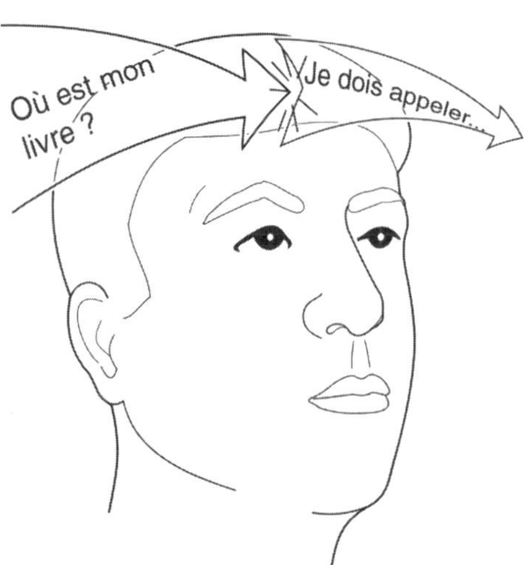

La raison pour laquelle les personnes âgées semblent oublier plus de choses que les plus jeunes est que leurs priorités sont différentes en ce qui concerne la sélection des informations à encoder. Ce qui jadis était important pour elles se retrouve maintenant dans la catégorie « négligeable ».

« S'il était jadis important de vous rappeler où se trouvaient vos lunettes, parce que vous n'aviez que quatre minutes pour les retrouver avant de quitter la maison, inconsciemment, vous vous disiez : "Elles sont ici. Je sais qu'elles sont ici. C'est important." Cependant, maintenant que vous êtes retraité, vous avez tout le temps devant vous. Inconsciemment, vous vous dites que cela n'a plus tellement d'importance que vous trouviez rapidement vos lunettes ou que ça vous prenne 22 secondes. Alors, vous ne tenez plus compte de l'information de la même façon. »

Vous aimeriez vous rappeler pourquoi vous êtes allé dans la chambre ? La prochaine fois, mettez cette information à un rang plus élevé sur votre liste mentale de priorités.

DE

RAGE AU CLAVIER

À

RONFLEMENT

Rage au clavier

(Voir Améliorations qui rendent les choses pires qu'elles étaient, Courrier électronique indésirable, Ordinateur, « @#%$ machine », Virus informatiques)

« Apprends donc à épeler le mot "babillard" avant d'y afficher quoi que ce soit, espèce de @#$% ! » « J'en ai ras le bol des @#%$ comme toi qui font perdre le temps à tous et chacun. » « Donne donc ton @#$% de clavier à quelqu'un dont les pouces s'opposent aux doigts ! »

Si vous avez l'habitude de passer du temps dans les "chats" et les sites de discussion sur Internet, vous avez probablement déjà été l'objet d'un commentaire comme celui-là – personnel, impoli, colérique et tout à fait exagéré par rapport à votre faute. Une simple erreur grammaticale, demander quelque chose qui se trouve sur la Liste des questions les

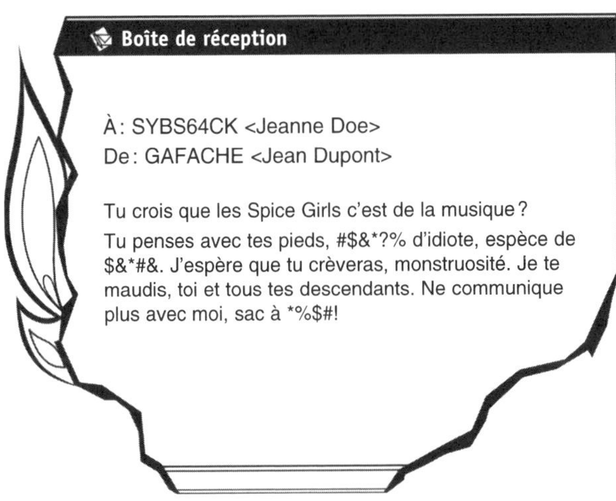
Boîte de réception
À : SYBS64CK <Jeanne Doe>
De : GAFACHE <Jean Dupont>
Tu crois que les Spice Girls c'est de la musique ?
Tu penses avec tes pieds, #$&*?% d'idiote, espèce de $&*#&. J'espère que tu crèveras, monstruosité. Je te maudis, toi et tous tes descendants. Ne communique plus avec moi, sac à *%$#!

R

plus fréquemment posées ou un commentaire très anodin, compte tenu des circonstances et des personnalités impliquées, peut vous mériter une copieuse suite d'injures de toutes sortes. Comment se fait-il que des gens qui sont gentils et polis d'ordinaire deviennent des machines à invectiver une fois sur Internet?

Comme c'est le cas avec toutes les questions se rapportant aux relations humaines, la réponse est complexe et possède plusieurs facettes. Lorsque Jean Lutilisateur rejoint finalement son forum de discussion préféré sur Internet, il est possible qu'il soit déjà de mauvaise humeur à cause de son expérience avec la technologie informatique. Il y a eu les délais requis en attendant d'être branché, les lignes occupées, les déconnexions subites, les ralentissements d'Internet et ces pages Web qui contiennent tellement de fioritures visuelles de toutes sortes qu'elles prennent un temps fou à télécharger. De plus, sa boîte aux lettres électronique contenait peut-être un tas de courriers publicitaires indésirables et deux ou trois messages de rage Internet.

Les recherches en psychologie confirment ce que nous savions déjà: les gens n'agissent pas toujours de façon rationnelle lorsqu'ils sont de mauvaise humeur. Les psychologues l'appellent «état d'affect négatif». Or, Jean, dans son état d'affect négatif, sera porté à tout voir sous une lumière négative.

Utilisant son pseudonyme, 248504325@Compuserve.com, Jean se sent très anonyme. Il se sent aussi libéré des répercussions qu'une discussion face à face pourrait avoir. Même s'il se brouille avec tout le monde, il sait très bien qu'il peut quitter ce groupe en particulier ou se forger un nouveau pseudonyme et tout recommencer à neuf. Cela dit, Jean se soucie en fait beaucoup plus de ce que les autres pensent de lui qu'il ne veut bien se l'admettre.

Jean Lutilisateur passe beaucoup de son temps à un site de discussion intitulé «Musique des années 80» où il règne en maître vu les connaissances qu'il a acquises sur le sujet pendant toutes ces années à regarder MTV. Il arrive sur le site, de mauvaise humeur, pour découvrir que quelqu'un y avait affiché une note qui semble remettre ses connaissances en question. Jean a le sentiment que toute son expérience et même son identité Internet sont menacées. L'auteure de la note, Suzy Fana de Duran Duran, n'avait aucunement l'intention de vexer Jean ou de remettre ses connaissances en question, mais le message dénué d'intonations de voix et d'expressions du visage est reçu d'une tout autre

façon. Jean réagit d'une façon disproportionnée et affiche un message remettant en question l'habileté des parents de Suzy à élever un enfant. Pour lui, c'est très facile, puisqu'il ne répond pas à un être humain mais simplement à des lettres sur un écran.

On serait porté à croire que de s'être vidé le cœur et de finalement s'être exprimé auraient permis à Jean de se sentir mieux. Pas du tout. Des études récentes ont démontré que de se ventiler ainsi ne fait qu'augmenter la colère. Le fait qu'il devra attendre la réaction de Suzy n'aide sûrement pas non plus. Lorsque Jean se rendra sur ce site à nouveau, toujours fâché, il verra que Suzy avait aussi des commentaires à partager au sujet du milieu familial où il a grandi. Ce qui est intéressant ici, c'est que plus le commentaire de Jean était disproportionné, plus la réaction de l'autre personne risque de le mettre en colère. La théorie de la dissonance cognitive nous explique que nous nous sentirons mal à l'aise lorsque nous avons dit ou fait quelque chose qui n'est pas en accord avec nos propres fondements moraux. Au fond, Jean se voit comme une personne aimable et polie.

Mais au lieu de reconnaître qu'il s'est emporté, il se raisonnera et s'efforcera de modifier sa propre perception de l'autre de façon qu'il puisse continuer à sentir qu'il avait raison.

« Étant donné notre propension à justifier nos comportements agressifs et le peu d'indices que nous fournit un message Internet sur ses motivations réelles, a écrit Wallace, il n'est pas surprenant que nous nous fassions une image très négative de la personne à qui nous adressons des reproches. »

Serait-ce l'escalade sans fin d'une guerre de clavier?

Rage au volant

(Voir Bouchons de circulation, Chauffeur lent dans la voie rapide, Guerre de stationnement)

Le jour, il est un comptable agréé aux manières affables, apprécié de tous. Derrière un volant d'automobile... c'est une tout autre histoire. Il vous suit, pare-chocs à pare-chocs, comme le vilain dans un film de poursuites automobiles. Il vous dépasse en vous envoyant presque dans les marguerites... et réapparaît à quelques millimètres seulement devant vous. En vous dépassant, il vous salue du majeur. Vous vous attendez presque à le voir relâcher une nappe d'huile devant vous et à disparaître à toute vitesse. Vous pourriez sourire et tout oublier, mais vous êtes au volant, vous aussi. Vous imaginez soudainement que vous lui tirez dessus avec un rayon laser haute puissance et qu'il se retrouve en train de brûler dans un champ.

Conduire semble ramener à la surface ce qu'il y a de pire chez les gens. Une firme du Michigan a effectué une étude dans l'ensemble des États-Unis au sujet des comportements que les gens adoptent lorsqu'ils sont derrière le volant d'une voiture. Selon les résultats de l'étude, 80 pour cent des conducteurs sont la plupart du temps en colère lorsqu'ils conduisent. Ces conducteurs avouent que la moindre chose leur fait bouillir le sang, que ce soit de chercher une place pour stationner ou d'avoir à céder le passage lorsque le nombre de voies d'une autoroute ou leur largeur diminuent.

R

Des chercheurs du Collège Trinity de Dublin ont surnommé ce phénomène : « désindividualisation » ; en d'autres mots, ces conducteurs colériques réagissent envers les actes fautifs de la circulation comme s'ils étaient commis par des véhicules, et non par des personnes. Les psychologues Leon James et Diane Nahl ont passé deux décennies à étudier le phénomène des conducteurs agressifs. Voici ce qu'ils en disent : « Vous vous sentez protégé à l'intérieur de votre véhicule, il y

existe un sentiment d'isolement. Le dôme de métal vous entourant et la puissance du moteur vous procurent un faux sentiment de sécurité et vous donnent l'impression de pouvoir faire tout ce que vous voulez sans aucun risque. »

Selon E. Scott Geller, professeur de psychologie à l'Institut polytechnique de Virginie, la colère fait aussi surface lorsque le conducteur a le sentiment qu'il ne contrôle plus la situation. « Vous m'avez contrôlé toute la journée au travail, fais ceci, fais cela..., disait-il dans une entrevue, maintenant, je suis dans ma voiture, et je ressens le besoin de me sentir libre, de contrôler la situation. » Vous faites donc des excès de vitesse, vous suivez les gens de trop près, et vous vous sentez tout à fait justifié d'agir ainsi.

La conduite agressive ne se limite pas à la société américaine ; en fait, l'expression « rage au volant » a vu le jour en Angleterre. Il ne s'agit pas non plus d'un nouveau phénomène. Des chercheurs ont prouvé l'existence de ce que l'on pourrait appeler « la rage en carriole », et ils soupçonnent même qu'il y eût des cas de « rage en chariot ». Cela dit, les experts admettent tout de même que la rage au volant est en hausse. Chaque année, elle cause 400 000 accidents de la route,

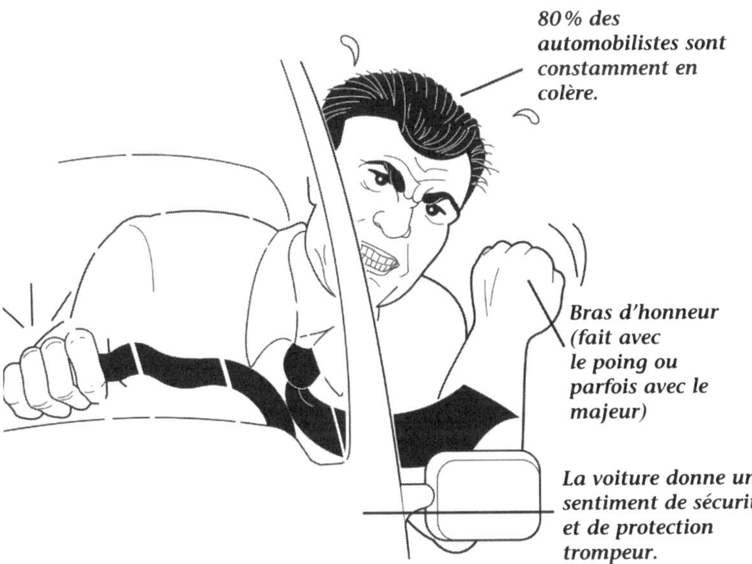
80 % des automobilistes sont constamment en colère.
Bras d'honneur (fait avec le poing ou parfois avec le majeur)
La voiture donne un sentiment de sécurité et de protection trompeur.

blessant ou tuant 1 500 personnes. Partout, les corps de police ont réagi en appliquant à la lettre des lois strictes contre l'agressivité au volant. Cependant, Diane Nahl suggère une approche différente – promouvoir la responsabilité personnelle. « Les gens ne se rendent pas compte qu'ils sont agressifs au volant, dit-elle. Ils ont toujours l'impression que ce sont les autres qui le sont. Les gens doivent apprendre à gérer leurs émotions puisqu'il est très facile de passer de l'agacement à la colère, et de la colère à la rage. Généralement, la meilleure solution est de pratiquer la courtoisie et d'en faire une habitude. Conduire une voiture n'est pas un acte solitaire mais une activité de groupe, il faut donc faire preuve d'esprit d'équipe. »

Régimes amaigrissants

Mmmmm ! Des bâtonnets de céleri et des toasts Melba. Rassasié ? Bien sûr que non ! Votre régime de 1 200 calories par jour vous laisse étourdi, insomniaque, anxieux, en manque de concentration et obsédé par la nourriture. Vous avez l'impression que vos cheveux commencent à tomber, mais vous persévérez et vous allez maigrir, même si ça finit par vous tuer. (En fait, il peut arriver que cela vous tue !)

De nos jours, il est plus probable qu'une personne soit à la diète qu'elle ne le soit pas. Une étude de 1987 a révélé que 95 pour cent des femmes avaient un jour ou l'autre suivi une diète. En ce moment, 30 millions d'Américaines sont à la diète. Et entre 95 et 98 pour cent des diètes ne fonctionnent pas. Par comparaison, les traitements expérimentaux contre le cancer ont 50 pour cent des chances de réussir. C'est ce qui a poussé Marilyn Wann, activiste et auteure du livre *Grosse ? Et puis* à conclure que « nous avons plus de chances de guérir du cancer que de perdre du poids et de demeurer à cette taille ». Malgré tout, nous continuons d'essayer, espérant que nous ferons partie du 2 pour cent qui réussit.

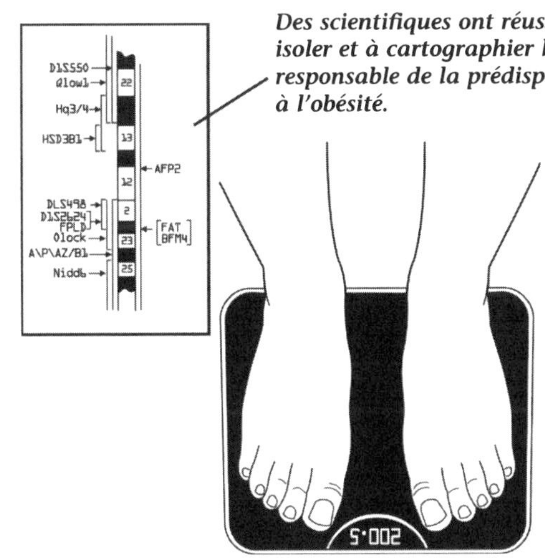

Des scientifiques ont réussi à isoler et à cartographier le gène responsable de la prédisposition à l'obésité.

« Nous avons beau essayer de changer la forme de notre corps, mais nous échouons

pour la plupart», écrivaient Dean Hamer et Peter Copeland dans la revue *Living with our genes* (Vivre avec les gènes qu'on a). «D'après les savants, la raison de cet échec est que le poids de notre corps est déterminé par notre héritage génétique bien plus que par quelque autre facteur. Des expériences ont démontré que des souris possédant un certain type de gènes engraissaient malgré qu'on ne leur donnât que très peu de nourriture. Certains humains possèdent un gène de l'obésité, et celui-ci est presque identique à celui des souris. Certaines personnes ont de la difficulté à contrôler leur poids, non pas parce qu'elles manquent de discipline et qu'elles mangent trop, mais bien parce que leur programme génétique est ainsi constitué.»

Un article du *New England Journal of Medecine*, une revue qui fait autorité en la matière, affirme que les quelque 30 à 50 milliards de dollars que nous dépensons chaque année pour des produits diététiques représentent un «gaspillage» pur et simple. Les chercheurs commencent à croire que l'incidence de maladies associées aux personnes grasses serait davantage attribuable au style de vie sédentaire de ces personnes plutôt qu'au gras lui-même. Une étude de 1998 parue dans cette même publication ne fit état d'aucune corrélation entre l'augmentation de poids et la diminution de l'espérance de vie. Comme les bulletins de nouvelles le redisent souvent, les États-Unis sont aux prises avec une «épidémie d'obésité». Mais en dépit de cela, l'espérance de vie des Américains augmente sans cesse.

«Les données reliant l'obésité à la mortalité, tout comme les données démontrant les effets bénéfiques de la perte de poids, sont très limitées, fragmentaires et souvent ambiguës», ont écrit les docteurs Jerome Kassirer et Marcia Angell, les rédacteurs en chef du *Journal*. «Plusieurs études omettent de bien considérer certaines variables qui peuvent porter à confusion, comme le taux élevé de mortalité chez les personnes obèses. Il faut se rappeler que plusieurs personnes obèses ont une vie très inactive et qu'elles font souvent partie de groupes socio-économiques défavorisés.»

Suivre un régime amaigrissant comporte aussi des risques pour la santé. Une étude de 1991 a démontré que plus la fluctuation de poids était importante chez une personne, même d'aussi peu que 5 kilos, plus cette personne risquait d'être affectée par une maladie cardiaque. D'autres études ont établi des liens entre les régimes amaigrissants et les maladies de la vésicule biliaire, l'ostéoporose, la dépression, l'anémie et, ironiquement, le gain de poids. Oui, un régime amaigrissant peut vous

faire gagner du poids. Le régime amaigrissant avertit votre métabolisme que vous entrez dans une période de famine. La réaction de votre corps est donc de diminuer la production de leptine, ce qui envoie au corps le signal d'emmagasiner chaque calorie disponible. Les diètes répétées, dites en « yo-yo », où vous perdez du poids aussi souvent que vous le reprenez, informent votre corps que vous allez faire face à ces périodes de famine régulièrement. Ce dernier devient donc encore plus efficace pour emmagasiner les graisses. Ainsi, les diètes d'antan contribuent à votre gros derrière d'aujourd'hui.

Il ne semble pas y avoir grand-chose à faire pour modifier la forme naturelle de votre corps. Par contre, si votre préoccupation première est votre santé, j'ai de bonnes nouvelles pour vous. De l'exercice ainsi qu'une diète comprenant des aliments nourrissants (au lieu d'une diète de famine) peuvent améliorer l'état général de votre santé. L'Institut Cooper pour la recherche en aérobic, a découvert au terme d'une étude portant sur 30 000 personnes, que les personnes faisant de l'embonpoint, mais qui étaient physiquement actives, vivaient plus longtemps que les personnes minces qui ne faisaient rien la plupart du temps. Steven Blair, directeur des recherches, l'a dit ainsi : « Si vous êtes mince mais que vous êtes constamment écrasé sur le sofa, votre minceur n'est d'aucune façon une garantie de bonne santé et de longue vie. » Alors, enfilez votre maillot de taille extra-grand et rendez-vous au gymnase ! Une bonne diète est une diète équilibrée comprenant beaucoup de légumes, de fruits et un peu de gras. Buvez beaucoup d'eau, dormez suffisamment et soyez actif. Vous perdrez peut-être des centimètres et des kilos ; si ce n'est pas le cas, vous serez néanmoins en meilleure santé.

Oh, oui ! Et que faire des 40 milliards de dollars que nous dépensons en produits diététiques? Marilyn Wann nous fait cette suggestion : avec cet argent, nous serions en mesure de financer le National Endowment for the Arts pendant 250 ans, nous pourrions construire 2,5 millions de maisons dans le cadre du projet Habitat pour l'humanité pour les 2,5 millions de sans-abri en Amérique, nous pourrions créer 66 000 refuges pour femmes violentées, renflouer deux fois le déficit du gouvernement fédéral américain... ou emmener tous les habitants de la Terre voir un film.

Rhume

Rien de grave, ce n'est qu'un rhume. Même pas la peine de vous absenter du travail. Vous vous assoirez à votre bureau, tenant un papier-mouchoir à votre nez, luttant contre les maux de tête, la fièvre et les frissons.

Les symptômes du rhume varient selon les gens. Mais la plupart, au moins 95 pour cent, deviennent infectés s'ils sont exposés aux rhinovirus qui causent le rhume. Par contre, seulement 75 pour cent d'entre eux seront affectés par des symptômes. Les personnes assez fortunées pour ne pas se sentir malades lorsqu'elles sont infectées ne combattent pas moins le virus pour autant, mais sans renifler ni éternuer. Chanceux. Votre chat et votre chien sont immunisés contre le rhume. Celui-ci est une infection commune aux humains, aux chimpanzés et aux primates supérieurs seulement. Vous allez déjà mieux?

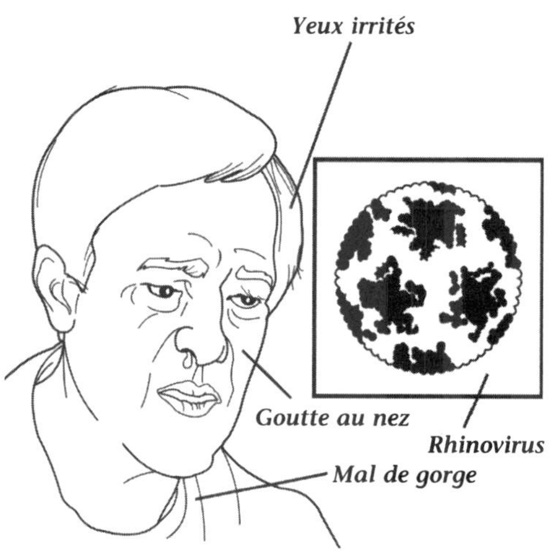

Le virus du rhume peut survivre un court temps sur une surface donnée, disons, sur la main de quelqu'un. Si vous donnez la main à cette personne, le virus a des chances de se retrouver sur la vôtre. Frottez-vous ensuite le nez, et... voilà, le processus d'infection a débuté. Une simple particule du virus suffit pour que l'infection s'amorce. Lorsque

R

vous respirez, le virus, qui contient des filaments de codification génétique enrobés de protéines, est transporté jusqu'au fond du nez par le nez lui-même. Il s'attache alors à un récepteur qui le transporte jusqu'à l'intérieur d'une cellule du système respiratoire. Bien enfoui à l'intérieur de la cellule, le virus peut maintenant se reproduire. Il se reproduit au point de faire éclater la cellule hôte. Les virus libérés infectent alors d'autres cellules et le processus recommence. Le tout prend de 8 à 12 heures.

Il faut environ 10 heures au corps pour commencer sa montée défensive. Les médiateurs inflammatoires comme l'histamine, la kinase, l'interleukine et la prostaglandine permettent aux vaisseaux sanguins de se dilater afin qu'un apport supplémentaire d'eau et d'autres matériaux s'effectue pour produire le plus de mucus possible. Le mucus est le moyen de défense principal de votre nez contre les irritants. Malheureusement, le rhume qu'il essaie de combattre est habituellement bien dissimulé à l'intérieur des cellules de la paroi nasale. La toux et les éternuements jouent eux aussi rôle dans ce processus : ils contribuent à la contamination des autres...

Il faut reconnaître l'efficacité d'un remède de grand-mère : la soupe au poulet. Si vous êtes complètement congestionné, cela vous soulagera quelque peu. Du moins, c'est la conclusion à laquelle sont arrivés trois cliniciens qui ont publié dans la revue médicale *Chest* un article intitulé « Les effets thérapeutiques de l'absorption d'eau chaude, d'eau froide et de soupe au poulet sur la vélocité du mucus nasal et sur la résistance à la circulation de l'air au niveau du nez ». La soupe au poulet consommée bien chaude augmente la vélocité du mucus de 6,9 mm à 9,2 mm par minute, un résultat « statistiquement significatif », si on le compare à celui de l'eau chaude ou froide. Plus le mucus est éjecté rapidement, plus la quantité de mucus qui quitte le corps est grande et plus vite on se débarrasse des cellules infectées (infectant nos proches par le fait même). Ces chercheurs conclurent que « la soupe au poulet, à cause de la captation de son arôme par le bulbe olfactif ou par un autre processus associé au sens du goûter, semble posséder une substance qui accélère la vélocité du mucus nasal. » Allez vite dire à votre mère qu'elle avait raison.

Ronflement

« Il ronfle », dites-vous. Cette constatation décrit mal les sons qui sortent de sa bouche la nuit. Les bruits que produit votre partenaire de lit font peur à vos petits-enfants... même s'ils habitent dans un autre fuseau horaire. Une sorte de vibration, longue et féroce, suivie d'une pause agaçante, une attente tendue. Vous savez que ça reprendra dans un moment.

Sari Zayed de Davis en Californie a défrayé les manchettes en 1994 lorsqu'une contravention de 50 dollars pour une infraction au règlement municipal sur le bruit lui a été émise à 1 h 30 de la nuit. Sa voisine s'était plainte du fait que ses ronflements l'empêchaient de dormir. Mais c'est madame Zayed qui a bien ri la dernière. Elle poursuivit sa voisine en dommages et intérêts en raison du stress qu'elle lui avait causé et des journées de travail qu'elle avait perdues ; elle conclut une entente hors cour qui lui rapporta 13 500 dollars.

Les ronfleurs n'empêchent pas les autres de dormir intentionnellement. La plupart du temps, ils ne savent même pas qu'ils ronflent – ils sont, évidemment, inconscients lorsqu'ils le font. Certains anthropologues ont émis l'hypothèse que le ronflement constituait une façon primitive d'éloigner les bêtes sauvages pendant la nuit. Les oto-rhino-laryngologistes le voient différemment.

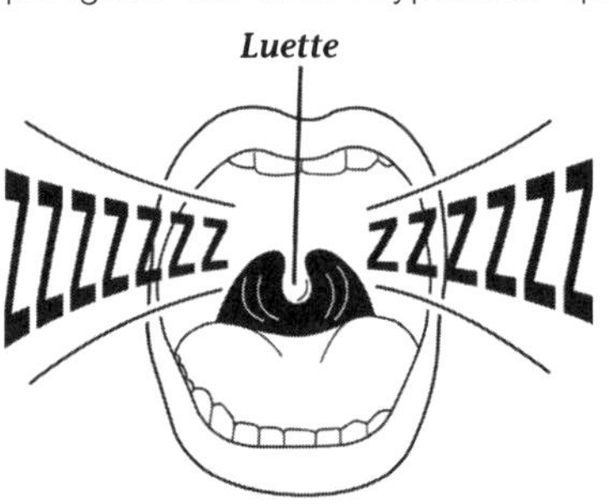

Le son du ronflement dépasse parfois 55 décibels.

Lorsque vous respirez, il vous faut créer une pression négative afin de pouvoir aspirer l'air. Pendant le sommeil, le tissu souple et tendre à l'arrière de votre bouche et de votre gorge – le palais mou, les amygdales et l'uvule (la luette) se relâche et

empêche l'air de bien circuler. Par réflexe, vous tentez d'aspirer l'air plus rapidement, ce qui crée de la turbulence. Selon la Fondation nationale pour le sommeil, environ 90 millions d'Américains ronflent. Et ceux qui ronflent le plus sont les hommes d'âge moyen (à peu près la moitié d'entre eux ronflent) et les personnes obèses. Si vous connaissez un homme dont le tour de cou fait plus de 40 centimètres, il y a de bonnes chances qu'il soit un ronfleur invétéré. Le docteur Kent Wilson de l'Université du Minnesota à Minneapolis a enregistré, à l'aide un microphone suspendu, 1 139 ronfleurs pendant leur sommeil. Il se rendit compte que le ronflement de certains dépassait les 55 décibels, soit à peu près le bruit qu'on entend sur la route à l'heure de pointe.

Les médecins prennent le ronflement très au sérieux. Sa forme la plus grave est l'apnée du sommeil, c'est-à-dire la suspension de la respiration du dormeur pendant quelque temps, jusqu'à 10 secondes à la fois, et ce, des centaines de fois chaque nuit. Durant près de la moitié de leur nuit de sommeil, les personnes souffrant de l'apnée du sommeil subissent une importance baisse de la concentration d'oxygène dans leur sang, concentration qui tombe alors sous la moyenne. Un manque d'oxygène peut donc forcer le cœur à battre plus fort et finalement occasionner des problèmes de pression artérielle.

Durant la phase du sommeil où les yeux effectuent de rapides mouvements d'oscillation (la phase REM, pour *Rapid Eye Movement*), le cerveau sécrète un inhibiteur qui paralyse le corps, vraisemblablement pour l'empêcher d'agir en fonction des rêves qui se produisent au même moment. Lorsque le souffle d'un dormeur souffrant d'apnée du sommeil est soudainement coupé, le corps se réveille à l'aide d'une sécrétion d'adrénaline. La respiration reprend et la personne retombe endormie... mais répète le même processus jusqu'à 600 fois au cours de la nuit. Il est évident que ces très courtes mais nombreuses périodes d'éveil finissent par affecter le cycle de sommeil de la personne. Des études ont relié ce manque de sommeil dû à l'apnée à une augmentation des accidents de la route. Une autre étude effectuée par la Clinique Mayo a démontré que les conjoints de lourds ronfleurs perdent en moyenne une heure de sommeil chaque nuit.

On essaie de trouver des solutions au ronflement depuis très longtemps. Lors de la révolution américaine, les soldats cousaient des sacs contenant de petits boulets de canon au dos des uniformes des ronfleurs de façon qu'ils ne puissent se retourner sur le dos pendant leur sommeil.

De nos jours, plus de 300 dispositifs anti-ronflements ont été enregistrés au Bureau des brevets des États-Unis.

Afin de réduire le bruit que vous faites en dormant, les médecins vous suggèrent de perdre du poids, d'éviter de boire de l'alcool trois heures avant d'aller au lit, et, ironiquement, de vous assurer de dormir suffisamment. Si tout cela ne fonctionne pas, vous devriez consulter un spécialiste. Leurs solutions vont du masque respiratoire jusqu'à la chirurgie.

DE

SERVEURS, TRÈS MAUVAIS SERVEURS

À

SYSTÈMES D'ALARME ANTIVOL DE VOITURES

Serveurs, très mauvais serveurs

(Voir Qu'est-ce que j'étais venu faire ici ? ou Destinésie aiguë)

Vous êtes déjà énervé et ennuyé par le fait d'avoir attendu une demi-heure pour une table au restaurant Chez Bob. Vous aviez pourtant réservé une table. Chad, votre serveur attitré pour la soirée, s'appuie sur le dossier d'une chaise alors qu'il prend votre commande. Vous hésitez entre le poulet et le poisson. « Je peux revenir un peu plus tard », dit-il, avant de disparaître. Dix minutes plus tard, il est de retour et prend

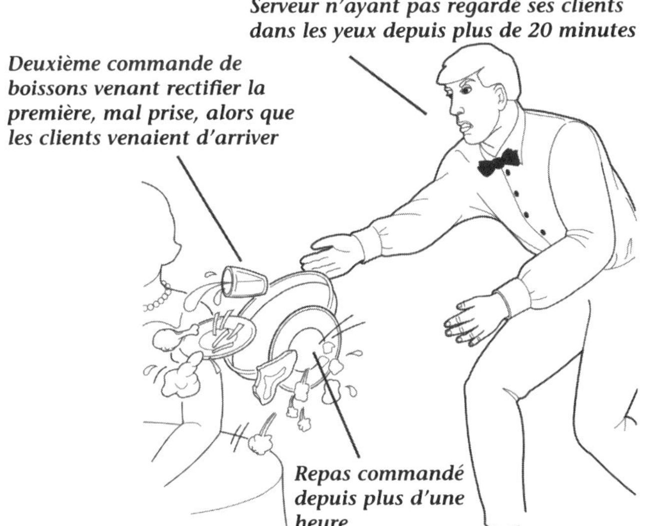

Serveur n'ayant pas regardé ses clients dans les yeux depuis plus de 20 minutes
Deuxième commande de boissons venant rectifier la première, mal prise, alors que les clients venaient d'arriver
Repas commandé depuis plus d'une heure

votre commande. Mais lorsqu'il revient plus tard, il ne vous sert pas les boissons que vous aviez commandées... et s'en retourne aussitôt sans que vous n'ayez pu lui faire part de son erreur. Chad ne vous regarde jamais dans les yeux. Et bien qu'il passe et repasse près de votre table à maintes reprises, il semble être dur d'oreille et n'avoir aucune vision périphérique.

Lorsque finalement il vous apporte votre repas, vous saisissez l'occasion pour lui faire part de son erreur au sujet des boissons. Il les reprend et promet de revenir avec les bonnes. Le temps passe. Il ne revient qu'au moment où vous êtes engagés profondément dans une conversation, et il vous interrompt en disant: « Est-ce que tout va bien ici, ce soir? » Vous répondez sèchement: « Bien, nous n'avons rien à boire! » Il roule ses yeux comme pour dire: « Ça y est, des clients malcommodes. » Lorsque Chad revient finalement avec vos boissons, trois de vos quatre invités ont déjà terminé leur repas. Chad s'affaire donc à débarrasser la vaisselle, y compris celle de la personne qui n'avait pas terminé. Vous décidez qu'il vaut mieux ne pas commander de dessert. Finalement, Chad revient avec l'addition et la remet au seul homme présent à la table... et disparaît pour se fondre dans ce vaste au-delà où les serveurs vont quand ils disparaissent. Au cours de la soirée, son pourboire est passé de 15 pour cent à 10 pour cent, puis à 5... En fin de compte, vous apportez l'addition à l'avant du restaurant et payez vous-même la caissière. Alors que vous partez, vous pouvez entendre Chad se plaindre bruyamment du fait qu'on ne lui a pas donné de pourboire.

Les serveurs et serveuses travaillent-ils plus mal qu'ils ne le faisaient ces dernières années? Probablement. La prospérité de l'économie s'est fait sentir dans le domaine de la restauration; les employés se sont retrouvés avec davantage de possibilités de travail. Ils ont pu choisir où et quand ils voulaient travailler. Cette prospérité provoqua un manque de personnel qualifié dans les restaurants. Un restaurateur du New Jersey a même dit, à la blague, que « bientôt, le chef lui-même devra s'exclamer "Allez, table numéro 5, venez chercher votre repas!" »

Selon le critique de restaurant Tim Zagat, les femmes sont moins bien servies que les hommes dans les restaurants parce qu'on considère qu'elles laissent peu de pourboires en général. Souvent, les serveurs présument aussi que c'est l'homme à la table qui paiera l'addition. Les serveurs, et même les serveuses, ont tendance à déposer l'addition devant un homme, même si l'hôte est une femme.

Dans certains pays, on considère que la profession de serveur requiert beaucoup d'adresse et de savoir-faire. Il existe en Europe des écoles hautement sophistiquées où l'on enseigne aux serveurs et serveuses leur métier. Cela n'existe pas aux États-Unis, toutefois, où l'on considère plutôt le métier de serveur comme un emploi pour étudiants ou acteurs sans travail. Comme il arrive souvent que cet emploi ne soit que temporaire, les restaurateurs hésitent à investir dans la formation de leurs employés. Les serveurs et serveuses qui sont fiers de leur profession et accomplissent très bien leur travail sont plutôt rares et finissent habituellement par se retrouver dans les meilleurs restaurants, pas Chez Bob.

Selon l'Association nationale des serveurs et serveuses, un bon serveur devrait revenir à la table environ 90 secondes après avoir servi le repas, pour vérifier une première fois si tout se passe bien. Il devrait ensuite garder la table bien en vue et être attentif, sans toutefois interrompre le repas pour demander: «Est-ce que tout va bien, ici?» Un serveur ne devrait jamais débarrasser la table tant que le convive le plus lent n'a pas terminé. Si l'addition est apportée à la table, le serveur doit la déposer au milieu de la table, et non devant quelqu'un en particulier, à moins qu'on ait demandé qu'il en soit autrement. Le serveur doit revenir pour récupérer l'addition promptement.

Les serveurs et serveuses qui travaillent Chez Bob sont payés en deçà du salaire minimum, et ils doivent partager leurs pourboires avec les commis débarrasseurs, les hôtesses de réception et les employés de la cuisine. Chez Bob, les employés restent peu de temps, et Chad vient tout juste d'être engagé. Il était laveur de vitres auparavant. On lui donna de suite les horaires où le restaurant est le plus achalandé et il ne peut s'empêcher de ne pas se sentir «à sa place». Aujourd'hui, Annie, sa collègue de travail, téléphona pour dire qu'elle ne rentrait pas au travail parce qu'elle se ne sentait pas bien; Chad doit donc s'occuper des tables d'Annie tout comme des siennes. Un client de la section d'Annie commande toujours de la nourriture pour un ami invisible et a l'habitude de faire des scènes aux serveurs quand ce deuxième repas n'est pas servi promptement et disposé à angle droit près de lui. Tous les clients de Chad sont déjà de mauvaise humeur parce qu'il s'arrange toujours pour surcharger les sections. Plusieurs personnes font des réservations, ne se présentent pas et ne prennent pas la peine d'appeler pour annuler la réservation. Mais si toutes les personnes se présentent, il n'y a alors plus assez de place pour les accueillir. Tous les clients

doivent alors attendre longtemps, et les humeurs s'enflamment de part et d'autre. Chad doit garder en tête tellement de petits détails que sa mémoire à court terme en efface quelques-uns avant même qu'il ait pu s'en occuper. Parce qu'il est surchargé de travail et sollicité de toutes parts, Chad est facilement irrité par la moindre chose – y compris vous-même. Il ne manque pas de vision périphérique – il vous ignore, tout simplement, parce qu'il n'est pas prêt à s'occuper de vous pour le moment.

À quel moment les serveurs sont-ils le plus susceptibles de vous oublier? Tout de suite après qu'ils vous ont apporté l'addition. Ils ont alors cessé de s'occuper mentalement de vous parce que votre repas est terminé. Il est plus facile d'oublier de reprendre l'addition ou de rapporter la monnaie au client que d'ignorer quelqu'un qui s'est exclamé: « Garçon ! J'ai commandé une soupe il y a près d'une heure de cela »

Siège des toilettes souillé dans les toilettes publiques

Alors, vous croyez que les toilettes pour messieurs sont plus sales que celles des dames? Vous avez tort. Le docteur Charles Gerba, un microbiologiste de l'Arizona, a consacré sa vie à étudier les endroits où les microbes abondent. Et selon lui, les toilettes pour femmes renferment plus de bactéries nuisibles que celles des hommes. Mais il explique cette différence par le fait que plus d'enfants les utilisent et que les jeunes garçons ne visent pas juste.

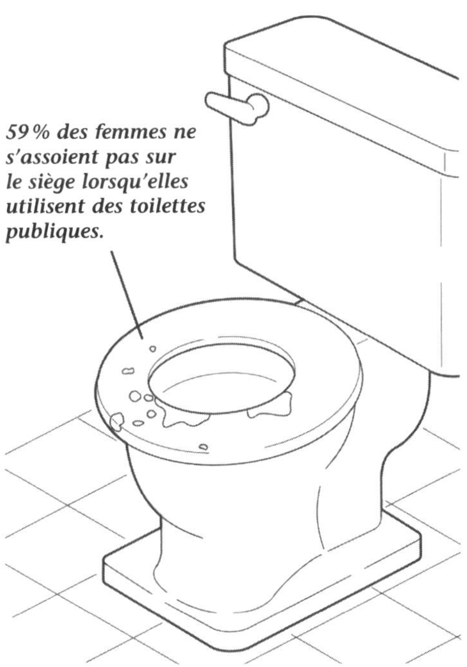

59 % des femmes ne s'assoient pas sur le siège lorsqu'elles utilisent des toilettes publiques.

Il existe cependant une autre explication. Les toilettes pour dames recèlent plus de microbes justement parce que ce sont des femmes qui les utilisent. Pour éviter de s'asseoir sur un siège souillé, plusieurs femmes ne font que s'accroupir au-dessus de celui-ci,

sans toutefois y toucher. Il n'est pas aisé d'uriner ainsi, et souvent elles éclaboussent le siège.

Au cours des ans, le nombre de gouttes jaunes qu'on retrouve sur les sièges s'est accru dans les toilettes publiques américaines. Et il s'agit d'un cercle vicieux. Plus les toilettes sont propres, plus les femmes croient qu'elles ne le sont pas, et plus elles s'accroupissent pour uriner sans toutefois toucher au siège. Une étude récente a révélé que, de nos jours, environ 59 pour cent des femmes américaines se soulagent de cette façon.

Débarrassons-nous tout de suite de quelques idées préconçues. On ne peut attraper de maladies vénériennes sur un siège de toilettes. L'Association pour la santé sociale américaine ne recense aucun cas de transmission de ce type de maladie par siège de toilettes. En d'autres mots, la partie de votre anatomie qui est susceptible d'être porteuse d'une maladie vénérienne ne touche de toute façon pas directement au siège des toilettes...

Comme le disait le docteur Gerba à la revue *Salon*, « ce n'est pas avec les fesses qu'on attrape les maladies, mais avec les mains. »

Lors d'une recherche effectuée en 1995, le docteur Gerba découvrit qu'un seul siège de toilettes publiques sur 59 était infecté par la bactérie E. Coli. Il trouva beaucoup plus de bactéries de ce type sur les lavabos. Trois ans plus tard, une autre étude révéla que les cuisines contiennent plus de microbes que la majorité des toilettes. Dans une résidence, il y 200 fois plus de bactéries d'origine fécale (provenant des viandes crues) sur une planche à couper que sur le siège de toilettes.

« Si l'on vous donne le choix entre lécher un siège de toilettes et lécher une planche à couper, choisissez le siège de toilettes », va jusqu'à dire le docteur Gerba.

Le plus grand risque qu'on peut associer à un siège de toilettes est celui d'un accident, et non d'une maladie. La Commission pour la sûreté des produits de consommation rapporte que 44 335 personnes, en 1997, auraient reçu des soins d'urgence à cause d'accidents survenus dans les toilettes. La plupart de ces personnes blessées se sont fracturé un membre en tombant sur la cuvette après avoir glissé.

Une solution simple au problème des femmes qui éclaboussent le siège serait qu'elles fassent comme les hommes. Non, je ne veux pas dire uriner debout. Mais les petits garçons apprennent très vite à lever le siège, quand ils vont aux toilettes, pour ne pas l'arroser. Si les femmes

ne l'utilisent pas pour s'asseoir, je ne vois pas pourquoi elles ne le lèveraient pas non plus.

Mais peut-être les femmes *devraient*-elles uriner debout, après tout. Nos habitudes en ce domaine découlent autant de notre conditionnement social que de la biologie. Un garçon peut facilement s'asseoir pour uriner. Une fille peut elle aussi apprendre à uriner debout, sauf qu'elle ne visera pas aussi juste que son frère lors des premiers essais. C'est du moins ce que maintient Denise Decker, une infirmière de Californie qui a développé un site Internet où elle enseigne aux femmes à faire pipi debout. Si vous voulez en savoir plus sur le sujet, rendez-vous à l'adresse Internet suivante : www.restrooms.org/standing.html.

Systèmes d'alarme antivol de voitures

(Voir Chaînes stéréo pour automobiles de puissance extrême, Vacarme)

Il est 3 heures du matin. Vous êtes au beau milieu d'un rêve où vous volez au-dessus de la maison de votre enfance quand soudain... OOUUU ! OOUUU ! OOUUU !... C'est le système d'alarme de la voiture du voisin. Que faites-vous ? 1. Vous courez prestement à l'extérieur pour mettre fin au cambriolage ? 2. Vous appelez la police sur le champ ou 3. Vous recouvrez votre tête avec l'oreiller tout en marmonnant : « @#$% ! d'alarme » ?

Il est probable que vous ayez choisi la troisième solution. Selon des recherches effectuées à New York et à Los Angeles, 95 pour cent des déclenchements d'alarme ne sont même pas fondés. D'autres études, menées dans des villes plus petites, ont mené aux mêmes résultats. Les gens se sentent néanmoins plus en sécurité lorsqu'ils possèdent des systèmes d'alarme antivol. Ce besoin de sécurité a créé une industrie dont le volume de ventes atteint 473 millions de dollars par année.

Et c'est de 473 millions de dollars de petites boîtes à bruit émettant chacune 129 décibels qu'il s'agit. Est-ce que c'est fort, 129 décibels? Le bruit d'une foule assistant à un match de foot dans un stade est de 89 décibels. Le taux de décibels maximal permis par l'Administration des métiers pour une journée de travail de 8 heures dans un contexte industriel est de 90 décibels. Une scie mécanique en produit 100. Après une exposition de quelques minutes à un niveau de plus de 115 décibels, le bruit devient nocif pour la santé. À 180 décibels, les ondes sonores sont si puissantes que votre corps se met à chauffer. (Les alarmes de voitures donnent d'ailleurs parfois cette impression de chaleur…)

Le bruit de l'alarme est très fort, mais ce n'est pas tout, il est aussi conçu pour taper sur les nerfs. Le système d'alarme émet des notes répétitives variées à hautes fréquences. L'alarme d'un dispositif antivol possède habituellement six notes dont l'agencement peut être choisi par le propriétaire, ce qui lui permet de reconnaître l'alarme de sa voiture. C'est d'ailleurs pour cette raison que les manufacturiers de systèmes antivol ont rendu possible la programmation personnelle de ces six notes. Cependant, dans les milieux urbains, il se trouve tellement de voitures équipées de systèmes antivol et ces systèmes sont déclenchés si fréquemment que les propriétaires ont peine à reconnaître l'alarme de leur propre voiture se faisant cambrioler.

Le conseil municipal de la ville de New York rappelle qu'aucune preuve n'existe sur l'efficacité de ces alarmes pour la prévention des vols de voitures. Des voleurs expérimentés peuvent s'enfuir avec votre automobile dans l'espace de quelques secondes. De plus, les fausses alarmes sont devenues un problème majeur pour les policiers en service. L'Association internationale des chefs de police affirme que les fausses alarmes de voitures ainsi que celles des domiciles engendrent des coûts de main-d'œuvre atteignant 600 millions de dollars chaque année. Si les piétons cessaient de déclencher de fausses alarmes en accrochant par mégarde les voitures, 60 000 policiers seraient libérés et pourraient s'occuper de véritables crimes.

264 Un policier de Los Angeles a admis que, sur sa liste de priorités, un appel au sujet d'une alarme d'auto n'est placé qu'un échelon plus haut que celui d'une voiture qui bloque une entrée. Le pire, c'est que tout le monde sait ça. Les gens ne prêtent pas beaucoup d'attention à une alarme de voiture, à moins qu'elle ne les empêche de dormir...

DE

TARTINES TOMBANT TOUJOURS SUR LE CÔTÉ BEURRÉ

À

TOUSSOTEMENTS AU THÉÂTRE

Tartines tombant toujours sur le côté beurré

Comment se fait-il que, lorsque vous échappez une tartine, le côté beurré semble toujours se retrouver face au sol? Certains scientifiques affirment que c'est faux. Selon les concepteurs d'une émission scientifique intitulée *Q.E.D.* et diffusée sur le réseau BBC, la raison pour laquelle nous croyons que les tartines atterrissent plus souvent côté beurré face au sol est que nous nous remémorons plus facilement les fois où c'est ce qui est arrivé à la tartine et que nous oublions facilement les fois où elle s'est posée du bon côté. Le physicien Robert Matthews a entrepris de leur prouver le contraire. «Les expériences effectuées par les gens de l'émission étaient dynamiquement fausses», soutient-il dans le *Journal européen de physique*, «en ce sens que les tartines ne tombaient pas par inadvertance, mais étaient lancées dans les airs par des gens.»

Matthews, lui, a mis sa théorie à l'épreuve en laissant tomber des tartines beurrées du bord de la table. Lorsqu'il se rendit compte que l'expérience était plutôt salissante, il laissa tomber les tartines pour des pièces de bois aux dimensions identiques à celles des tranches de pain. Il découvrit que, en effet, les tartines ont tendance à tomber côté beurré face au sol. Et cela n'a rien à voir avec le poids du beurre. Cela relève plutôt du couple gravitationnel et de la hauteur moyenne d'une table.

Alors que la tartine glisse de l'assiette, elle a déjà commencé à se retourner, et, comme le couple gravitationnel est insuffisant pour lui faire décrire un tour complet avant d'atteindre le plancher, la tartine se retrouve face en bas. Alors, au moment où vous sentez que votre tartine est sur le point de glisser, donnez-lui une claque du revers de la main afin d'augmenter sa vélocité au décollage. À ceux qui ne possèdent pas la dextérité nécessaire pour sauver les tranches de pain de cette manière, Matthews suggère quelques façons divertissantes de le faire. Vous pouvez couper votre tartine en de tout petits carreaux, vous pouvez

 beurrer l'autre côté de la tartine, ou encore l'attacher à un chat, puisque ceux-ci retombent toujours du bon côté après une chute.

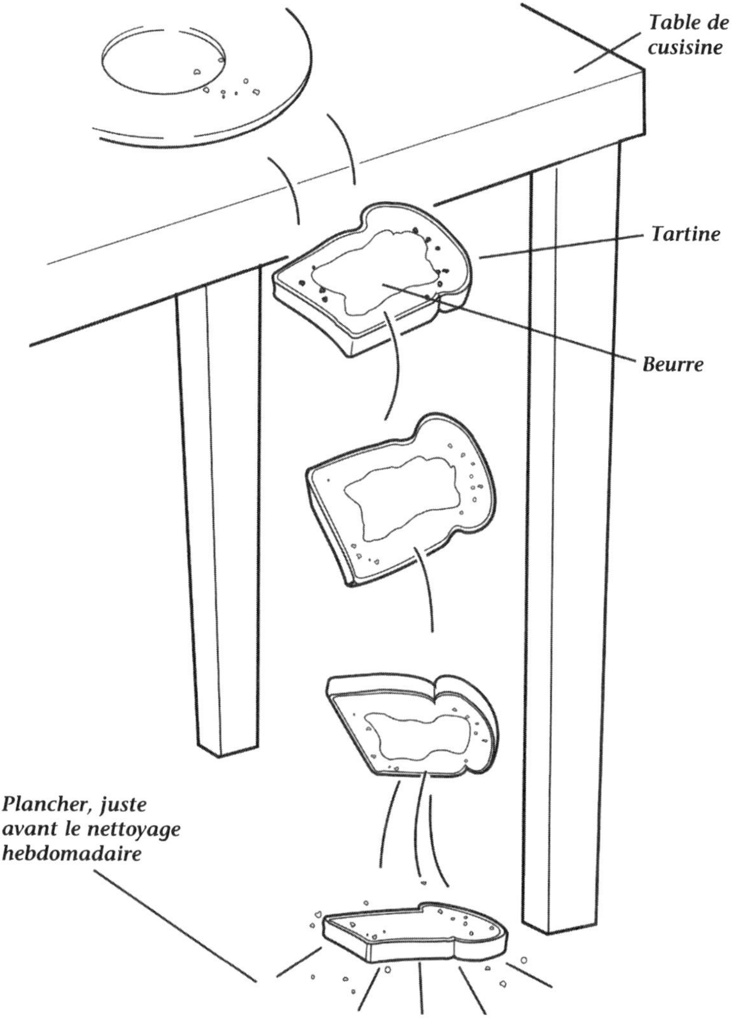

Table de cusisine

Tartine

Beurre

Plancher, juste avant le nettoyage hebdomadaire

Télémarketing

(Voir Améliorations qui rendent les choses pires qu'elles étaient)

Le téléphone sonne en plein milieu du souper. « Allô ? » Un moment s'écoule. Il vous est possible d'entendre une cacophonie de voix à l'arrière-plan. « Allô », répétez-vous. Soudain... « Bonjour, Monsieur Smith, je vous appelle au sujet de votre carte de crédit, parce que vous êtes pour nous un précieux client... »

Personne ne sait qui a eu le premier l'idée de décrocher le téléphone et de se mettre à vendre. Cette technique est sans doute le résultat de

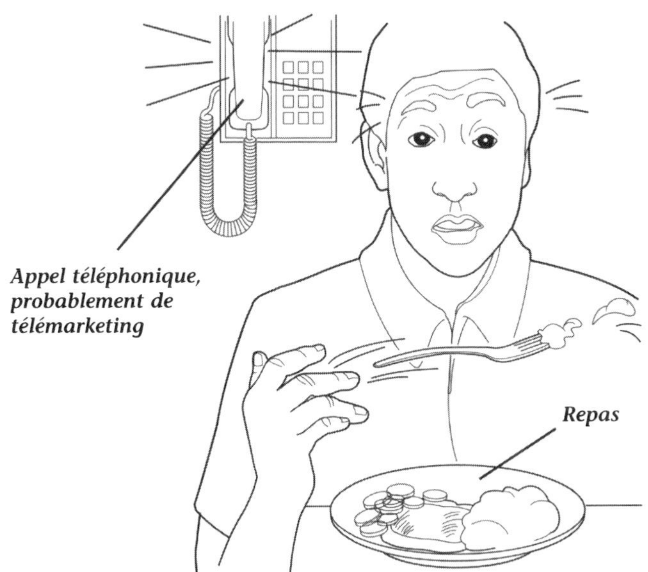

l'évolution logique de la vente porte-à-porte. En 1927, le manuel de vente par téléphone publié par la compagnie Bell de Pennsylvanie vantait déjà les mérites de cette nouvelle technologie pour les affaires: «Le téléphone est la façon la plus simple, la plus efficace et la plus économique d'augmenter les contacts entre vendeurs et acheteurs», pouvait-on y lire.

«Le marketing par téléphone existe déjà depuis un bon bout de temps», soutient Kevin Brosnahan de l'Association américaine de téléservices, «mais le télémarketing comme tel a pris sa forme actuelle à la fin des années 70 ou au début des années 80, alors que la technologie du téléphone subissait une transformation considérable. Avant cela, le marketing téléphonique se limitait à appeler les gens pour prendre des rendez-vous.»

Ce n'est plus le cas aujourd'hui. Grâce à la technologie informatique, le télémarketing est devenu très efficace et hautement profitable. La plupart des firmes de télémarketing, disons 75 pour cent d'entre elles, utilisent un système informatisé. Grâce à ce système électronique, l'ordinateur fait lui-même l'appel. Si la ligne est occupée ou que personne ne répond, l'ordinateur composera un autre numéro. Si vous répondez, cependant, l'ordinateur vous connectera à un téléphoniste. C'est ce petit délai qui peut vous mettre la puce à l'oreille quant à la provenance de l'appel. (Le bon côté de la chose est que ce délai vous donne le temps de raccrocher. S'il y a un délai lorsque vous répondez et que vous pouvez entendre un chahut de voix à l'arrière-plan, il y a de bonnes chances qu'il ne s'agisse pas d'un appel personnel.)

S'il vous arrive plus souvent qu'autrefois de répondre au téléphone et de vous faire raccrocher la ligne au nez, vous pouvez également en mettre la faute sur les systèmes informatisés de télémarketing. Même si tous les téléphonistes sont occupés, l'ordinateur, lui, continue de composer les numéros. Le système fonctionne ainsi parce que pendant l'intervalle laissé par un numéro sans réponse ou un signal indiquant que la ligne est occupée, il est probable qu'un téléphoniste ait déjà terminé son appel (ou qu'il se soit fait raccrocher au nez) lorsque l'ordinateur lui envoie une nouvelle connexion. Toutefois, il peut arriver que l'ordinateur compose votre numéro, que vous répondiez, mais qu'au même moment aucun téléphoniste ne soit disponible. Le système vous raccroche lui-même au nez à ce moment-là. Les compagnies peuvent régler les systèmes de façon qu'ils acceptent un taux prédéterminé d'appels où

les gens raccrochent immédiatement. Il s'agit du taux d'abandon. Plus le taux est élevé, plus il y aura de gens qui raccrochent.

L'Association de marketing au domicile recommande un taux d'abandon qui ne dépasse pas les 5 pour cent, mais certaines compagnies fixent leur taux à 40 pour cent. Elles désirent que des numéros soient constamment composés. Selon un porte-parole de la compagnie IES International, qui fabrique les systèmes de téléphonie informatisés, lorsque les téléphonistes doivent composer les numéros manuellement, ils ne font de vente proprement dite que pendant 15 minutes de chaque heure. Avec les systèmes informatisés, ils peuvent consacrer 45 minutes de chaque heure à la vente elle-même. Depuis l'arrivée de ces systèmes de composition automatique, les taux de productivité ont augmenté de 200 à 300 pour cent.

En 1998, le journal *USA Today* a rapporté que les Américains reçoivent 10 milliards d'appels téléphoniques en provenance d'agents de télémarketing chaque année. Nous les détestons. Nous considérons ces appels comme une invasion de notre vie privée et de notre temps. Paul Jerome Croche, professeur au Département d'études américaines à l'Université Stetson, croit que le télémarketing contribue au climat généralisé d'impolitesse qui sévit dans la société américaine.

« Les bonnes manières sont devenues le code de conduite abrégé des relations d'affaires sans embûches », a-t-il écrit dans *The Public Perspective*. « Une sollicitation téléphonique qui débute par un accueil agréable où l'on vous dira bonjour en utilisant votre prénom relève bien sûr des bonnes manières, mais elle masque aussi inévitablement une tentative agressive de vous soutirer de l'argent. C'est pourquoi les gens sont de plus en plus enclins à agir sans se préoccuper de l'étiquette puisque celle-ci cache souvent une volonté de persuader l'autre à tout prix. »

Nous ne sommes certainement pas des plus polis lorsque nous avons affaire à un agent de télémarketing. Nous lui raccrochons au nez. Nous lui crions toutes sortes de choses et nous imaginons des scénarios pour nous venger. La personne qui fait le travail de téléphoniste ne gagne qu'un dollar ou deux de plus que le salaire minimum. Elle parle à plus de 20 personnes à toutes les heures et est l'objet d'abus et de rejets répétés. Ces employés ne restent pas longtemps en poste. On estime que 1 sur 10 donne sa démission dans le premier mois suivant l'embauche.

Alors, vu les conditions de travail, pourquoi le font-ils? En 1994, le télémarketing a généré des ventes de 339 milliards de dollars. En 1999, le chiffre avait grimpé à 538 milliards de dollars. L'Association de marketing au domicile prévoit que les ventes monteront jusqu'à 811 milliards de dollars en 2004. Ce ne sont donc pas les coups de sifflet, les listes de gens qui refusent qu'on les appelle ni aucune autre méthode qui vous éviteront d'être harcelé par les compagnies de télémarketing. Par contre, si tous et chacun cessaient de sauter sur ces prétendues « occasions qui n'arrivent qu'une fois dans une vie » que les compagnies nous offrent, les profits chuteraient et les compagnies finiraient par abandonner cette stratégie de vente.

T

Téléphones cellulaires

(Voir Améliorations qui rendent les choses pires qu'elles étaient, Votre appel est important pour nous)

Récemment, l'acteur Laurence Fishburne a fait les manchettes. Il n'y était pas question de son talent artistique, mais plutôt de son caractère intempestif. C'est qu'il s'était arrêté de jouer au beau milieu d'une de ses performances à Broadway (dans la pièce *Le lion en hiver*) pour s'adresser fermement à une personne de l'auditoire dont le téléphone cellulaire sonnait depuis déjà 20 secondes : « Allez-vous fermer ce satané téléphone, s'il vous plaît ? » L'auditoire applaudit de tout cœur.

Les utilisateurs de téléphones cellulaires semblent avoir une mauvaise perception de leur situation spatiotemporelle. Ils parlent à tue-tête dans leur appareil (pour les mêmes raisons que ceux qui portent des écouteurs tendent à parler très fort) en plein milieu d'un concert musical, d'une pièce de théâtre ou aux funérailles. Au volant de leur automobile, ils sont une menace publique. D'après une étude menée à l'Université de Toronto, l'utilisation d'un téléphone cellulaire au volant est aussi dangereuse que l'alcool au volant. Le problème ne vient pas de ce que vous n'avez qu'une main sur le volant, mais plutôt de ce que votre l'esprit est occupé par une conversation au moment où vous devriez plutôt penser à freiner pour éviter cet enfant qui vient de surgir devant votre voiture pour récupérer son ballon.

Néanmoins, les conducteurs font parfois des choses terrifiantes sur la route. Nous nous plaignons davantage du danger que représentent les téléphones cellulaires que, par exemple, du risque encouru par un motocycliste qui ne porte pas de casque protecteur. C'est parce que nous considérons toujours les téléphones cellulaires comme des symboles de prestige. Une équipe de psychologues de Liverpool, en Angleterre, en est récemment venue à la conclusion que les hommes utilisent leur téléphone cellulaire un peu à la façon d'un paon qui déploie sa

queue – c'est-à-dire pour impressionner les femelles de l'espèce. Bien que l'effet de nouveauté de ces téléphones s'estompe graduellement, les gens se sentent encore importants quand ils les utilisent. Comme l'a si bien dit le sociologue Jill Stein : « Maintenant, tout le monde peut jouer à Monsieur l'Important ».

On considère en général comme très déplacé qu'une personne zigzague sur la route parce qu'elle parle au téléphone, ou encore que la sonnerie d'un téléphone interrompe votre souper en tête-à-tête. Les personnes qui se permettent ces écarts de conduite se croient plus importantes que les autres. C'est donc pourquoi les invasions de notre vie privée par un téléphone cellulaire sont plus choquantes que les autres manquements à l'étiquette. Pour autant, bien sûr, que ce soient les autres qui les fassent. Une étude menée par SBC Communications, fabricant des appareils Cellular One et des produits Pacific Bell, a démontré que les utilisateurs de téléphones cellulaires avaient tendance à classer les autres utilisateurs dans la catégorie des C, des D, et même des F sur une échelle qui leur avait été proposée, tandis qu'ils se classaient eux-mêmes dans la catégorie des A et des B.

Plusieurs sociologues croient que le problème va s'estomper de lui-même avec le temps. Les nouvelles technologies arrivent si vite que nous avons à peine le temps de formuler de nouvelles règles d'étiquette appropriées. Un jour, nous en arriverons à des règles sociales assez générales pour que la plupart des gens s'y conforment. Entre-temps, voici quelques conseils. Pour des raisons

T

évidentes de sécurité, n'utilisez pas l'appareil en conduisant. Si vous devez absolument faire un appel, ne restez pas sur la route, et cela même si vous possédez un appareil mains libres. Et par souci des autres, ne l'utilisez pas au restaurant, au théâtre ni au cinéma. Encore une fois, si vous devez appeler, sortez de la salle. Et si, tout près de vous, quelqu'un vous énerve en parlant fort dans son appareil, utilisez la stratégie qu'un utilisateur du transport en commun de Chicago a mise au point : sortez un petit calepin de notes et un stylo, penchez-vous doucement vers la personne qui parle, et notez tout ce qu'elle dit. Ça marche à tout coup.

Télévision toujours allumée

(Voir Messages publicitaires exaspérants, Publicités tonitruantes, Temps libre? Quel temps libre?)

Vous allez chez une amie pour lui rendre visite. Vous-même éteignez la télévision lorsque vous ne la regardez pas. Votre amie, par contre, considère qu'une télévision est un objet décoratif lumineux qui émet des sons et que l'on garde dans un coin. Elle est toujours allumée, tellement que l'on ne s'en rend même plus compte. Alors, puisque la télévision est allumée, vous essayez de l'écouter, sauf que votre amie vous interrompt sans cesse. « Comme c'est impoli pensez-vous. De son côté, elle se demande pourquoi vous avez fait tout ce chemin pour venir la voir, puisque vous préférez écouter la télévision. Vous semblez trop distraite pour faire la conversation. « Comme c'est impoli ! » pense-t-elle.

Les Américains diront que la télévision est la chose la moins nécessaire dans leur vie. Pourtant, ils y consacrent plus de temps qu'à toute autre activité de relaxation. Ils disent ne posséder que 20 heures de loisir par semaine, mais passent en moyenne 21 heures devant la télé chaque semaine.

« Presque tout le temps de loisir supplémentaire que nous avons acquis au cours des 30 dernières années est utilisé à une activité : rester assis sur le canapé devant la télévision », a écrit Robert D. Putnam dans la préface de son livre *Le temps de vivre : les façons surprenantes qu'ont les Américains d'utiliser leurs temps libres*. « L'augmentation du temps passé à écouter la télé correspond à la diminution du temps alloué à presque toutes nos autres activités – particulièrement du temps alloué aux activités en plein air. »

T

Des études menées en 1978 et en 1986 ont montré qu'écouter la télévision réduit la participation aux activités sociales telles que l'implication

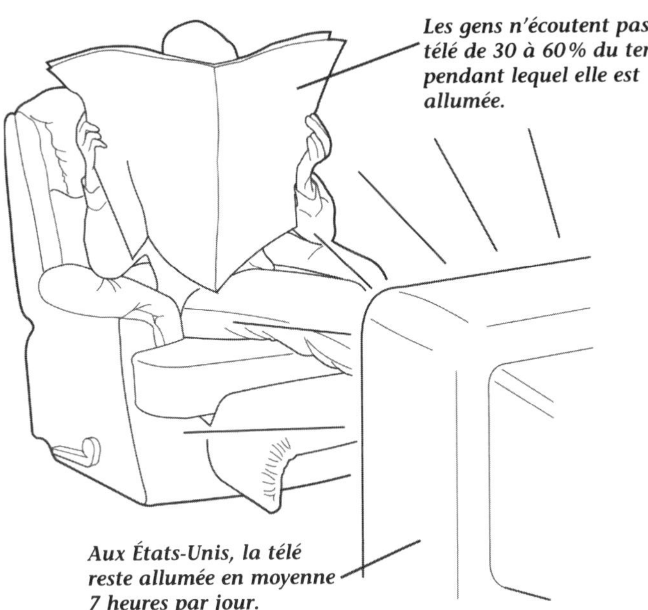

dans des clubs divers, le sport, la danse, les réceptions. Une étude de 1990 a révélé que ceux qui écoutent beaucoup la télévision sont moins heureux, moins amicaux et moins positifs que ceux qui l'écoutent peu. Mais les chercheurs n'ont pu établir si c'est la télévision qui produit la lassitude, ou si c'est plutôt la lassitude qui pousse les gens à écouter la télé.

Les gens n'écoutent pas la télé de 30 à 60% du temps pendant lequel elle est allumée.
Aux États-Unis, la télé reste allumée en moyenne 7 heures par jour.

Plus nous consacrons de temps à la télévision, moins nous semblons l'apprécier. Elle devient une habitude au lieu d'être une source de divertissement. Le fait que nous consacrions de plus en plus de temps à une activité qui ne nous satisfasse que très superficiellement contribue aussi à exacerber notre sentiment de perdre notre temps.

Dans plusieurs foyers, la télévision est devenue un compagnon de tout temps. Elle constitue le fond sonore de la vie. La plupart du temps, les gens ne l'écoutent même pas, ils ne font qu'y jeter un coup d'œil en passant devant.

« De nos jours, écouter la radio est devenue une activité presque exclusivement secondaire, quelque chose que nous entendons alors que

nous faisons autre chose», soutiennent John P. Robinson et Geoffrey Godbey, auteurs du livre *Le temps de vivre.* «La télévision suit présentement le chemin jadis emprunté par la radio. L'écoute de la télé se fait pendant une activité parallèle, et ce, le quart du temps où la télé est allumée.»

Le pourcentage du temps où la télé est allumée mais qu'on ne l'écoute pas varie selon les études, mais se situe entre 30 et 60 pour cent. La firme Nielson, spécialisée dans les cotes d'écoute, indique que, presque tous les jours, dans un foyer américain moyen, la télé est allumée et qu'un poste ou un autre est syntonisé durant 7 heures, mais qu'on ne l'écoute en fait que pendant 4 heures.

Lorsque la télévision est allumée, les garçons et les hommes sont plus susceptibles d'y jeter un coup d'œil que les filles et les femmes le sont. De plus, comme il fallait s'y attendre, les garçons sont plus attentifs aux émissions qui présentent beaucoup d'animation et d'action.

Les enfants commencent à «écouter» la télévision dans la petite enfance, alors que les parents les assoient devant la «boîte» pour les apaiser. Des enregistrements vidéo montrent que les enfants qui écoutent la télé peuvent en même temps jouer, manger, faire leurs devoirs et parler. La télévision est devenue facile à ignorer.

Une étude a démontré que les enfants israéliens apprennent davantage des émissions éducatives que ne le font les enfants américains. Les deux groupes apprennent de façon égale lorsque l'information est présentée sous forme imprimée, mais les enfants américains sont tellement habitués à ignorer la télé qu'ils portent moins d'attention au contenu du programme.

Un groupe qui s'appelle TV-Free America (Une Amérique libérée de la télé) a proposé une Semaine nationale pour la télé éteinte. Cet organisme soutient que les familles participantes jouissent désormais d'environ une heure de conversation gratifiante tous les jours, comparativement à la moyenne nationale de 38 minutes par semaine. De plus, les foyers sans télévision rapportent des mariages plus solides et durables puisque les personnes ont plus de temps à se consacrer l'une l'autre. Si vous désirez de plus amples informations sur cet organisme et leur campagne, consultez l'adresse de leur site Internet: http://www.tvturnoff.org.

T

Bien sûr, il existe une solution moins radicale que de jeter votre téléviseur par la fenêtre. Les spécialistes conseillent vivement aux

téléspectateurs d'apprendre à faire la différence entre les émissions qui les intéressent, les informent et les divertissent réellement, et celles qu'ils n'écoutent que par habitude nonchalante. En limitant votre temps d'écoute aux émissions que vous appréciez vraiment, il vous sera peut-être possible de récupérer un peu de ce temps qui semble vous échapper.

Alors, devriez-vous tenir une conversation lorsque la télé est allumée ? Cela dépend des préférences des gens qui sont dans la pièce avec vous. Quoi qu'il en soit, il serait peut-être préférable de garder vos commentaires pour la pause commerciale.

Temps libre ? Quel temps libre ?

(Voir Bouchons de circulation, Bureau à cloisons, Dettes de cartes de crédit, Télévision toujours allumée)

« Je n'ai pas le temps de te parler tout de suite, je dois aller chercher les enfants et les amener à leur répétition et ensuite je dois préparer le dîner et puis travailler sur une présentation que je ferai demain à la réunion annuelle au bureau et je dois aussi réparer mon tailleur et puis apprendre l'espagnol... »

Dans les années 1980, les analystes prévoyaient que l'un des plus gros problèmes auxquels nous aurions à faire face dans le nouveau millénaire serait de savoir quoi faire avec tout ce temps libre que la technologie nous aurait permis. Mais déjà en 1999, l'air de la chanson avait changé. Cette même année, un numéro du magazine *American Demographics* faisait cette prédiction : « La complainte des pauvres en ce nouveau millénaire pourra vraisemblablement être "Eh, mon frère, t'aurais pas un peu de temps à me prêter ?" Des baby-boomers harcelés auront créé pour eux-mêmes une sorte de famine temporelle à force de travailler durant de plus en plus d'heures chaque semaine et en s'impliquant toujours davantage dans des œuvres communautaires de toutes sortes. » Marjorie Valin, de la Fédération américaine pour la publicité de Washington, affirme que les publicistes de l'avenir devront tourner à leur avantage ce sentiment « de perdre frénétiquement son temps » que les gens ont et l'idée que notre « vie est hors de contrôle » qui imprègne de plus en plus la culture moderne.

Certains experts, cependant, croient que nous ne sommes pas plus pressés que les générations antérieures, que ce n'est là qu'une impression que nous avons. Le livre *Le Temps de vivre* des spécialistes en utilisation du temps John P. Robinson et Geoffrey Godbey avance

LISTE DES TÂCHES
Passer prendre les vêtements nettoyés
Cadeau pour l'anniversaire de Robert
Épicerie
Tonte de Fido 10 h 30
Rendez-vous chez le médecin 14 h
Écrire le rapport au plus vite
Tondre le gazon

l'idée que les Américains bénéficient de cinq heures de temps libre de plus par semaine qu'ils n'en avaient en 1960. En fait, nous jouissons d'environ 40 heures de temps libre par semaine, du temps, bien sûr, qui ne comprend pas le travail, les tâches domestiques, la garde des enfants, les repas et le sommeil. Il s'agit là d'un gain de plus d'une heure par jour depuis 1965. Néanmoins, la plupart des gens estiment qu'ils n'ont que 16 heures de temps libre par semaine.

Comme les gens sont davantage stressés, ils ont tendance à croire qu'ils passent plus de temps à travailler qu'ils ne le font en réalité. La phrase « J'ai pas le temps » est devenue une sorte de métaphore qui exprime en réalité le stress ressenti par la personne. Godbey croit que nous nous sentons plus pressés par le temps parce qu'au moins 25 de nos 40 heures de loisirs tombent sur des jours de semaine et ne nous arrivent que par bouts de 1 heure ou 2 à la fois. « Dans la plupart des cas, ce temps ne peut aucunement nous procurer quelque relâchement physique ou psychologique que ce soit. Même si l'expression “temps libre” veut dire tranquillité, ces portions de une heure ou deux n'auront que peu d'effet tranquillisant. »

Un autre facteur qui fait de nous des obsédés du temps est le fait que, étant donné le relâchement de la définition des rôles que nous assumons dans la société, de plus en plus, notre position sociale est déterminée par ce que nous pourrions appeler des « qualifications portables ». Donc, pour hausser notre valeur aux yeux de la société ainsi qu'au sein de notre champ d'activité professionnelle, nous nous devons d'avoir accompli un certain nombre de réussites quantifiables. Nous voudrions déjà avoir accompli ceci ou cela. Nous nous fixons des objectifs – trop d'objectifs – et nous finissons par nous épuiser en essayant de les atteindre tous. Ce n'est pas le manque de temps qui finit par avoir raison de nous, c'est le nombre trop élevé de données que nous devons sans cesse garder à l'esprit. Quand on demande à des personnes travaillant dans un laboratoire, par exemple, d'exécuter trop de manœuvres différentes en même temps, l'on peut observer une augmentation de la tension, une diminution du sentiment que l'environnement est sous notre contrôle et même un inconfort physique.

Cependant, certains historiens se demandent s'il est vrai que nous nous sentons plus pressés que nos ancêtres. Il est possible que ce ne soit qu'une impression répandue dans la population. Ils affirment qu'il y a de cela plus de 150 ans Alexis de Tocqueville, un observateur et commentateur français de la vie dans les colonies, observait que les Américains étaient toujours pressés.

« Nous sommes à l'âge de la nervosité... le malaise grandissant du jour, la caractéristique psychologique de l'époque », a-t-on écrit dans un éditorial du *New York Tribune*. « Nulle part ailleurs peut-on remarquer une aussi grande précipitation et une telle surcharge de la vie qu'au sein de cette Nation qui ne cesse d'accomplir... Inventions, découvertes, réussites scientifiques ne font que s'ajouter à tout ce qui doit être appris et élargissent le champ d'action où le labeur devient indispensable. Si la connaissance a augmenté, nous devrions prendre plus de temps pour l'assimiler... Car il serait tragique pour cette splendide époque de connaissances et de travail que l'on se la remémore comme étant l'ère des esprits ébranlés et des nerfs éclatés. » Cet article a été écrit en 1895.

Toussotements au théâtre

(Voir Emballages de friandises bruyants, Pointeurs laser, Téléphones cellulaires)

Vous ne demandez qu'à écouter l'orchestre, mais... Gheuuh! Gheuh! Snif! Snif! Voici les violons. Gheuh! Snif! Et les violoncelles. Une gorge qui se dégage. Les cuivres, accompagnés d'une quinte de toux. Tout ça ennuie les spectateurs, mais aussi ceux qui sont sur la scène. Récemment, lors d'un spectacle du Carnegie Hall Jazz Band à Minneapolis, le directeur musical, Jon Faddis, arrêta la représentation pour gronder les membres de l'auditoire qui toussaient.

En 1975, alors que l'Opéra de Dallas présentait *Tristan et Isolde*, Jon Vickers interprétait Tristan et était couché sur la scène, pendant qu'un autre chanteur s'évertuait à chanter par-dessus le bruit causé par des spectateurs qui toussaient. Vickers en eut assez et s'écria: « La ferme avec votre satanée toux! »

La chanteuse Marilyn Horne a fait remarquer que les gens toussaient davantage dans les villes au climat chaud et ensoleillé, comme Miami et Dallas. Dans les villes dont le climat impose de longs mois de température humide et froide, les auditoires sont plus silencieux.

On doit donc peut-être invoquer les motifs psychologiques autant que les gorges enrouées. Durant les passages dramatiques, alors que les gens sont saisis par le moment, l'on n'entend plus tousser. Aussitôt que la tension dramatique redescend, l'auditoire redevient agité et remuant, et la toux reprend. Il arrive cependant que nous ayons ce petit chatouillement dans la gorge et que nous ne puissions nous empêcher de tousser. Plusieurs théâtres ont pris l'initiative de distribuer des pastilles contre la toux avant les représentations, mais il reste toujours le bruit qu'on fait en développant ces pastilles...

Il existe une façon de tousser au théâtre sans faire de bruit. Selon Florence B. Blager, chef de la Division des troubles de langage et de

l'audition au Centre national juif pour la médecine immunologique et respiratoire de Denver, on ne devrait pas retenir la toux mais plutôt laisser l'air prendre de l'expansion vers l'extérieur. Quand vous sentez venir la toux, pressez vos lèvres l'une contre l'autre et soufflez l'air à l'extérieur de vos poumons. Vous vous débarrasserez ainsi de l'air que la toux soufflerait autrement à travers vos cordes vocales. Je n'ai pas essayé cette technique moi-même, mais Blager affirme qu'elle peut être pratiquée facilement. Pour ceux qui ne désirent pas apprendre cette technique, Judith Martin, auteure de la rubrique de journaux « Miss Manner », a un autre conseil : lorsqu'on tousse plus de trois fois, on devrait quitter le théâtre.

DE VACARME À « VOTRE APPEL EST IMPORTANT POUR NOUS » : LA MISE EN ATTENTE

Vacarme

(Voir Chaînes stéréo pour automobiles de puissance extrême, Ongles grattés sur un tableau, Systèmes d'alarme antivol de voitures)

Votre voisin adore faire jouer de la musique heavy métal à tue-tête sur sa chaîne stéréo. Mais comment peut-il endurer ce vacarme? Vous préféreriez écouter un lave-vaisselle déréglé. Des scientifiques ont tenté de quantifier le facteur de désagrément du son sur une échelle de bruit. La difficulté majeure qu'ils rencontrèrent fut le fait que l'opinion des sujets varie énormément quand il s'agit de séparer le son du bruit. Les bruits sont habituellement forts, par exemple, mais l'amplitude seule ne rend pas nécessairement un son désagréable à toutes les oreilles; parlez-en à l'auditoire d'un concert rock.

Un point sur lequel les experts s'entendent généralement est que le bruit est mauvais pour la santé. Des études variées effectuées à proximité d'aéroports internationaux ont démontré que l'exposition au bruit pouvait causer des pertes de l'ouïe, des troubles du sommeil, une hausse de la pression artérielle, des maladies du cœur et des traumatismes psychologiques. En 1979, des chercheurs à l'Institut psychiatrique de Londres ont révisé les résultats de deux études réalisées près de l'aéroport Heathrow de Londres. Les études en question avaient comparé les taux d'admission à l'hôpital psychiatrique Springfield et avaient relevé que les quartiers les plus près de l'aéroport, donc les plus exposés au bruit, avaient aussi le plus haut taux d'admission de personnes à l'hôpital. D'autres études ont pu établir une corrélation entre le bruit et les mauvais résultats en mathématiques et en lecture chez les enfants d'âge scolaire.

Une étude effectuée en 1957, intitulée *Le Bruit par rapport au désagrément, à la performance et à la santé mentale* et dirigée par D. Broadbent, vint à la conclusion que des bruits soudains et inattendus font battre le cœur très vite, qu'ils augmentent la pression artérielle et provoquent des contractions musculaires. Après un bruit très fort,

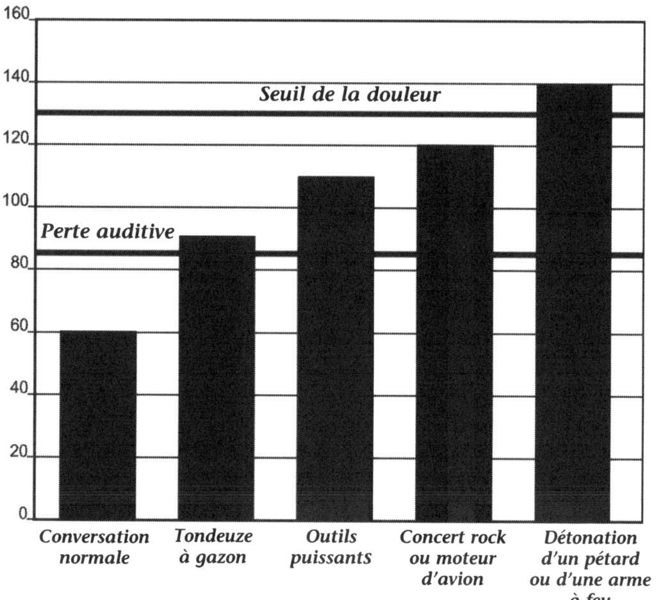

la digestion, les contractions de l'estomac et la sécrétion de liquides gastriques s'arrêtent complètement.

D'ailleurs, le mot anglais *noise* (bruit) et le mot français « noise » (de l'expression « chercher noise à quelqu'un ») sont de lointains cousins du mot *nausea* (nausée). Ces mots ont évolué à partir du mot grec *nautia* et du mot latin *navis* (bateau). Le mot « nausée » signifiait d'abord « mal de mer ». Par la suite, le mot fut attribué à des malaises similaires prenant place à terre. Le mot cousin « noise » désignait jadis les sons ou bruits entourant une personne malade. En vieux français, le mot devint synonyme de désaccord bruyant. Le mot fut adopté par l'anglais et finit par désigner tout son désagréable.

Des chercheurs de l'Université Northwestern qui étudient les bruits ayant la réputation d'être désagréables pour les humains ont déterminé que le plus universellement désagréable d'entre eux, et de loin, est le bruit des ongles traînés sur un tableau noir. Quel fut le bruit qui remporta la deuxième place, toujours selon ces recherches? Le bruit de deux morceaux de polystyrène frottés l'un sur l'autre.

V

Virus informatiques

(Voir Courrier électronique indésirable, Internet, Ordinateur, « @#%$ machine »)

Votre ordinateur se comporte étrangement. Très bizarrement. Vous supprimez un dossier, il semble réapparaître dans un autre fichier. Vous l'effacez à nouveau, il réapparaît ailleurs. Vous aviez quelques documents dans un certain fichier, mais vous n'êtes plus en mesure de les retrouver. Mais qu'est-ce qui se passe ? Soudainement, un message arrive sur vote écran : « Le super-pirate informatique frappe à nouveau ! » Vous avez oublié de mettre à jour votre programme antiviral, n'est-ce pas ?

Être la cible d'un virus informatique, c'est un peu comme se faire dévaliser ou être victime de vandalisme. Vous vous sentez violé, même si le virus n'a causé que des dommages mineurs. S'il a effacé des dossiers, changé les mots de textes importants ou causé l'effondrement total de votre ordinateur, les conséquences peuvent être dévastatrices.

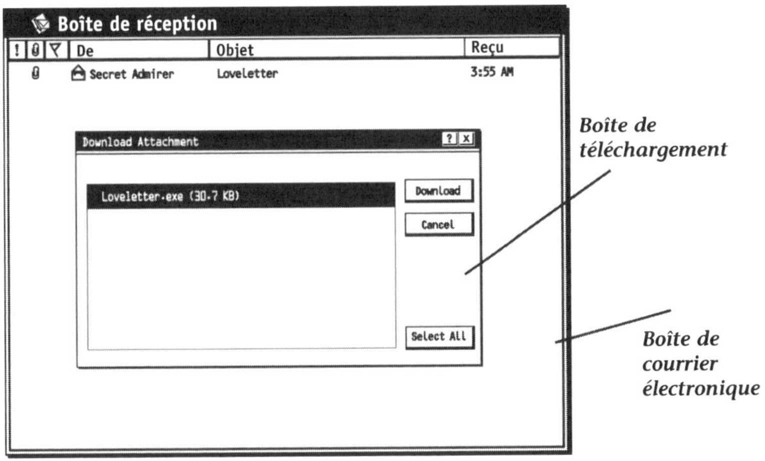

 Computer Economics, une entreprise de recherches indépendante, évalue l'impact économique mondial des attaques de virus informatiques à 12,1 milliards de dollars en 1999 et à 17,1 milliards de dollars en 2000. Et quel prix peut-on mettre sur un fichier effacé qui était la seule copie de votre roman ou d'une proposition d'affaires ?

Quelle sorte d'invididu malade ou méchant peut bien penser à concevoir un programme dont le seul but est de se reproduire dans l'ordinateur des autres tout en y causant des dommages ? « Des gens qui ont de l'acné », selon Peter Tippett, président et directeur général de la firme de sécurité pour Internet ICSA inc. Des personnes, donc, âgées de 17 à 27 ans pour la plupart. Il est arrivé que des pirates soient dans la quarantaine mais, habituellement, ce sont de jeunes diablotins, et ils sont aussi de sexe masculin, en majorité.

Susan Gordon, une sommité dans le domaine des virus informatiques, qui porte le titre d'anthropologue de la sous-culture des pirates cybernétiques, a découvert que les concepteurs de virus appartiennent généralement à la classe moyenne et qu'ils font preuve d'un développement éthique tout à fait normal pour ce qui est des autres aspects de leur vie. Ce ne sont pas, par exemple, de vulgaires criminels. Cependant, l'anonymat inhérent au monde de l'informatique fait qu'ils ont tendance à percevoir leurs cibles comme des machines plutôt que comme des êtres humains qui utilisent ces machines. Ces adolescents concepteurs de virus n'ont pas nécessairement d'intentions malicieuses ; ils disent le faire simplement parce qu'ils le peuvent. Quant aux pirates adultes, ils sont plus susceptibles d'avoir des intentions malicieuses. En fait, les jeunes pirates sont très politisés et ont l'impression de lutter contre un « ennemi », ou quelque chose de vague étant responsable de tous les torts de la société en général. La plupart d'entre eux recherchent une certaine reconnaissance ou une notoriété. Ils seront flattés si leur virus devient assez célèbre pour faire partie de la liste des antivirus. Et s'il fait les manchettes des journaux, ce sera encore mieux.

Si vous pouviez déchiffrer le code d'un de ces virus, vous verriez qu'ils sont personnalisés la plupart du temps. Leur programmation contient des commentaires. En temps normal, de tels commentaires sont utilisés par les fabricants de logiciels pour décrire le fonctionnement de chacune de leurs sections. Les pirates, eux, les utilisent pour diffuser un message. Il s'agit parfois de messages discourtois à l'égard d'une ex-petite amie ou de la cible originale. Ou alors ce sont les noms de pirates informatiques.

Dark Avenger, un pirate informatique bulgare, avoua ceci à madame Gordon : « Je crois que ce qui est le plus fascinant pour moi est de concevoir un programme qui puisse voyager par lui-même à des endroits où jamais je ne pourrai aller. Le gouvernement américain peut m'empêcher d'entrer aux USA, mais il ne peut pas arrêter mes virus. »

On entend de fréquentes mises en garde au sujet de virus qui ont le potentiel d'effacer le disque dur des ordinateurs, rendant ainsi les appareils inutilisables, et du fait même stoppant la rotation de la Terre sur son axe. Mais la plupart des virus ne sont pas très nuisibles, quoiqu'il faille beaucoup de temps et d'énergie pour les éliminer. Même les virus les plus efficaces, soit ceux qui se propagent le plus rapidement, utilisent un code très simple. Ils se servent aussi des faiblesses de la nature humaine pour se propager. Une récente souche de virus affectant le courrier électronique avait la particularité de se diffuser par le carnet d'adresses des victimes, sous forme de courriel. Le message semblait provenir d'un ami, attirant ainsi l'attention du destinataire et l'incitant à accomplir une commande qu'il n'aurait pas faite s'il s'agissait d'un étranger.

Selon le psychologue et expert-conseil Robert Edelman, un de ces virus, Loveletter, « était maladroitement rédigé mais possédait la combinaison de psychologie et de technologie la plus efficace qui ait été conçue à ce jour ».

Nous voyons poindre à l'horizon un nombre grandissant de solutions technologiques. Les compagnies IBM et Symantec ont joint leurs forces pour le développement d'un « système immunitaire numérique » qui aurait la faculté d'évoluer constamment. Ce système détecterait automatiquement toute possibilité d'invasion virale, retracerait la signature distinctive du virus et enverrait les défenses adéquates aux clients en moins d'une heure. Susan Gordon suggère également d'ajouter des cours d'éthique aux classes d'informatique dans les lycées.

En attendant, pour vous défendre contre ces farceurs, assurez-vous d'utiliser un système de sécurité comme UNIX ou Windows NT, ainsi que les alternatives à Office de Microsoft. Les concepteurs de virus veulent que leurs créations atteignent un auditoire le plus grand possible, ils les programment donc pour infecter les logiciels les plus populaires. Si vous ne voulez pas changer vos logiciels, installez-vous un détecteur de virus et assurez-vous de mettre à jour régulièrement son tableau de classification des virus. Finalement, ne démarrez jamais un programme qui vous est parvenu par courrier électronique, à moins que vous sachiez vraiment de quoi il s'agit.

Vols retardés

(Voir Espace pour les jambes en avion, Guerre d'accoudoirs)

Le service de nouvelles Gannett affirme que, si la durée prévue de votre vol est 45 minutes, vous pouvez vous attendre à ce que votre voyage dure plutôt 4 heures, en tenant compte du temps requis pour votre enregistrement et celui de vos bagages, le décollage, l'atterrissage, la récupération de vos bagages et votre départ de l'aéroport. Si vous ajoutez un délai dû aux conditions climatiques qui sévissent aux îles Mouk-Mouk, votre vol de 45 minutes peut facilement se transformer en une journée entière à trimballer de gauche à droite votre serviette remplie de documents et votre ordinateur portable, à patienter dans des salles d'attente bruyantes et à essayer de dormir sur des chaises.

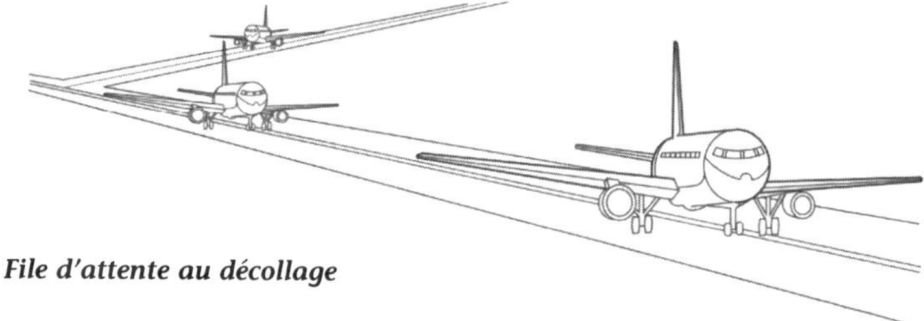

File d'attente au décollage

En 2000, selon le département américain des Transports (DAT), un vol sur quatre était retardé, annulé ou détourné. Le délai moyen, si l'on inclut l'attente à l'intérieur de l'aéroport et sur la piste, est de 50 minutes. On peut attribuer certains de ces retards à la température. Un orage qui sévit à l'aéroport O'Hare de Chicago peut perturber les horaires dans tous les États-Unis. Évidemment, les compagnies aériennes pourraient régler ce problème en s'accordant un peu plus de marge de manœuvre entre les vols. Selon la revue *Newsweek*, l'aéroport de Dallas-FortWorth peut gérer 35 vols toutes les 10 minutes, par beau temps. Les compagnies aériennes prévoient par contre 57 vols. Alors, même par une belle journée ensoleillée, 22 avions seront forcément retardés.

Ensuite, le système de contrôle aérien est tout à fait vétuste. David Fucus, de la Air Transport Association, a affirmé au magazine *Newsweek*: « Nous sommes en 1999, et nous opérons encore avec un système qui date des années 70. » Et il rajouta ce qui suit: « Je ne voudrais surtout pas que l'on pense que tout le système date des années 70, parce qu'une bonne partie date des années 60. »

La Federal Aviation Administration (FAA) exige une marge de manœuvre adéquate qui puisse permettre des bris d'équipement et de petites erreurs sans que cela ne nuise à la sécurité des gens. Les contrôleurs aériens sont avisés de laisser un espace tampon de sécurité entre les avions. La loi stipule que cet espace doit être d'au moins 10 kilomètres, mais il arrive qu'il soit de 90 kilomètres.

Il existe quelques moyens qui permettent d'éviter les retards, comme choisir des vols qui partent tôt dans la journée. Un seul vol retardé est susceptible de causer des retards à une multitude d'autres vols. Les vols de la fin de la journée ont beaucoup plus de chances d'être retardés. On peut également vérifier les statistiques de vols sur la page Web du DAT, à l'adresse électronique www.bts.gov/ntda/oai. Vous pourrez ainsi voir quels aéroports et compagnies aériennes affichent les meilleures performances.

Rappelez-vous le règlement 240 du DAT: dans le cas d'une modification de l'horaire de n'importe quel vol – sauf pour cause de mauvaise température –, le billet de la compagnie aérienne d'origine doit être honoré par toute autre compagnie aérienne pour le prochain vol disponible. Neuf des dix principales compagnies aériennes des États-Unis acceptent les billets d'une autre compagnie. La Southwest est la seule à ne pas le faire.

Efforcez-vous de tempérer votre humeur. Plus les gens s'énervent et se fâchent contre les employés de compagnies aériennes, plus ceux-ci deviennent eux-mêmes brusques et exaspérés. Les cieux deviennent rapidement un endroit plutôt désagréable, ce qui n'aide en rien la bonne marche des choses.

Gordon Bethune, le président de Continental Airlines, adressa cette question à *Newsweek*: « Lorsque les gens en taxi sont pris dans un embouteillage, s'en prennent-ils au chauffeur? Vous savez, nous détestons les retards autant que vous, et nous n'apprécions pas plus que vous le fait d'être assis là à ne rien faire pendant des heures. »

«Votre appel est important pour nous»: la mise en attente

(Voir Bouchons de circulation, Files d'attente: la plus rapide est toujours celle d'à côté, Serveurs, très mauvais serveurs)

Non, mon appel n'est pas important pour vous! S'il l'était, vous y répondriez! Une étude effectuée par la compagnie d'assurances Prudential of America a révélé que 41 pour cent des personnes interrogées devenaient «plus irritées à chaque minute qui passe» lorsqu'elles

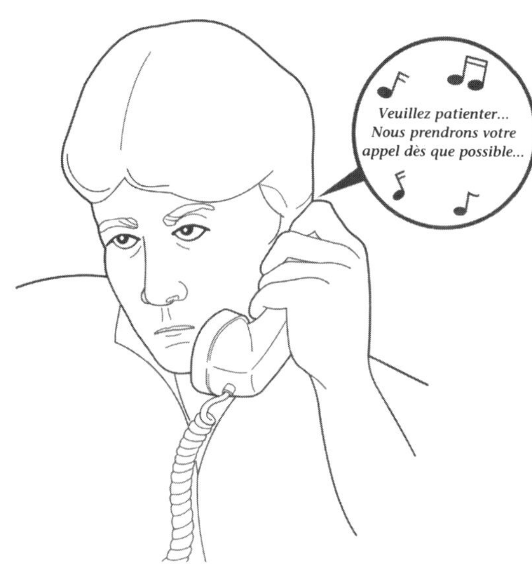

Veuillez patienter...
Nous prendrons votre
appel dès que possible...

appelaient une compagnie et qu'on les mettait en attente. Cette étude est fort scientifique, mais la conclusion à laquelle elle arrive semble tout droit sortie du dossier *J'aurais pu te dire ça moi-même gratuitement...*

D'accord, mais pourquoi donc en est-il ainsi? L'anthropologue David Murray avance que c'est culturel. En Occident, particulièrement aux États-Unis, les gens sont très préoccupés par la nécessité d'agir. L'on ne se sent en vie que lorsque quelque chose se passe.

Le reste du temps ne compte pas. « Nous avons l'impression d'être en hibernation », a-t-il expliqué au *Washington Post*. « Pour nous, il est insultant d'attendre. Nous nous sentons en quelque sorte dénigrés lorsqu'on nous force à attendre. Nous avons l'impression qu'on nous manque de respect; c'est de là que vient l'irritation qu'on ressent. »

Robert Levine, psychologue et auteur du livre *A Geography of Time* (Une géographie du temps) ramène toute cette question à une lutte de pouvoir. Les gens qui ont du pouvoir et de l'argent peuvent faire attendre les autres. Ainsi, lorsqu'on vous fait attendre, on vous indique que votre statut social est inférieur.

« Il n'y a pas de plus grand symbole de domination, écrit-il, puisque le temps est la seule chose que nous possédions qui ne puisse être remplacée. »

Attendez-vous à être très fréquemment irrité au cours des prochaines années. Vous retrouver en attente lors d'un appel téléphonique n'est pas une chose qui disparaîtra de si tôt. Un article récent de la revue *Marketing Tools* nous révèle que plusieurs compagnies, au lieu d'essayer de réduire le temps où l'on vous met en attente, travaillent plutôt à trouver des moyens de vous divertir pendant que vous attendez. Cela a donné naissance à d'autres compagnies qui, elles, fournissent les messages qu'on veut vous faire écouter alors que vous attendez. Et la plupart de leurs clients utilisent ce service pour vous bombarder d'annonces publicitaires. Nous détestons ça. Alors, pourquoi les compagnies le font-elles? Parce que nous nous mentons à nous-mêmes... Quoi que nous en disions, ces messages parviennent à nous garder en ligne. Une étude effectuée dans l'ensemble des États-Unis par une compagnie d'assurances a démontré que les messages qu'on vous passe pendant que vous attendez font diminuer de 50 à 80 pour cent le nombre de clients qui raccrochent. En fait, de 15 à 35 pour cent des gens réagissent aux messages publicitaires en achetant davantage d'articles que ce qu'ils prévoyaient.

Merci de bien vouloir continuer d'attendre. Votre appel est important pour nous. Restez en ligne pour un message de notre commanditaire...

Bibliographie

Abraham, Spencer. « The Case for Needed Legal Reform. » *USA Today,* 1er juillet 1998.

Abrahams, Marc, ed. *Best of Annals of Improbable Research.* New York : W. H. Freeman and Company, 1998.

Achenback, Joel. *Why Things Are.* New York : Ballantine Books, 1991.

Adams, Cecil. « Everything You Ever Wanted to Know About Farts. » *The Straight Dope,* Chicago Reader Inc., 1996.

—. « Why is the Sound of Fingernails Scraping a Blackboard so Annoying ? » *The Straight Dope [syndicated column],* Chicago Reader Inc., 1996.

Aisling, Irwin. « Scientists Get the Art of Dunking Down to a T. » *Daily Telegraph,* 25 novembre 1998.

Ajluni, Cheryl. « Static elimination technology rids computer screens and television sets of static electric fields. » *Electronic Design,* 18 novembre 1996.

Allison, Wes. « The Worst Job Ever? Paid Patients Unzip to Aid Med Students. » *The Washington Times,* 15 janvier 2001.

Allmon, Stephanie. « The Privy Truth : Toilet Seats Getting A Bad Rap. » *Palm Beach Post,* 16 mai 2000.

—. « Are Airlines Missing the Flight ? » *Prepared Foods,* juin 1998.

Armour, Stephanie. « Rage Against the Machine. Technology's Burps Give Workers Heartburn. » *USA Today,* 16 août 1999.

Asbell, Bernard et Karen Wynn. *What They Know About You.* New York : Random House, 1991.

—. Associated Press. « Why won't that machine take my dollar ? » *Arlington Morning News,* 30 mai 1999.

Barbash, Fred. « Terminal Tantrums. » *The Washington Post,* 7 juin 1999.

Baum, Stephanie L. « Cities, Schools Take Aim at Laser Pointers. » *Christian Science Monitor,* 24 décembre 1998.

Bennett, Andrea. « Stranded at an airport recently ? Cut your wait with our flight delay survival guide. » *Money,* 1er janvier 2001.

Bendman, Hillary. « Web Site Sells Unclaimed Baggage. » *University Wire,* 16 mars 2001.

Bensman, Todd. « Pair Arrested in Luggage Thefts. » *Dallas Morning News,* 24 avril 1998.

Blair, James W. « Cost-Cutting Cops Seek to Avoid False Alarms. » *Christian Science Monitor,* 24 février 1998.

Bliatto, Tom. « Controversy : Fossil Fool Barney and Friends... » *People,* 21 juin 1993.

Bloomfield, Louis. « How Things Work, » Bowen, Jon. « Personal-space Invaders. » *Salon,* 1er septembre, 1999.

Bowles, Scott. « Aggressive ticketing has drivers feeling trapped. » *USA Today,* 3 septembre 1999.

Brock, Barbara J. « TV Free Families : Are They Lola Granolas, Normal Joes or High and Holy Snots. » www.tvturnoff.org/BrockRsearchSummary.htm.

Brodeur, Raymond, D.C., PhD. « The Audible Release Associated with Joint Manipulation. » *Journal of Manipulative and Physiological Therapeutics,* mars-avril 1995.

Brody, Jane. « Slaying a Case of Dragon Mouth. » *Minneapolis Star Tribune,* 23 mars 1997.

Brody, Leslie. « Laser Pointers Termed a Danger. » *The Record (Bergen County, NJ),* 7 octobre 1998.

Brown, Jeanette. « #$@%& ! THIS MACHINE. » *Business Week,* 22 mars 1999.

Brumley, Al. « Radio Innovator Has A New Blueprint for FM. » *Dallas Morning News,* 14 juillet 1996.

—. « Solid Old : Radio Dials for Dollars by Programming More and More of the Past. » *Dallas Morning News,* 14 novembre 1998.

Bryant, Adam et al. « Why Flying Is So Awful. » *Newsweek,* 10 juillet 2000.

Bryant, Furlow. « The Smell of Love : How Women Rate the Sexiness and pleasantness of a Man's Body. » *Psychology Today,* 13 mars 1996.

Burgess, John. « Even Translated, Error Messages May Mean Kaboom! » *Washington Post,* 14 octobre 1998.

Burkeman, Oliver. « Keep Your Distance. » *The Guardian [UK],* 14 septembre 1999.

Butler, David. « Best Alarm is Not False. » *Minneapolis Star Tribune,* 21 mars 1996.

Butler, Jerry. « Mosquitoes Have Discriminating Tastes, UF Researchers Find. » *Press Release,* 20 août 1999.

Cadre, Adam. « And a Purple Dinosaur Shall Lead Them: Barney and the Future of Intergenerational Politics. » *Bad Subjects,* numéro 12, mars 1994.

Carlson, Peter. « Playing the Waiting Game; Stuck in Line at the ATM? Still On Hold for the Doctor? Got Something Better to Do With Your Time? Here, Read This. » *The Washington Post,* 14 décembre 1999.

Carpenter, Dave. « Rude Ringers. Complaints Rise with Cell Phone Use. » *Washington Times,* 2 août 2000.

—. « Carry On Meals And Fly. » *Food Institute Report,* 26 janvier 1999.

Castellanos, Jorge et David Azelrod, « Effect of Habitual Knuckle Cracking on Hand Function. » *Annals of Rheumatic Diseases,* vol. 49, 1990.

Catlett, Jason. « What Can Be Done About Junk E-Mail? » *USA Today Magazine,* 1er novembre 1998.

Chebat, Jean-Charles et al. « The Impact of Mood on Time Perceptions, Memorization and Acceptance of Waiting. » *Genetic, Social & General Psychology Monographs,* 1er novembre 1995.

—. « Chewing on Tinfoil Can Kill Germs. » *Wireless Flash News Service,* 27 février 1998.

Chism, Olin. « Show must go on, but coughs must go off. » *The Dallas Morning News,* 25 août 1996.

Christensen, Damaris. « Is Snoring a DiZZZZease? » *Science News,* 11 mars 2000.

Christman, Laura. « In Your Dust: We're Talking About The Common Household Variety – It's a Veritable Breakdown of Your Life. » *Newsday,* 26 mars 1998.

Connor, Steve. « Biscuit Dunking Perfected. » *Independent,* 25 novembre 1998.

Corey, Mary. « Raising a Stink Over Scent. » *The Evening Post* (Wellington, New Zealand), 20 septembre 1995.

Coventry, John. « Periodontal disease. (ABC of Oral Health). » *British Medical Journal,* 1er juillet 2000.

Cribb, Robert. « Etiquette for a wired world. » *The Toronto Star,* 6 décembre 1998.

Debarros, Anthony. « Radio's Historic Change Amid Consolidation. » *USA Today,* 7 juillet 1998.

Decker, Denise. « A Woman's Guide to How to Pee Standing Up. » www.restrooms.org/standing.html.

Desrocher, Jack. « Oral ecology. » *Technology Review,* 1er janvier 1997.

Diaz, Kevin. « Getting a Handle on Stray-cart Blues. » *Minneapolis Star Tribune,* 5 avril 1999.

Digital Learning Center for Microbial Ecology. « Habitat On Humanity. » Michigan State University Communication Technology Laboratory Center for Microbial Ecology, 2000.

DiPacio, Bonnie. « Why are Clowns So Scary to Some? Figures of Fantasy both Attract, Repel. » *Dallas Morning News,* 17 janvier 1999.

Drake, Petra. correspondance par courriel de l'auteure, avril 2001.

Dufner, Edward. « Experts Call Virus Writers High-Tech, Low-Brow. » *Dallas Morning News,* 1er avril 1999.

Durant, Zachary. Entretien téléphonique par l'auteure, 13 mars 2001.

Eagan, James M. *A Speeder's Guide to Avoiding Tickets.* New York: Avon Books, 1990.

Ebeling, Walter. « Urban Entomology. » University of California, Division of Agricultural Sciences, 1996.

—. « Echo Cancellation, » *Computer Desktop Encyclopedia,* 1er janvier 1998.

Edwards, Bob. « First Class vs. Coach. » Morning Edition (NPR), 26 mai 1998.

Ehrlich, Robert. *Why Toast Lands Jelly-Side Down.* Princeton, New Jersey: Princeton University Press, 1997.

Evans, Sandra. « Send In the Clowns, But Not Too Close. » *Washington Post,* 28 mars 2000.

Everbach, Tracy. « Huh? Academic Jargon is the Language of a Closed Club Among Scholars. » *Dallas Morning News,* 6 juillet 1999.

Finberg, Kathy. « Telemarketing Calls Are Not Good RX. » *The Arizona Republic,* 9 mars 1999.

Fisher, Anne. « Best Business Books: Excuse Me, Please, Do You Mind If I Sell You Something? » *Fortune,* 21 juin 1999.

Fishman, Charles. « But Wait, You Promised... » *Fast Company,* 1er avril 2001.

Flaim, Denise. « The Science of Stockings. We Can Orbit a Space Shuttle, Splice a Gene, Smash and Atom. Why Can't We Create Pantyhose That Don't Run? » *Newsday,* 18 novembre 1993.

Flatow, Ira. « Analysis : How the Sense of Smell Operates. » Propos entendus à the Nation Science Friday (NPR), 10 mars 2000.

—. « Analysis : Types and habits of some of the many insects that reappear as spring comes. » Propos entendus à the Nation Science Friday (NPR), 24 mars 2000.

—. *Rainbows, Curve Balls and Other Wonders of the Natural World Explained.* New York : Harper and Row, 1988.

Forsman, Theresa. « To Zagat Reviewers, Good Service Sells. » *The Record* (Bergen County, NJ), 2 septembre 1999.

Frase-Blunt, Martha. « The Cubicles Have Ears. Maibe They Need Earplugs ; A Psychologist Says Noisy Pod Farms Make for Jumpy Workers. » *The Washington Post,* 6 mars 2001.

Fumento, Michael. « Senseless Scent Patrol. » *The Washington Times,* 7 mai 2000.

Getchell, Annie. « Zipper Mending : How to Make Quick-Fixes and Permanent Repairs. » *Backpacker,* 1er août 1996.

Gillespie, Nick. « Time and a Half. » *Reason,* 1er mai 1998.

Glanz, James. « No Hope of Silencing the Phantom Crinklers of the Opera. » *New York Times,* 1er juin 2000.

Glausiusz, Josie. « The Root of All Itching. » *Discover,* avril 2001.

Goddard, Peter. « The science behind the scent. » *The Toronto Star,* 11 janvier 2001.

Goldman, Michael. « Clowns Are No Laughing Matter. » *The Toronto Star,* 8 juillet 2000.

Goodman, Tim. « Good Commercials Are Eating Up More Time. » *Minneapolis Star Tribune,* 2 juin 1998.

Gorman, Christine. « Shake, Rattle and Roar. Thunder in the Distance ? No, It's a Boom Car Coming. » *Time,* 6 mars 1989.

Gott, Peter. « Tomato Juice and the Piles. » *The Ottawa Sun,* 17 juin 2000.

Grabmeier, Jeff. « Credit Card Debt May Be Bad For Your Health. » *Newswire,* 1er mars 2000.

Graedon, Joe et Theresa Graedon. « The People's Pharmacy : How to be Unattractive – to the Mosquitoes. » *Newsday,* 14 août 2000.

Grant, Elaine X. « Tasteful Choices (Airline Food Service). » Agent de voyages, 23 août 1999.

Griest, Stephanie. « Telemarketers often get wrung out by the stress in their work. » *Minneapolis Star Tribune,* 14 juillet 1995.

Groves, Bob. « Calming the ZZZZZZs. » *The Record* (Bergen County, NY), 18 janvier 1993.

Gubbins, Teresa. « What About MY Space ? » *Dallas Morning News,* 23 février, 2000.

Guernsey, Lisa. « Taking the Offensive Against Cell Phones. » *New York Times,* 11 janvier 2001.

Haege, Glenn. « Stop Mosquitoes from Bugging You with Several Simple Solutions. » *Gannett News Service,* 22 août 2000.

Hai, Dorothy M. « Sex and the Single Armrest : Use of Personal Space During Air Travel. » *Psychological Reports,* vol. 51, 1982.

Hainer, Cathy. « How the Music Industry Got Out of Tune with Its Artists. » *USA Today,* 10 avril 1996.

Hall, Gerry. « Tracking the Path of Lost Baggage. » *Toronto Star,* 16 janvier 1999.

Hample, Scott. « Endangered Species. » *Marketing Tools,* mai 1995.

Hamer, Dean et Peter Copeland. *Living With Our Genes.* New York : Doubleday, 1998.

« Hangnails. » *Dermatology Times,* juillet 2000.

Hansen, Diane et Jesse Sheidlower. « Seasonal Words. » Weekend Sunday (NPR), 27 décembre 1998.

Hansen, Laura. « Dialing for Dollars. » *Marketing Tools,* janvier-février 1997.

Hanson, Eric. « A Tragedy of manners. A Funny Thing Happened on the Way to Decorum. » *Minneapolis Star Tribune,* A7, avril 2000.

Harley, Trevor A. et Helen E. Brown. « What Causes a Tip-of-the-Tongue State ? Evidence for Lexical Neighbourhood Effects in Speech Production. » *British Journal of Psychology.* 1er février 1998.

Haubrich, William S. *Medical Meanings, A Glossary of Word Origins.* Philadephia : American College of Physicians, 1997.

Hawkins, Katherine. Entretien téléphonique par l'auteure, 13 mars 2001.

Hayden, Thomas. « The Scent of Human. » *U.S. News & World Report,* 26 mars 2001.

Hellmich, Nanci. « Sharing Tips for Both Waiters and Diners. » *USA Today,* 22 juin 1994.

Helm, Ted. « An Overview of Nonverbal Communication in Impersonal Relationships. »

Hendricks, Gary. « Newer Systems Keep Passengers, Bags Together. » *Atlanta Constitution,* 21 février 2000.

Henrich, Greve, R. « Patterns of Competition : The Diffusion of a Market Position in Radio Broadcasting. » *Administrative Science Quarterly,* 1er mars 1996.

Hetts, Suzanne et Daniel Estep. « Tree Scratches Actually Signals. » *Denver Rocky Mountain News,* 24 juin 2000.

Heymann, Thomas N. *On An Average Day.* New York : Ballantine Books, 1989.

—. « How to Fix a Jumpy CD. » *Minneapolis Star Tribune,* 25 mars 2000.

Hoyt, Carolyn. « Development : How Memory Develops From the Moment of Birth. » *Parenting,* 1er octobre 1999.

Hulihan, J. « Ice Cream Headache. » *British Medical Journal,* 10 mai 1997.

Huntington, Sharon. « On the Trail of Dust. » *The Christian Science Monitor,* 17 août 1999.

Huston, Aletha C. et al. *Big World, Small Screen : The Role of Television in American Society.* Lincoln, Nebraska : University of Nebraska Press, 1992.

Hutchins, Chris. « Brain Freeze ! Is There No Escape From That Icy Ache ? » *Arlington Morning News,* 18 juillet 1999.

Hyde, Justin. « Detroit to Push Cars that Warn of Traffic Jams. » *The Toronto Star,* 23 octobre 2000.

—. « Ice Cream Headaches, Nerves Tied. » *Arizona Republic,* 15 février 2000.

—. « If the Movie Trailer's Rockin' Don't Bother Knockin' It. » *The Toronto Star,* 20 janvier 1999.

Incantalupo, Tom. « Alarming. Even Turning Your Car Into an Electronic Fortress May Not Keep it Safe. » *St. Louis Post-Dispatch*, 30 octobre 1993.

Ingram, Jay. « Why Candy Wrappers Can Wreck Your Night Out. » *The Toronto Star,* 16 juillet 2000.

Irvine, Pru. « @/+!='!****!!! Road Rage Has Got Nothing on This. » *Independent,* 11 décembre 1997.

« It's Enough to Make You Sick [Word Origins]. » *Medical Post,* 17 novembre 1999.

Ivry, Bob. « Why You Mind Very Much if They Do. » *The Record* (Bergen County, NJ), 16 juillet 2000.

Jacobs, Jerry A. « Measuring Time at Work : Are Self-Reports Accurate ? » *Monthly Labor Review,* 1er décembre 1998.

Jacobson, Louis. « Sensor-Based Cruise Control Keeps Cars Apart. » *The Washington Post,* 4 septembre 2000.

James, Leon et Diane Nahl. Entretien téléphonique par l'auteure, 24 janvier 2001.

—. *Road Rage and Aggressive Driving : Steering Clear of Highway Warfare.* Amherst, NY : Prometheus Books, 2000.

Jaret, Peter. « What Pests Want in Your Home. » *National Wildlife,* 1er août 1999.

Jenkins, Milly. « A Virus is Not Always the Product of a Sick Mind. » *Independent,* 13 janvier 1998.

Johnson, Kirk A. « Age-Old Questions and All the Answers You Need to Live A Healthier Life. » *Health Quest : The Publication of Black Wellness,* 31 octobre 1995.

Kadir, Rahimah A. « Plaque – The Hidden Enemy. » *New Straits Times,* 1er février 1998.

Kane, Joseph Nathan. *Famous First Facts.* New York : The H.W. Wilson Company, 1954.

Kang, Y. Peter. « I Warned You ! » *University Wire,* 8 novembre 1999.

Kanner, Bernice. *Are You Normal ?* New York : St. Martin's,1995.

Karger, Dave. « Trailer Trash : Are Movie Previews Giving Away Too Much These Days ? » *Entertainment Weekly,* 10 juillet 1998.

Kassirer, Jerome et Marcia Angell. « Losing Weight – An Ill-Fated New Year's Resolution. » *New England Journal of Medicine,* 1er janvier 1998.

Kato, Hidetoshi. « Crowd as the Social Environment. » 1972. www.chubu.ac.jp/inst/professors/webdoc8.htm

Kelleher, Kathleen. « The Word Is... I Know, It's Right on the Tip of my Tongue. » *Minneapolis Star Tribune,* 9 avril 1997.

Kelly, Sara, « When Bad Breath Happens to Good People. » *Men's Health,* 1er octobre 1996.

Kington, Miles. « Just a Mot, The Professor is Giving Advice. » *Independent,* 2 juin 1997.

Kinnaird, Kevin. « Focus on cranking out loud sound. » *The Washington Times,* 11 juin 1999.

Klein, Richard. « Get a Whiff of This : Breaking the Smell Barrier. » *New Republic,* 6 février 1995.

Kline, Hanne K. « Press 1 to Streamline. » *The Dallas Morning News,* 26 juillet 1997.

Koepp, Stephen. « Gridlock : Congestion on Americas Highways and Runways Takes a Grinding Toll. » *Time,* 12 septembre 1998.

Krugman, Dean M., Cameron, Glen T., et White, Candace McKearney, « Visual Attention to Programming and Commercials. » *Journal of Advertising,* 1er mars 1995.

Kurtzweil, Paula. « Dental More Gentle with Painless 'Drillings' and Matching Fillings. » *FDA Consumer,* 1er mai 1999.

Lafavore, Michael. « The Best, the Worst and the Really Weird : Our 4th Annual Collection of Advice, Warnings, News, Folly and Opinion. » *Men's Health,* 1er janvier 1994.

Larson, Jan. « Surviving Commuting. » *American Demographics,* juillet 1998.

Lehndorff, John. « A Tip to the Wise. Poor Service Has Driven Some Diners to Get Tough. » *Denver Rocky Mountain News,* 19 octobre 2000.

Lipscomb, Betsy. Entretien téléphonique par l'auteure, 4 avril 2001.

Lloyd, Nancy. « What You Don't Know About Credit Can Cost You. » *Minneapolis Star Tribune,* 23 mai 1996.

Long, Karen Haymon. « Woes of Those on the Go. » *Tampa Tribune,* 25 juin 2000.

Lupien, Sonia. Entretien téléphonique par l'auteure, 22 mars 2001.

Malone, Barbara. « Holding Onto the Wheel. » *The World & I,* 1er février 1996.

Maney, Kevin. « PowerPoint Obsession Takes Off. » *USA Today,* 12 mai 1999.

Margo, Jill. « Tail Wind. » *Sydney Morning Herald,* 2 février 1995.

Marriott, Michel. « Some New CD Players Really Don't Skip. » *Minneapolis Star Tribune,* 24 mars 2000.

Masoff, Joy. *Oh Yuck! The Encyclopedia of Everything Nasty.* New York : Workman Publishing, 2000.

Matthews, Robert. « Odd Socks : A Cominatoric Example of Murphy's Law. » *Mathematics Today,* mars-avril 1996.

—. « Tumbling Toast, Murphy's Law and the Fundamental Constants. » *European Journal of Physics,* 16 : 172-173, 1995.

—. « Strange But True : Why We'd All Be Safer Taking a Few More Risks. » *The Sunday Telegraph,* 16 août 1998.

—. « Why Some Words Just Will Not Trip Off the Tongue. » *The Sunday Telegraph,* 31 mai 1998.

Maier, Caroline. « Today's Specials : Waiters with Professional Training. » *St. Louis Post-Dispatch,* 13 avril 1993.

McAndrew, Francis T. Entretien téléphonique par l'auteure, 28 mars 2001.

McCluggage, Denise. « For Safe Driving, Have a Clear Outlook. » *Washington Times,* 2 juillet 1999.

McCombs, Phil. « Something to Chew On. » *Washington Post,* 7 novembre 2000.

McKay, Martha. « Nuisance Calls Hit New Highs. » *The Record* (Bergen County, NJ), 30 janvier 2000.

McMurran, Kristin et Donald A. Norman. « So You're Still Having Trouble Making Those Christmas Toys Work? Don't Worry. It's Not Your Fault. » *People,* 9 janvier 1989.

McNamee, Laurence et Kent Biffle. « Funny Bone? » *The Dallas Morning News,* 12 janvier 1997.

Melody, William H. « Satellite Communications. » *The 1998 Canadian Encyclopedia,* 6 septembre,1997.

Mercuri, Rebecca, PhD. Correspondance par courriel avec l'auteure, 21 janvier 2001.

Miller, Norman. « The Worm Has Returned. » *Independent on Sunday,* 3 novembre 1996.

Mindess, Mary. Entretien téléphonique par l'auteure, 21 février 2001.

Mizejewski, Gerald. « Man gets breathing room after 10 years of hiccups. » *The Washington Times,* 25 mars 2000.

Montague, Claudia. « Hold Everything. » *Marketing Tools,* mai 1995.

Most, Doug. « Driving 65 MPH is Good for Egos, But Little Else. » *The Record* (Bergen County, NJ), 2 février 1998.

Munson, Marty. « Head off itches (controlling the urge to scratch) » *Prevention,* 1er mai 1996.

—. « Murkowski Praises UAL Decision to Add Space Between Airline Seats. » *Capitol Hill Press Releases,* 6 août 1999.

Murphy, William. « It's Simply Alarming : Bill Would Ban Noisy Anti-Theft Devices on Cars. » *Newsday,* 28 avril 1997.

Muse, Melinda. *I'm Afraid, You're Afraid.* New York : Hyperion, 2000.

—. « My Doctor Said I Don't Need Surgery for my Hemorrhoids ! » *Medical Update,* 1er août 1994.

Myers, D.G. « Bad Writing. » *Weekly Standard,* 10 mai 1999.

Myslinski, Norbert R. « Now Where Did I Put Those Keys? » *The World & I,* 1er novembre 1998.

Nayder, Jim. Entretien téléphonique par l'auteure, 6 février 2001.

Neff, Raymond K. « Teleworld. » *The World & I,* 1er mai 2000.

Newell, Anne L. « Carts Come in a Variety of Colors and Sizes. » *Arizona Republic,* 3 juillet 1999.

Ng, Bernice. « British researchers say cell phones may play role in attraction. » *University Wire,* 15 février 2001.

—. « No More Flunking on Dunking. » *BBC News Online Network,* 25 novembre 1998.

Norman, Donald. *The Design of Everyday Things.* New York : Doubleday, 1988.

Norvig, Peter, « The Making of the Gettysburg PowerPoint Presentation, » www.norvig.com/Gettysburg/making.html.

Nunez, Daniel G. « Cause and Effects of Noise Pollution. » Student Paper Interdisciplinary Minor in Global Sustainability, University of California, Irvine. Printemps 1998. www.cnlm.uci.edu/~sustain/global/sensem/S98/Nunez/Noise.html.

Okie, Susan. « Survivors ; 350 Million Years Later, Cockroaches Are Still Going Strong. » *The Washington Post,* 10 novembre 1999.

Okorafor, Nnedi. « Remember– Computers are Human Too. » *University Wire,* 6 juillet 1998.

Perl, Peter. « Waking With the Enemy ; He Never Quite Believed He Had a Snoring Problem Till He Slept Beside a Tape Recorder. » *The Washington Post,* 28 novembre 1999.

Perry, Avi. « Echo Cancellers. » *Wireless Review,* 1er février 2000.

Pirroni, Marco. Entretien téléphonique par l'auteure, 15 mars 2001.

Precker, Michael. « Germ Warfare From a Man Who's 'Written a Lot of Toilet Papers,' » *Dallas Morning News,* 20 juillet 1998.

—. « Productivity per Square Foot. » *Nation's Restaurant News,* 6 novembre 2000.

Quinn, Jane Bryant Quinn. « Beware of Bank Card Fees. » *St. Louis Post-Dispatch,* 20 août 1996.

Ragsdale, Shirley. « Passenger Trust Must Be Rebuilt by Service, Smiles. » *Gannett News Service,* 13 juillet 2000.

Raphael, Michael. « This Space Is Mine ! Drivers Show Classic Apelike Behavior. » Associated Press, 13 mai 1997.

Rayner, Ben. « Boom ! » *The Toronto Star,* 23 septembre 1998.

Reynolds, Christopher. « Odds of Major U.S. Airlines Losing Your Baggage Are About One in 197. » *Minneapolis Star Tribune,* 16 juillet 2000.

Rheingold, Howard. *They Have a Word For It.* Los Angeles : Jeremy P. Tarcher Inc., 1988.

Riechmann, Deb. « TV Commercials Giving Viewers an Earful. » *AP Online,* 28 mai 1998.

Rivenburg, Roy. « Sound of Silence : It's Disquieting. Are We Addicted to Noise ? » *St. Louis Post-Dispatch,* 28 juillet 1997.

Roach, Mary. « Ladies Who Spray. » *Salon,* 19 mai 2000.

Robinson, John P. et Geoffrey Godbey. « The Great American Slowdown. » *American Demographics,* 1er juin 1996.

—. *Time for Life : The Surprising Ways Americans Use Their Time.* University Park, Pennsylvania : Pennsylvania State University Press, 1997.

Robinson, William. « What's the Top Pest ? : Ants are the Answer. » *Pest Control,* 1er avril 1999.

Roman, Mar. « I Sing the Body Electric (Causes Behind Peculiar Health Symptoms). » *Men's Health,* 1er juin 1996.

Rose, Heidi. « Human Weakness Causes Virus Spread. » *Computer Weekly,* 3 août 2000.

Saketkhoo K, Januszkievicz A., et Sackner M.A. « Effects of drinking hot water, cold water, and chicken soup on nasal mucus velocity and nasal airflow resistance. » *Chest* 1978 ;74(4) :408-10.

Sant, Charles. Correspondance par courriel de l'auteure, novembre 1997.

Sapsted, David. « Loud Music Is As Addictive as Drugs and Alcohol. » *Daily Telegraph,* 10 décembre 1998.

Schwade, Steve. « Read This Before You Fly : Prevention's Flight Plan for Comfort and Health. » *Prevention,* 1er juin 1996.

Schwarcz, Joe. « Everyday Chemistry : What Makes a Situation Sticky. » *Washington Post,* 8 décembre 1999.

Schwartz, John. « No Love for Computer Bugs : A New Generation of Virus Hunters Learn the Craft. » *The Washington Post,* 5 juillet 2000.

« Scientists Look for Commonalities in Annoying Sounds. » All Things Considered [NPR], 12 mai 1996.

Scott, John. « Road Rage. » Fox Files (Fox News Network), 22 juin 1999.

Segal, David. « They Sell Songs the Whole World Sings : Mass Merchants Offer Convenience, Less Choice. » *The Washington Post,* 21 février 2001.

Shuler, Lou. « Your Body Problems Solved. » *Men's Health,* 1er avril 1999.

Sidener, Jonathan. « Happy Birthday, Cubicle. » *The Arizona Republic,* 3 octobre 1998.

Siegel, Robert. « Interview : Professor Eric Kramer, Simon's Rock College, Discusses the Scientific Reason Why Plastic Candy Wrappers Make Noise When You Unwrap Them. » All Things Considered (NPR), 1e juin 2000.

Siegfried, Tom. « Making Memories : Science Provides Scattered Picture of Remembering. » *Dallas Morning News,* 20 avril 1998.

Simon, Scott. « Brain Freeze. » Weekend Saturday (NPR), 12 juillet 1997.

Sleigh, J.W. « Ice Cream Headache. » *British Medical Journal*, 6 septembre 1997.

« Snooze Alarm : Snoring and Your Health. » *Discover*, 1er juillet 1999.

Snyder, Jodie. « It may seem funny, but no one knows why we hic. » *Minneapolis Star Tribune*, 2 juillet 1995.

Smith, Dinitia. « When Ideas Get Lost in Bad Writing. » *New York Times*, 27 février 1999.

Smith, Ian K. « Personal Time : Your Health : Dangerous Seats? Crammed into Airline Economy Class You May Be Risking Blood Clots. » *Time*, 6 novembre 2000.

Snead, Elizabeth. « Sneak Peeks. First Impressions Are the Most Important. Just Ask Anyone Who Saw the Trailer for *The Postman*. » *USA Today*, 1er mai 1998.

Spake, Amanda et Dana Hawkins, Katy Kelly, Leonard Wiener. « Relief for Famished Fliers. » *U.S. News and World Report*, 8 mai 2000.

Spilner, Maggie. « De-stress Your Commute. » *Prevention*, 1er mars 1995.

Steinbach, Alice. « Buyers Dig Up Many Treasures at Graveyard of Lost Airline Bags. » *Minneapolis Star Tribune*, 25 août 1996.

Stern, Jane et Michael. *The Encyclopedia of Bad Taste*. New York : HarperCollins 1990.

Stewart, Martha. « Hankies And Dust : Nothing To Sneeze At. » *Newsday*, 12 avril 2000.

Stewart, Thomas A. « Ban it Now ! Friends Don't Let Friends Use PowerPoint. » *Fortune.com*, 5 février 2001.

« Stickiness : Blame it on the Bubbles. » *The Economist*, 23 janvier 1999.

Stovsky, Renee. « No ! No ! Not Again. What Happens When Kids Love to Hear Books Their Parents Hate to Read? » *St. Louis Post-Dispatch*, 5 septembre 1993.

Stuard, Doug. « Voice Quality in PCS and Cellular Networks : Eliminating the Echo. » *Lighting Dimensions*, 1er septembre 1998.

Sugarman, Carole. « Use it or Lose It; Do You Know When It's Time to Chuck the Chicken or Dump the Milk? » *The Washington Post*, 11 octobre 2000.

Suplee, Curt. « Get Outta My Space ! The Science and Secrets of Personal Space. » *The Washington Post*, 9 juin 1999.

Sykes, Charles J. *A Nation of Victims*. New York : St. Martin's Press, 1992.

—. « Take My Dandruff....Please. » *Newsday*, 12 décembre 1994.

Tenner, Edward. *When Things Bite Back : Technology and the Revenge of Unintended Consequences*. New York : Alfred A. Knopf, 1996.

Terrell, Kenneth et Sara Hammel. « Call of the Riled. » *U.S. News & World Report*, 14 juin 1999.

Tevlin, Jon. « Dial 'R' for Rage. So You Expected to Talk to Someone? No, No, No. » *Minneapolis Star Tribune*, 15 novembre 1999.

—. « Tricks of the Trailers : Draw 'Em In, But Spoil the Movie. » *Minneapolis Star Tribune*, 26 octobre 1999.

Tilley, Steve. « Please Carefully Read the Following Warning Before Proceeding. » *Edmonton Sun*, 27 janvier 2000.

Uhlig, Robert. « Bad Breath Detector Has the Measure of Halitosis. » *Daily Telegraph*, 21 octobre 1999.

—. « UK Restricts Use of Laser Light Pens. » *Medical Post*, 2 décembre 1997.

—. « Understanding Colds. » Underwood, Anne, Pat Wingert et al. « Stress in the Skies. » *Newsweek*, 29 novembre 1999.

—. « University Tries to Bring Some Class to Airline Foodservice. » *Nation's Restaurant News*, 16 octobre 2000.

—. « Update : A survey of recent findings published in academic journals. » *Independent*, 2 juillet 1997.

—. « Update on ... chewing-gum. » *Independent*, 11 février 1997.

Van Der Werf, Martin. « Adverse Reaction. Product Plugs Lose Punch Amid Commercial Overload. » *Arizona Republic*, 26 juillet 1998.

Veilleux, Zachary, « The 8 Worst Things You Can Do to Your Privates. » *Men's Health*, 1er novembre 1998.

Viets, Elaine. « Hosiery History : From Silk to Pantyhose. » *St. Louis Post-Dispatch*, 6 mai 1993.

—. « Virus Attacks Cost Organizations $17.1 Billion in 2000. » Computer Economics Press Release, 5 janvier 2001.

Von Radowitz, John. « Motoring : Why road rage and murer are too close for comfort. » *Birmingham Post*, 5 janvier 2001.

Wallace, Patricia M. *The Psychology of the Internet*. Cambridge, United Kingdom : Cambridge University Press, 1999.

Wann, Marilyn. *Fat ! So?* Berkley, California : Ten Speed Press, 1998.

Ward, Robert. « Loud Music Stimulates Sex Center in the Brain. » *Daily Telegraph*, 17 février 2000.

—. « We All Scream After Ice Cream. » *Independent*, 10 mai 1997.

—. « Wellness and Self-Responsibility. » *Ardell Wellness Report,* 20 janvier 1998.

Werts, Diane. « Glued to the Tube. Time for Entertaining Reality. » *Newsday,* 17 avril 2000.

Williams, Stephanie. « Come Unglued. » *Men's Health,* 1er juillet 1999.

Williams, Stephen. « Technophobia. Dear Victims of Electronic Progress : It's Time to Tame the Alien. » *Newsday,* 21 mai 1994.

Winans, Vanessa. « Can't Get it Out of My Head. » *Toldeo Blade,* 2 juillet 2000.

Wineke, William. « He Put Your Nose Into His Business. » *Wisconsin State Journal,* 27 mars 1995.

Wollard, Kathy. *How Come ?* New York : Workman Publishing, 1993.

—. « Itching To Know Why We Scratch. » *Newsday,* 30 juillet 1996.

—. « Xmas isn't a Plot to take Christ out of Christmas. » *Minneapolis Star Tribune,* 21 décembre 1997.

—. « You Can't Drive Without It (Windshield Wiper) » *Weatherwise,* 20 octobre 1996.

Zelouf, David S. et Martin A. Posner. « Hand and wrist disorders : How to Manage Pain and Improve Function. » *Geriatrics,* 1er mars 1995.

Zoglin, Richard. « Video : Can Anybody Work This Thing ? » *Time,* 23 novembre 1992.

—. « The Century Ahead : Beyond Your Wildest Dreams. TV Will Dazzle Us With Choices, But Will We Be Happy in Our Caccoons ? », *Time,* 15 octobre 1992.

Zoroya, Gregg. « Passengers Behaving Badly. » *USA Today,* 19 novembre 1999.